sueña

4

Libro del Alumno

sueña

4

Libro del Alumno

Nivel Superior

Coordinadora del Nivel Superior
M.ª Jesús Torrens Álvarez

Autoras
Ana Blanco Canales
M.ª Carmen Fernández López
M.ª Jesús Torrens Álvarez

Con la colaboración de
M.ª Ángeles Álvarez Martínez

UNIVERSIDAD DE
ALCALÁ

ANAYA **ñ** ELE

Equipo de la Universidad de Alcalá
    Dirección: M.ª Ángeles Álvarez Martínez

    Programación y esquemas gramaticales: M.ª Ángeles Álvarez Martínez
                                           Ana Blanco Canales
                                           M.ª Jesús Torrens Álvarez

    Coordinación del Nivel Superior: M.ª Jesús Torrens Álvarez

    Autoras: Ana Blanco Canales
            M.ª Carmen Fernández López
            M.ª Jesús Torrens Álvarez
            Con la colaboración de M.ª Ángeles Álvarez Martínez

5.ª reimpresión: 2008
3.ª edición: 2007

© Del texto: Cursos Internacionales S. L. (Alcalingua S. R. L.), de la Universidad de Alcalá, 2001
© De los dibujos y gráficos: Grupo Anaya, S. A., 2001
© De esta edición: Grupo Anaya, S. A., 2001, Juan Ignacio Luca de Tena, 15 - 28027 Madrid

Depósito legal: M-17.488-2008
ISBN: 978-84-667-6371-4
Printed in Spain
Imprime: Gráficas Orymu. Polígono Industrial La Estación. Pinto. Madrid

Equipo editorial
    Edición: Milagros Bodas, Sonia de Pedro
    Ilustración: El Gancho (Tomás Hijo, José Zazo y Alberto Pieruz)
    Cubiertas: Taller Universo: M. Á. Pacheco, J. Serrano
    Maquetación: Ángel Guerrero y Luis María Bilbao
    Corrección: Consuelo Delgado, Carolina Frías, Esther García, Maite Izquierdo
    Edición gráfica: Nuria González

Grabación: Texto Directo

Fotografías: Archivo Anaya (Chamero, J.; Boe, O.; Cosano, P.; Enríquez, S.; Leiva, A.; Marín, E.; Muñoz, J. C.; Steel, M.); Breitfeld
            Claus; Contifoto; EFE; Lopesino, C. / Hidalgo, J.; Prisma; Stock Photos; Umbria, J.

Las normas ortográficas seguidas en este libro son las establecidas por la Real Academia Española en su última edición
de la *Ortografía*, del año 1999.

Instituto
Cervantes

**Este Método se ha realizado de acuerdo con el *Plan Curricular* del Instituto Cervantes, en virtud del Convenio suscrito el 14 de junio de 2001.
La marca del Instituto Cervantes y su logotipo son propiedad exclusiva del Instituto Cervantes.**

PRESENTACIÓN

Este método es producto de la labor de un equipo de lingüistas y profesores de español como lengua extranjera de la Universidad de Alcalá, elaborado y puesto en práctica durante años con nuestros alumnos. Reunimos en el método SUEÑA los materiales que hemos diseñado para la enseñanza de nuestra lengua, desde el Nivel Inicial hasta el Nivel Superior. Con ello ponemos a disposición de todos los profesores y estudiantes de español como segunda lengua unos materiales y una experiencia que nos han sido de gran utilidad con nuestros alumnos, con la confianza de que puedan prestarles también a ellos un buen servicio.

Para el desarrollo del método hemos partido de una programación detallada para todos los niveles, que se ha ido elaborando cuidadosamente al hilo de nuestra experiencia docente y de las investigaciones que, en este campo, hemos llevado a cabo en nuestro centro.

El método SUEÑA está inscrito en las directrices generales del Instituto Cervantes, y por ello obtuvo el reconocimiento de esta institución en su momento. Sin embargo, después se publicó el *Marco común europeo de referencia para la enseñanza / aprendizaje de lenguas* (MCER), y las directrices europeas han cambiado. De los 4 niveles iniciales se ha pasado a 6 niveles básicos (A1, A2, B1, B2, C1 y C2). Por ello, los niveles de SUEÑA se han adaptado a los establecidos por el Marco.

SUEÑA 4 corresponde al cuarto nivel del método. Está dirigido a aquellos estudiantes que ya tienen un gran dominio de la lengua española, que conocen con soltura el léxico fundamental y las estructuras gramaticales de esta lengua. Tiene como objetivo que el alumno adquiera la finura interpretativa de un nativo y que aprenda a distinguir matices en las construcciones lingüísticas. En definitiva, se pretende desarrollar la competencia comunicativa que le permita diferenciar usos lingüísticos y seleccionar en cada momento el más indicado, de acuerdo con factores tales como la intención del hablante, el contexto lingüístico y extralingüístico o las características de los interlocutores.

SUEÑA 4 está compuesto por 10 lecciones, divididas en secciones independientes que facilitan al estudiante el conocimiento de usos y reglas concretas. Estas secciones corresponden a la gramática *(Normas y reglas)*, la escritura *(Toma nota)*, el léxico *(Palabras, palabras)*, la conversación y contenidos nocio-funcionales *(Bla, bla, bla)* y, por último, la fonética *(Suena bien)*. La información gramatical se presenta de manera fragmentada en fichas, tras las que aparece un bloque de actividades en las que se trabajan los contenidos programados; en otros casos, la realización de determinadas actividades permite al alumno descubrir de forma inductiva la regla gramatical que se pretende enseñar. En *Toma nota* se trabajan tanto cuestiones ortográficas de especial dificultad como diferentes tipos de textos. El léxico de cada lección corresponde a un ámbito específico. En *Bla, bla, bla* se presentan funciones comunicativas y actividades de carácter interactivo que ponen en práctica contenidos lingüísticos vistos en las otras secciones, así como cuestiones relativas al análisis de la conversación. Por último, en fonética se ofrece al estudiante la posibilidad de reconocer sus propias dificultades en la pronunciación del español y se le proponen ejercicios de autocorrección fonética; también se le da a conocer la variedad dialectal del español, tanto peninsular como americana. A lo largo de todo el método se busca la participación constante de los alumnos para que el aprendizaje sea activo y dinámico.

Al final de la lección se incluye la sección A nuestra manera, destinada a la realidad cultural de Hispanoamérica, y una Recapitulación, juego de acertijos y misterio, para repasar lo aprendido de forma lúdica.

El manual se cierra con las Transcripciones de todas las grabaciones y con un Glosario traducido a cinco lenguas (excepto los refranes, términos tabúes y americanismos). Obviamente, no pretende ser un diccionario, sino un instrumento de utilidad tanto para el profesor como para el alumno, ya que disponen del vocabulario específico comprendido en la sección *Palabras, palabras* de cada lección.

El manual se complementa con un Cuaderno de Ejercicios, que ofrece al profesor y al estudiante ejercicios que pueden desarrollarse en el aula o constituir tarea para casa. Mediante un icono se reflejan las actividades que pueden (o deben) integrarse en la explicación. Dicho icono les sirve a los alumnos para conocer qué contenidos del Libro pueden seguir practicando en el Cuaderno.

Se incluyen dos CD Audio con las audiciones del libro. En el manual viene indicado en un icono el número de pista correspondiente.

ÍNDICE

LÉXICO	FONÉTICA	FUNCIONES	CULTURA
- Frases hechas. - Modismos con valor adverbial.	- Autocorrección fonética I: el vocalismo.	- Expresar indiferencia. - Pedir a alguien que no se inmiscuya en asuntos ajenos.	- Culturas indígenas de Hispanoamérica.
- Medicina y farmacia. - Anatomía humana.	- Autocorrección fonética II: el consonantismo.	- Narrar desde diferentes perspectivas y con distintas intenciones informativas.	- Las lenguas indígenas de Hispanoamérica.
- El mundo del espectáculo: cine, música, teatro…	- Autocorrección fonética III: los grupos fónicos.	- Expresar cortesía en casos de petición, orden y mandato y rechazo.	- Música y folclore de Hispanoamérica.
- Precisión léxica. - Distinción entre palabras de la misma raíz y categoría. - Parónimos.	- Variedades del español I: el español de España.	- La conversación I: marcadores que emplea el hablante para regular su propio discurso.	- Fiestas de Hispanoamérica.
- Refranes.	- Entonación I: esquemas tonales fundamentales.	- Decir cumplidos y responder a los mismos.	- Gastronomía hispanoamericana.

LECCIÓN	GRAMÁTICA	ESCRITURA

6.
Si yo fuera rico
Pág. 104
	- Oraciones condicionales:
	  - Ampliación de las combinaciones temporales.
	  - Uso de infinitivo, indicativo o subjuntivo.
	  - Conectores: condicionamientos sintácticos, semánticos, pragmáticos y de registro.
	- Oraciones temporales:
	  - Conectores.
	  - Conectores con valor condicional (*siempre que, cuando, mientras*).
	  - *Hasta que / no.*
	  - Usos y valores de *mientras*.
	- Oraciones concesivas:
	  - Uso de infinitivo, indicativo, subjuntivo o gerundio.
	  - Estructuras y fórmulas concesivas.
	  - Conectores: condicionamientos semánticos, pragmáticos y de registro.
	  - Valores temporales y grado de probabilidad.
	- Oraciones finales:
	  - Uso de infinitivo y subjuntivo.
	  - Conectores.
	  - Particularidades semánticas y de registro de los conectores.
		- La carta comercial.

7.
Sueña: porque enseñar la lengua no es siempre signo de mala educación
Pág. 124
	- Oraciones causales:
	  - Uso de indicativo y subjuntivo.
	  - Posición de la negación.
	  - Conectores: condicionamientos semánticos, pragmáticos y de registro.
	  - Otros valores de *porque*.
	- Oraciones consecutivas:
	  - Uso de indicativo y subjuntivo según el tipo de construcción.
	  - Conectores en consecutivas con intensificación y sin intensificación.
	  - Particularidades de los distintos conectores.
	- Oraciones modales y comparativas:
	  - Uso de infinitivo, indicativo o subjuntivo.
	  - Particularidades de los distintos conectores.
	  - Estructuras comparativas.
		- *Porque / por que / porqué / por qué.*
		- *Conque / con que / con qué.*
		- Textos publicitarios.

8.
Dimes y diretes
Pág. 142
	- Estilo indirecto:
	  - Transformaciones en el paso del estilo directo al indirecto, y viceversa.
	  - Casos especiales:
	    • Conservación del presente.
	    • Conservación del futuro. Contraste con el condicional. Casos de libre elección.
	  - Expresiones de la lengua hablada.
	
	- *El / un / ø.*
		- Puntuación II: las comillas, la raya y los paréntesis.
		- Lenguaje científico-técnico.

9.
Se vive bien aquí...
Pág. 160
	- La expresión de la impersonalidad:
	  - Construcciones pasivas con *ser* o con *estar*. Restricciones.
	  - Tipo de construcción según la naturaleza del verbo.
	  - Contraste de construcciones impersonales:
	    • Pasiva con *ser* / construcción con *se* / *todo el mundo* / 3.ª persona del plural.
	    • *Tú / uno (a).*
	- Presencia de los pronombres tónicos.
	- Reduplicación del complemento y orden de palabras.
		- El lenguaje periodístico.

10.
Hablando se entiende la gente
Pág. 178
	- El gerundio y el participio:
	  - Uso correcto del gerundio.
	  - Verbos con dos formas del participio.
	  - Sentido activo y pasivo de algunos participios.
	  - Valores de las construcciones con gerundio y participio.
	- Las agrupaciones verbales:
	  - Obligación.
	  - Acción que comienza.
	  - Acción acabada.
	  - Acción en curso o repetida.
		- Textos jurídico-administrativos.

LÉXICO	FONÉTICA	FUNCIONES	CULTURA
- Negocios y finanzas.	- Entonación II: autocorrección fonética.	- La conversación II: elementos reguladores de la interacción con los otros interlocutores.	- Arte hispanoamericano.
- El medio ambiente. - El turismo rural y cultural.	- Entonación III: valores expresivos.	- Inferencias del discurso. - Connotaciones del lenguaje.	- Lugares turísticos de Hispano-américa.
- Tecnología.	- Entonación IV: valores expresivos.	- Actos de habla. - Expresar ironía, sarcasmo, enfado, picardía, ambigüedad…	- Literatura hispanoamericana I: poesía.
- Americanismos. - Palabras tabúes en el español de América.	- Variedades del español II: el español de Hispanoamérica.	- Comentar noticias sin saber las fuentes. - Cotillear.	- Literatura hispanoamericana II: narrativa.
- Administración y justicia.	- Variedades del español III: el español de Hispanoamérica.	- Interpretación de elementos paralingüísticos.	- El cine hispanoamericano.

El viajero, a la caída de la tarde, baja hasta el río. A la izquierda, Tajuña arriba, va el camino de Masegoso y de Cifuentes; a la derecha, Tajuña abajo, el de Archilla o el de Budia. El viajero está indeciso y se sienta en la cuneta, de espaldas al pueblo, de cara al río, a esperar el momento de la decisión. Recostado sobre la mochila, está cómodo y descansado. La mochila le coge justo la espalda, hasta los riñones, y le hace un respaldo alto, acogedor, un poco duro quizás.

Camilo José Cela, *Viaje a la Alcarria*.

1 **Aquí tienes el mapa de esta zona de Guadalajara.**

◆ Localiza los cuatro pueblos que se mencionan.
◆ ¿Dónde se podría encontrar el viajero? Busca el río Tajuña para orientarte.
◆ Subraya las expresiones utilizadas en el texto para ubicar al viajero.
◆ ¿Cuándo bajó el viajero hasta el río?

POR Y PARA

▶ **USOS CONTRASTADOS DE *POR* Y *PARA***

por	para
1. Causa, razón o motivo: *Lo felicitaron por sus éxitos.*	1. Finalidad, destino: *Lo dijo para tranquilizarnos.*
2. Destinatario de algo inmaterial:	2. Destinatario: *Lo he hecho para ti.*
2.1. Destinatario u objeto de un sentimiento: *Siente un gran amor por los animales.*	
2.2. Beneficiario ('a favor de', 'en beneficio de'): *Lo he hecho por ti.*	
3. Cuando la causa y la finalidad coinciden (con verbos como *luchar, votar, morir...*) → *por* + nombre: *Luchó por la libertad.*	3. Cuando la causa y la finalidad coinciden (con verbos como *luchar, votar, morir...*), se aconseja *para* + infinitivo (aunque también puede usarse *por*): *Luchó para conseguir la libertad.*
4. Lugar:	4. Lugar. Dirección del movimiento ('hacia'): *Voy para Madrid* (en dirección a Madrid, pero no necesariamente a la ciudad de Madrid).
4.1. Lugar poco determinado: *Ellas viven por aquí.*	
4.2. Lugar de tránsito, movimiento a través de un lugar: *Pasó por Madrid para ir a Toledo.*	
5. Tiempo:	5. Tiempo. Fecha tope o límite: *Quiero estas tareas acabadas para el lunes.*
5.1. Parte del día: *Voy a clase por la mañana.*	
5.2. Tiempo aproximado (pasado o futuro): *Recibí una carta suya por agosto.* *Nos veremos por Navidades.*	
6. Equivale a 'en lo que a mí / él... respecta'. Normalmente se utiliza para expresar indiferencia, por lo que con frecuencia va seguida del verbo *poder* o de *como si* + indicativo: *Por mí, puede decir lo que quiera. / Por mí, como si quiere irse.* También puede expresar acuerdo o falta de oposición: *Por mí, está bien así. / Por mí, no hay ningún problema.*	6. Opinión: *Para mí, ellos no tienen razón.*
7. *Estar por:*	7. *Estar para:*
7.1. Con sujeto de persona expresa intención: *Estoy por ir a ver qué ocurre.*	7.1. *Estar para* + infinitivo indica inminencia. Su uso está prácticamente limitado a *salir, empezar, terminar, llover*: *Está para llover.*
7.2. Con sujeto inanimado, indica una acción inacabada: *La tarea está por hacer* (= sin hacer).	7.2. *No estar para* indica falta de disposición anímica: *No estoy para bromas.*

2 **Completa las frases con la preposición correspondiente.**

1. _Para_ tu padre, no hay otra ciudad en España más limpia que esta.
2. Toda su vida luchó _por_ un ideal imposible de alcanzar.
3. Lo haré _para_ quedar bien delante de mis suegros.
4. Nos dijo que lo había escrito _por_ ti. _o para_
5. Todos sentimos un profundo respeto _por_ nuestro patrocinador.
6. Tened cuidado, que hoy no está _para_ tonterías.
7. Le pusieron una medalla _por_ rescatar a unos escaladores aficionados.
8. No sé si habrá hoy salida al parque, porque está _para_ llover.

9. Siento mucho no poder llevarte, pero voy _por_ el centro.
10. Estoy _por_ acercarme a la tienda y traer unas pastas.
11. Nos han pedido que lo tengamos terminado _para_ mañana por la tarde.
12. Luchamos _por_ conseguir una mejora laboral, pero no lo conseguimos.
13. Viven _por_ las calles próximas al río.
14. No me gusta ir a clase _por_ la tarde; prefiero el turno de mañana.
15. Nos comentó que se mudaría _por_ el verano.

▶ **OTROS USOS DE *POR* Y *PARA***

por	para
1. Agente de la construcción pasiva: *Un cuadro pintado por Dalí.*	1. Viene exigida por verbos, adjetivos y nombres que indican aptitud, valor o utilidad: *Estás muy capacitado para este trabajo.*
2. Distribución: *Van a clase dos veces por semana* (periodicidad). *Dieron un regalo por persona.*	2. Valor concesivo ('a pesar de', 'aunque'): *Es un niño muy responsable para su edad* (= a pesar de su corta edad).
3. Con idea de cambio: *Cambié los pantalones por una falda* (cambio). *Lo compré por seis euros* (precio). *Vete tú por mí* (en mi lugar).	3. Comparación y valoración: 3.1. *Para* + sustantivo (con o sin modificador), valoración positiva o negativa: *Para buena cocina, la vasca.* 3.2. *Para* + oración, valoración negativa e irónica: *Para lo que has dicho, mejor te hubieras callado.*
4. Medio o instrumento: *Estuvimos hablando por teléfono más de una hora.*	

---

3 **Completa las frases con la preposición correspondiente.**

1. El edificio ha sido diseñado _por_ un equipo de especialistas en arquitectura urbana.
2. Está muy preparado _para_ resolver este tipo de situaciones.
3. Te enviaremos los resultados de los análisis _por_ fax a tu despacho.
4. Lo adquirimos en una tienda de ropa usada _por_ dieciocho euros.

5. Nos regalaron una carpeta .... participante.
6. _Para_ lujo, el que había en casa de sus padres; era increíble.
7. Ya tiene cinco años, ¿no? Pues habla muy poco _para_ la edad que tiene.
8. Nos reuniremos dos veces _por_ semana.
9. _Para_ lo que dice cuando viene, es mejor que no aparezca.
10. Creo que sería mejor cambiarlo _por_ una talla mayor.

---

4 **Escucha y copia las oraciones en las que se utilicen *por* y *para*; después, anota qué valor tienen en cada caso.**

por	para

VERBOS CON PREPOSICIÓN

hasta / Val / por (handwritten)

5 ¿Qué preposiciones o expresiones similares crees que podrían acompañar a los verbos en estas frases, además de las utilizadas por Cela en su texto?

▶ El viajero baja .... el río. *al / hasta. /por*

por / ▶ ..A.... la izquierda, Tajuña arriba, va el camino de Masegoso y de Cifuentes.

▶ El viajero está indeciso y se sienta ...en.. la cuneta. *shoulder*

▶ Recostado .... la mochila, está cómodo y descansado.
sobre / en / con

> ▶ Algunos verbos suelen llevar complementos introducidos por preposiciones.
> ▶ Otros exigen una determinada preposición.
> ▶ También los hay que cambian de significado según la preposición que los acompañe.

6 ¿Qué preposición exigen los siguientes verbos? En parejas, construid una frase con cada uno.

supplies ▶ abastecer — *de*
become accustomed ▶ acostumbrarse — *a*
hold on to ▶ afirmarse — *en*
take pity ▶ apiadarse — *de*
lean ▶ apoyarse — *en*
settle/sink/establish ▶ arraigar —
fight / charge ▶ arremeter — *contra*
attend ▶ asistir — *a*
▶ bastar — *para*
lack ▶ carecer — *de*
promise ▶ comprometerse — *a*
be happy with ▶ conformarse — *con*

consist of. Sthg ▶ consistir — *en*
▶ convencer — *de*
▶ cumplir — *con*
descend ▶ depender — *de*
bye ▶ despedirse — *de*
▶ dirigirse *go* — *a*
▶ empeñarse *insist* — *en*
▶ encargarse *deal with* — *de*
▶ enterarse —
take care / pain ▶ esmerarse — *en*
▶ insistir — *en*
▶ intervenir —

▶ negarse *refuse* — *a*
▶ obligar *force* — *a*
▶ obstinarse *insist, retto* — *a en*
▶ ocuparse — *de*
▶ oponerse —
▶ optar *choose* — *por*
▶ permanecer —
▶ presumir *show off* — *de*
▶ recurrir *resort to* — *a*
▶ renunciar *resign* — *a*
▶ soñar —
▶ supeditar — *a*
depend on

7 Lee el texto y subraya las oraciones en las que se utilicen verbos que rigen preposición.

Tender a.

El niño Raúl era un niño con personalidad; esto es, un niño flaquito, paliducho, que hacía, más o menos, lo que le daba la gana. El niño Raúl tendía a la histeria, a la misantropía y a la holganza, como los sabios de la antigüedad. El niño Raúl tenía manías, una bicicleta y diez o doce años.

Al niño Raúl, aquella temporada, lo que le preocupaba era tener una oreja más grande que la otra. El niño Raúl se miraba al espejo constantemente, pero el espejo no le sacaba demasiado de dudas; en los espejos que había en casa del niño Raúl jamás podían verse las dos orejas a un tiempo.

El niño Raúl, preocupado por sus orejas, pasaba por largos baches de tristeza y de depresión.

bumps

Camilo José Cela, *Nuevo retablo de don Cristobita.*

pale negative (handwritten)

holgazanería - lazyness. (handwritten)

1. Fíjate en la oración *El niño Raúl tendía a la histeria.* ¿Cuál sería la definición exacta de *tender* en este contexto?

➜ Echar sobre una superficie horizontal.

➜ Mostrar o tener una inclinación o una disposición natural.

2. ¿Podrías poner un ejemplo en el que el verbo *tender* adopte la otra acepción? ¿Qué cambios has observado en la construcción de la nueva frase?

≫ _____

Tender en.

3. Completa con las preposiciones adecuadas. Fíjate en el ejemplo que te damos y une cada oración con la acepción correspondiente del verbo.

1 ▶ Se tendió un rato *en* el sofá porque estaba muy cansado.
2 ▶ Los precios de los alimentos tienden *a* aumentar por Navidad.
1 ▶ Cuando se mareó, lo tendieron *en* el suelo.
2 ▶ El niño Raúl tendía **a** la histeria.

1 ▶ Echar sobre una superficie horizontal.

2 ▶ Mostrar o tener una inclinación o una disposición natural.

Por / de

1 ▶ Se quedó preocupado *por* el mal aspecto de su padre.
1 ▶ El niño Raúl, preocupado *por* sus orejas, pasaba por largos baches de tristeza.
2 ▶ Ella es la que se preocupa *de* la educación de los niños.

1 ▶ Hacer que alguien pierda la tranquilidad y sienta miedo o angustia al pensar en una persona, cosa o situación.

2 ▶ Sentir interés. Dedicar atención y cuidados a una persona o cosa de forma voluntaria.

a
Por

1 ▶ Mira *adelante*, que te vas a caer.
2 ▶ Mira *de* no pisar ningún agujero, que te harías daño.
4 ▶ Es muy buena persona, se pasa el día mirando *por* la felicidad de los que le rodean.
▶ Mira *a* tu hermano, te está hablando.
3 ▶ Los pisos que miran *al* sur son más caros que los que miran *al* norte.
▶ Se miraba *en* los jóvenes que le rodeaban y vivía feliz.
▶ El niño Raúl se miraba *en* el espejo.
▶ Debes mirar *a* la cámara para que te hagan la foto.
5 ▶ Es una chica de altos vuelos, solo se mira *en* las estrellas de cine.

1 ▶ Dirigir la vista con atención.

2 ▶ Tener o llevar un fin determinado.

3 ▶ Estar orientado.

4 ▶ Ajustar una obra o una acción a las circunstancias.

5 ▶ Tener como modelo o ejemplo.

ADVERBIOS CON PREPOSICIÓN

CE 5 **8** El adverbio *donde* puede ir acompañado de preposiciones. Subráyalas en estas frases.

1. Fui *a* donde me dijiste y no los encontré.
2. Estuvimos *por* donde hay tantos bares y nos divertimos mucho.
3. Sin mapa no creo que encuentres el lugar en donde estuvimos de acampada.
4. Nunca les dice a sus padres de dónde viene.
5. ¿Para dónde va este paquete?
6. ¿Hasta dónde tengo que seguir hilvanando?
7. No pude decirle hacia dónde iba ese autobús.
8. Iremos a Valencia, en donde cogeremos un barco hacia Mallorca.
9. ¿De dónde viene tu hermano?
10. Puedes enviarlo para donde quieras, siempre vuelve.

1. Intenta eliminar la preposición que acompaña a *donde* o cambiarla por otra. ¿Qué observas?

2. Explica el uso de *adonde* y *a donde* en estas oraciones. **3.** Completa la ficha.
¿Qué ocurre en la 3 y en la 8?

1. Viajaremos hasta Sevilla, adonde llegarán todos nuestros amigos para celebrar este gran acontecimiento.
2. ¿Dónde has puesto los libros nuevos?
3. No me he enterado de adónde hay que ir.
4. Fuimos a donde nos habían mandado.
5. ¿Fue allí donde os encontrasteis la pulsera?
6. ¿Es este el lugar adonde fuisteis?
7. Al sonar el timbre, todos los niños corrieron a donde estaban sus padres esperándolos.
8. El niño no podía imaginar adónde lo llevaban.
9. Todos los lugares adonde fuimos estaban devastados.
10. No te preocupes, porque tú fuiste a donde te dijeron que debías ir.

Delante de *donde*, siempre puede prescindirse de las preposiciones ....

Se utiliza .... cuando en la oración aparece su antecedente.

Se utiliza .... cuando en la oración no aparece expreso el antecedente.

No existe *a dónde, solo *adónde*.

(handwritten) alegrarse. / me alegro / te alegras / se ta alegra.

VERBOS QUE PUEDEN CONJUGARSE CON O SIN PRONOMBRE

9 **Lee esta conversación y fíjate en los verbos que expresan sentimientos.**

A: Oye, Juan, a todos nos <u>alegró</u> que vinieras tan pronto, de verdad. No sabíamos qué hacer.
B: A mí sí que me <u>emocionó</u> ver que confiabais en que yo podría hacer algo por él.
A: Yo, sobre todo, estaba <u>preocupado</u> porque <u>me asustaba</u> la idea de que no llegaras a tiempo.
B: Me <u>sorprendió</u> que no estuviera vuestra hermana; ya sabéis que me <u>molesta</u> que se ponga tan nerviosa en momentos como este porque no para de hablar, pero la eché de menos.

(handwritten) me alegra tu ns ita

1. Anota cuál es el sujeto gramatical de los siguientes verbos.

alegrar ➤ _____
emocionar ➤ _____
asustar ➤ _____
sorprender ➤ _____
molestar ➤ _____

2. Transforma las oraciones utilizando los verbos anteriores en forma pronominal.

(handwritten) me alegro de tu ns ita.

alegrarse: *Nos alegramos de que vinieras tan pronto.*
emocionarse ➤ *me emociono mucho tu llamada*
asustarse ➤ _____
sorprenderse ➤ _____
molestarse ➤ _____

(handwritten margin) m te le

10 **Observa estos dos diálogos construidos con verbos de consumo y actividad mental, respectivamente.**

A: ¿Qué quieres <u>beber</u>, un café o un zumo?
B: Un zumo.
A: Lo siento, Carlos <u>se bebió</u> todo el zumo que quedaba. ¿No te importa <u>beber</u> leche?
B: No, está bien.

A: Nos hemos <u>leído</u> más de cinco libros cada uno durante estas vacaciones.
B: ¿Qué tipo de libros?
A: Novela.
B: Hace mucho que no <u>me leo</u> una buena novela, una novela que me deje un buen recuerdo.
A: Tienes que <u>leer</u> más.

¿Qué diferencias aprecias entre *beber / beberse* y *leer / leerse*?

11 **De las dos formas en que aparecen los verbos de movimiento, elige la mejor opción para incluirla en los diálogos.**

Ahora mismo voy.
Ahora mismo me voy.
A: ¿No te das cuenta de que estás molestando?
B: ....

Vino a mi casa el miércoles.
Se vino a mi casa el miércoles.
A: Luis ha discutido con sus padres.
B: ¿Cuándo?
A: Durante el fin de semana. Ha pasado unos días horribles; al final, ha tenido que marcharse.
B: ¿Adónde?
A: ....

Los niños marcharon dos horas.
Los niños se marcharon dos horas.
A: Esta casa ha sido una locura, tanta gente.
B: ¿Pero habéis estado todos aquí? ¿Y toda la tarde?
A: Bueno, ..., y no veas qué tranquilidad.
B: Ya me imagino.
Salí muy molesto de la reunión.
Me salí de la reunión porque estaba molesto.
A: ¿Cómo llegas tan pronto?
B: No aguantaba más. ....
A: ¿Y los demás?
B: Allí siguen.

Volvió a casa.
Se volvió a casa.
A: No hacía diez minutos que había salido cuando .... Tenía miedo de que le hicieran algo a esas horas.
B: Pobre hombre.

Construye ahora otros diálogos con la opción que no hayas utilizado.

Verbos de sentimiento
La no forma pronominal se construye sin preposición y da más importancia a la causa del sentimiento que a la persona que experimenta dicho sentimiento.

Verbos de consumo y actividad mental
La forma pronominal destaca o enfatiza la cantidad expresada por el sustantivo que funciona como complemento.

Verbos de movimiento
La forma pronominal hace hincapié en el origen del movimiento, en el punto de partida.

✓

VERBOS QUE CAMBIAN DE SIGNIFICADO

acordar: 'decidir, llegar a un acuerdo'.	acordarse de: 'recordar'.
admirar: 'contemplar deleitándose; reconocer el valor o mérito de algo o alguien'.	admirarse de: 'sorprenderse de algo'.
aprovechar: 'emplear útilmente alguna cosa'.	aprovecharse de: 'sacar un beneficio a costa de algo o alguien'.
creer: 'pensar, opinar'.	creerse: 'tener una opinión sobre sí mismo que no responde a la realidad; considerar verdaderas cosas que difícilmente pueden serlo'.
dormir: 'descansar en estado inconsciente'.	dormirse: 'pasar de estar despierto a estar dormido / no despertarse a tiempo'.
encontrar: 'hallar después de buscar'.	encontrarse (con): 'hallar por casualidad' / 'sentirse'.
fiar: 'vender sin cobrar en el momento'.	fiarse de: 'confiar en'.
fijar: 'establecer'.	fijarse en: 'prestar atención a'.
jugar: 'divertirse haciendo algo'.	jugarse: 'apostar o arriesgar alguna cosa'.
limitar: 'poner límites'.	limitarse a: 'no hacer nada más que eso'.
llamar: 'pronunciar un nombre', 'telefonear'.	llamarse: 'tener un nombre'.
negar: 'decir que algo no es verdad'.	negarse a: 'rehusar hacer algo'.
ocupar: 'tener un lugar'.	ocuparse de: 'tratar un asunto'.
parecer: 'creer, pensar'.	parecerse a: 'ser similar a'.
pasar: 'entrar'.	pasarse: 'extralimitarse, excederse'.
portar: 'llevar una cosa de un lugar a otro'.	portarse: 'comportarse'.
prestar: 'dejar algo a alguien'.	prestarse a: 'acceder a hacer algo'.
quedar: 'tener una cita'; quedar en: 'acordar'.	quedarse: 'permanecer' / seguido de adjetivo: 'expresar un estado'.
resolver: 'solucionar'.	resolverse a: 'tomar la decisión de hacer algo'.
temer: 'tener miedo'.	temerse: 'sospechar algo negativo'.

encontrarse mal = I feel bad

CE 6.7 **12** **En grupos de dos parejas, debéis construir un texto con el mayor número de verbos de la columna que os corresponda.**

Pareja A
- acordar
- admirarse
- aprovechar
- creerse
- dormir
- encontrarse
- temerse
- limitar
- llamarse
- negar
- ocuparse
- parecer
- pasarse

A

aprovecho la día ...

Pareja B *de ...*
- acordarse *remember*
- admirar *admire*
- aprovecharse *take advantage of*
- creer *believe*
- dormirse *fall asleep*
- encontrar *find*
- temer *to fear*
- limitarse *to be limited to*
- llamar *call*
- negarse *refuse*
- ocupar *take up*
- parecerse *to be alike*
- pasar *come/go past*

B

PRONOMBRE "SUPERFLUO" *- not necessary.*

13 **¿Cuál es la función del pronombre *me* en estas frases?**

1. ¡Eh! Ven aquí, no te <u>me</u> vayas todavía que tengo que hacerte un par de preguntas.
2. No <u>me</u> le deis caramelos ni chucherías. Últimamente no sé lo que le pasa al pequeño, pero no <u>me</u> come nada.
3. Os lo dejo para la fiesta, pero no <u>me</u> lo perdáis que es un regalo de cumpleaños.

1. Señala la persona que se enfatiza con el pronombre subrayado.

1. Prepárate, se <u>te</u> reirán delante de tus propias narices.
2. Se <u>le</u> ofreció para todo lo que le hiciera falta.
3. Pepe, no <u>me</u> emborraches a la abuela, que luego se <u>me</u> alborota.

informal.

2. Añade a las siguientes oraciones un pronombre enfático.

1. Luisito no *te me* toma nunca leche. No sé qué hacer con él.
2. Vuelvo enseguida, no te *me* marches. *- don't go away, wait for me.*
3. Su vecina es un encanto, se *me* ha ofrecido para ayudarlo con la mudanza. *house move* *le*
4. No insultéis a nuestro hijo, que es muy pequeño.
   te
   nos/
   me

no te me duermas → don't fall asleep on me.

EXPRESIONES FORMADAS POR UNA O DOS PALABRAS

A veces no es fácil saber si una expresión está formada por una o más palabras.

14 Tenéis tres minutos para memorizar las palabras del cuadro. Vuestro profesor comprobará qué tal lo habéis hecho.

CE 11 **15** En parejas, escribid diez frases para que otra pareja las complete con las expresiones adecuadas. Corregid los resultados.

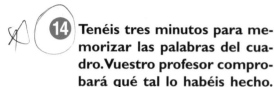

▷ adelante - atrás
▷ detrás
▷ arriba - abajo
▷ además
▷ adónde *where*
▷ adrede *on purpose.*
▷ aparte
▷ encima

entre eg.

▷ a partes (iguales)
▷ a propósito *for this purpose*
▷ a menudo *often.*
▷ a veces
▷ a través de
▷ a pesar de *inspite of*
▷ en medio de
▷ de pronto
▷ de repente *suddenly*
▷ o sea
▷ sobre todo *above all.*

▷ alrededor / al rededor *around*
▷ aprisa / a prisa* *quickly*
▷ asimismo / así mismo*
▷ deprisa / de prisa* *fast*
▷ aposta / a posta *on purpose*
▷ enfrente / en frente *opposite*
▷ en seguida / enseguida *at once*
▷ in fraganti / infraganti *red handed*

Se recomienda la primera forma.
* Indistintamente.

*bad contations
mention - negative.*

*implies something new
Its most important casite in leeds, o sea
in the world*

LA UNIDAD DEL TEXTO: COHERENCIA Y COHESIÓN

¿Qué es lo que hace que un texto nos parezca bien o mal construido? ¿Qué mecanismos lingüísticos utilizamos para dar unidad a un texto? Eso es lo que vamos a ver en esta primera lección.

16 Os ofrecemos un texto fragmentado y desordenado que tiene como protagonista a Quetzalcóatl, "Serpiente emplumada", el dios más importante de la mitología náhuatl (en el Altiplano Central de México). Tenéis que reconstruirlo a partir del primer fragmento.

A 1. Los dioses dijeron entre sí: "Los hombres siempre estarán tristes si no hacemos alguna cosa para alegrarlos, para que estén contentos de vivir en la tierra, canten, bailen y nos alaben".

B Al llegar a la tierra, los dos se transformaron en un árbol que tenía dos ramas, de las que una se llamaba "sauce de quetzal", la del dios del viento, y la otra "árbol de flores", la de la diosa.

C Pensándolo, le vino a la mente una diosa virgen llamada Mayahuel, a la que guardaba una diosa, su abuela, llamada Tzitzímilt. Inmediatamente se fue hacia ellas, que se encontraban dormidas; despertó a la joven y le dijo: "Vengo a llevarte al mundo".

D Tan pronto como las diosas volvieron al cielo, este se tornó a su primera forma de dios del viento y cogió los trozos de la virgen y los enterró.

E Cuando la vieja se despertó y vio que su nieta no estaba, llamó a las otras diosas y todas descendieron a la tierra para buscar al dios del viento.

F Esto lo oyó el dios del viento, Quetzalcóatl, que pensó dónde podría encontrar alguna bebida para alegrar a los hombres y hacerles un regalo.

G De ellos salió una planta que llaman *metl* (agave), de la que los indios hacen el vino que beben y con el cual se emborrachan.

H A esta le pareció bien y, así, descendieron ambos del cielo, llevándola él en sus hombros.

I La anciana reconoció la vara de la virgen, la rompió y fue dando pedazos a las otras divinidades para que los comieran; la de Quetzalcóatl, sin embargo, no la partieron y la dejaron allí.

Walter Krickeberg, *Mitos y leyendas de los aztecas, incas, mayas y muiscas* (texto adaptado).

17 **¿Qué elementos os han servido para reconstruirlo? Comentad y ejemplificad los siguientes puntos.**

▶ Tema: todo el texto trata sobre la historia mitológica acerca de la creación del alcohol por el dios Quetzalcóatl para alegrar la vida de los hombres.

▶ Concordancia de género y número o de número y persona: _____

▶ Omisión de palabras que se sobreentienden: _____

▶ Repeticiones de palabras o estructuras: _____

   ▶ literales: _____

   ▶ sinónimos: _____

   ▶ sustitutos de palabras: _____

      ▶ pronombres personales: _____

      ▶ posesivos: _____

      ▶ relativos: _____

      ▶ demostrativos: _____

      ▶ adverbios de lugar *(aquí, ahí, allí):* _____

▶ Tiempos verbales: _____

▶ Conectores o marcadores: _____

   ▶ de tiempo: _____

   ▶ de diversos tipos (causa, finalidad…): _____

▶ Orden de palabras: _____

▶ Puntuación: _____

18 **A partir del texto de la página anterior, escribe:**

1. Qué otra palabra se utiliza para referirse a…

diosas

▶ _____

rama

▶ _____

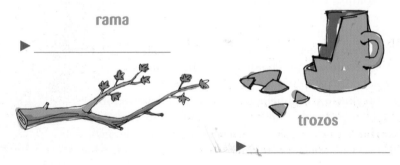

trozos

▶ _____

romper

▶ _____

2. A qué alude…

esto: ▶ ....

ambos: ▶ ....

allí: ▶ ....

ellas: ▶ ....

de ellos: ▶ ....

con el cual: ▶ ....

de las que una: ▶ ....

todas: ▶ ....

3. Sustituye los elementos en *cursiva.*

1. Los hombres siempre estarán tristes *si* no hacemos alguna cosa *para* alegrarlos.

2. *Pensándolo,* le vino a la mente una diosa virgen llamada Mayahuel.

3. Inmediatamente se fue hacia ellas, *que* se encontraban dormidas.

4. A esta le pareció bien y, *así,* descendieron ambos del cielo.

5. La de Quetzalcóatl, *sin embargo,* no la partieron y la dejaron allí.

6. *Tan pronto como* las diosas volvieron al cielo, este se tornó a su primera forma.

19 Vamos a fijarnos un poco más en la repetición de palabras o ideas ya mencionadas. Busca en el texto del ejercicio 16 las diversas referencias a sus protagonistas y completa el cuadro.

▶ dios del viento   ▸ repetición literal   _____
  (Quetzalcóatl)   ▸ sinónimos   _____
                       ▸ pronombres y demostrativos   _____

▶ diosa virgen   ▸ repetición literal   _____
  (Mayahuel)   ▸ sinónimos   _____
                       ▸ pronombres y demostrativos   _____

▶ abuela   ▸ repetición literal   _____
  (Tzitzímilt)   ▸ sinónimos   _____
                       ▸ pronombres y demostrativos   _____

CE 12 **20** Ahora vais a aplicar estos mecanismos en un texto que nos narra un episodio de la vida de Quet- zalcóatl. En parejas, tenéis que expresar lo mismo con el menor número posible de palabras. Después, intercambiad las hojas con otra pareja y corregid su versión.

Hubo un dios llamado Camaxtli que tomó por mujer a una diosa llamada Chimalman. Chimalman y Camaxtli tuvieron varios hijos; entre los hijos de Chimalman y Camaxtli hubo un hijo llamado Quetzalcóatl; Quetzalcóatl nació en la barranca del pescado y Quetzalcóatl fue llevado al abuelo y a la abuela de Quetzalcóatl, que criaron a Quetzalcóatl, pues la madre de Quetzalcóatl murió en el parto. Cuando creció Quetzalcóatl, el abuelo y la abuela de Quetzalcóatl devolvieron a Quetzalcóalt al padre de Quetzalcóatl, pero como el padre de Quetzalcóatl quería mucho a Quetzalcóatl, los otros hermanos de Quetzalcóatl odiaban tanto a Quetzalcóatl que decidieron matar a Quetzalcóatl. Para matar a Quetzalcóatl los hermanos de Quetzalcóatl llevaron a Quetzalcóatl con engaño a una gran montaña. Los hermanos de Quetzalcóatl dejaron a Quetzalcóatl en la montaña y prendieron fuego alrededor de la montaña. Pero Quetzalcóatl se metió en una gruta que había en la montaña y los hermanos de Quetzalcóatl se fueron pensando que habían matado a Quetzalcóatl. Habiéndose ido los hermanos de Quetzalcóatl, Quetzalcóatl salió de la montaña con arco y flechas, lanzó una flecha a una cierva y mató a la cierva. Quetzalcóatl tomó la cierva en sus hombros y llevó la cierva a la casa del padre de Quetzalcóatl antes de que llegasen los hermanos de Quetzalcóatl. Al llegar los hermanos de Quetzalcóatl, los hermanos de Quetzalcóatl se asombraron de ver a Quetzalcóatl y los hermanos de Quetzalcóatl pensaron matar a Quetzalcóatl de otro modo.

CE 13.14.15 **21** Aquí tenéis la continuación de la historia. Incluid los conectores que faltan para marcar las relaciones entre las diferentes partes del texto.

- ▶ sin embargo
- ▶ tras
- ▶ para que
- ▶ después
- ▶ a pesar de que
- ▶ por lo que
- ▶ pero
- ▶ como
- ▶ pero como
- ▶ sino que
- ▶ entonces
- ▶ cuando
- ▶ tan pronto como
- ▶ antes de que

Lo hicieron subir a un árbol .... desde lo alto pudiera cazar pájaros, ... cuando estuvo en el árbol comenzaron a tirarle sus flechas. Este, ... era listo, se dejó caer en tierra fingiendo estar muerto, ... los hermanos se fueron satisfechos hacia casa.
.... se alejaron lo suficiente, Quetzalcóatl se levantó, mató un conejo y se lo llevó a su padre .... llegaran sus hermanos. El padre, ... su hijo menor no le dijo nada de lo ocurrido, entendió lo que había pasado, y .... regresaron sus otros hijos les reprochó sus malas intenciones. Ellos se enfadaron y .... se propusieron matar también a su padre, lo que hicieron llevándolo a una montaña.
.... haberle quitado la vida, quisieron conducir allá a Quetzalcóatl haciéndole creer que su padre se estaba transformando en roca, ... él no quiso obedecer, intentaron asesinarlo. El joven no solo consiguió escapar, ... los mató a todos con sus flechas desde lo alto de una roca.
Sus vasallos, que tanto lo amaban, tomaron las cabezas de los hermanos y les sacaron el cerebro para hacer de ellas copas de vino. .... se fueron a la tierra de México, pero Quetzalcóatl, ..., se quedó algunos días más en el pueblo llamado Tollantzinco, y de allá se fue a Tollan.

22 Estos son algunos ejemplos de textos que carecen de los mecanismos de cohesión vistos: dos telegramas, una nota de un mensaje dado por teléfono y otra sobre un anuncio de trabajo. En parejas, escribid una breve carta o una nota más elaborada con el mismo contenido.

Repentina indisposición del "Tarántula". Imposible asistir a

concierto. Preguntar al "Cachalote". Si no, suspender y

devolver dinero de entradas.

ESPAÑA

Reunión de mañana suspendida. Problemas administrativos

de última hora. Nueva fecha: 15 de mayo, a falta de

confirmación por el consejero. Comunicar a todos y

cancelar reserva restaurante. Gracias.

ESPAÑA

Ha llamado Andrés. El examen es el 25 y tiene el modelo del año pasado. Llámalo antes de este viernes (se va a Cádiz el fin de semana).

Necesitan animador cultural para el verano. El País 12 de junio. El plazo termina el 30. Solo currículum y foto. Solicítalo. Es para ti.

Al + infinitive = when.

MODISMOS Y FRASES HECHAS

23 **Lee el texto; en él encontrarás los modismos y expresiones siguientes.**

- ▶ de oídas _by hearsay_
- ▶ a regañadientes _against his/her desire_
- ▶ con pelos y señales _in minute detail_
- ▶ a oscuras _in the dark_

> Luis me contó el otro día una historia increíble. Él no lo había visto, lo sabía de oídas, lo comentaban en su trabajo. Pero ya sabes cómo es él, me lo contó con pelos y señales. Le ocurrió a un matrimonio que tenía un niño pequeño. Una noche a altas horas de la madrugada el niño se puso a llorar; ninguno de los dos quería levantarse porque se habían acostado muy tarde. Al final y a regañadientes se levantó el padre, medio dormido, con los ojos cerrados y a oscuras, ni siquiera dio la luz, y al salir de su habitación…

1. Imagina qué "historia increíble" crees que ha podido ocurrir en esa casa. Coméntalo con tus compañeros.

2. Durante tres minutos escribe todas las frases hechas que sepas en estos tres globos.

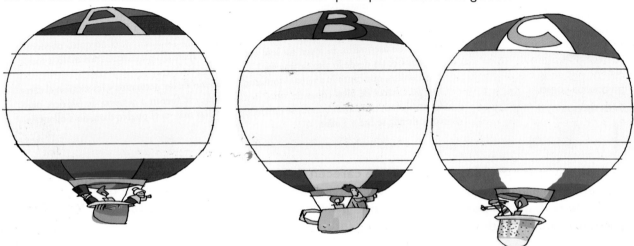

3. Crea a continuación tres textos con las expresiones que se le han ocurrido a tu compañero.

 24 **En parejas.**

ALUMNO A

1. Responde a las preguntas que te formula tu compañero utilizando las expresiones correspondientes.

a grand show.   _Food_

- ▶ a pie
- ▶ a oscuras
- ▶ a disgusto _against desire._
- ▶ a gatas _crawl_
- ▶ a regañadientes
- ▶ a tientas _- tip toes_ _in dark walk carefully around a person_
- ▶ a bombo y platillo
- ▶ a capa y espada _cape_
- ▶ a la bilbaína _with garlic, parsley, o.d_
- ▶ a la plancha _grill - hot plate_
- ▶ al horno _oven_
- ▶ al baño María _palpo_
- ▶ a la gallega _octopus boiled cut, fried, paprika. Galician way_
- ▶ de pacotilla _without importance_
- ▶ de un trago _in 1 gulp_
- ▶ de un salto _in 1 jump_
- ▶ de golpe _suddenly._
- ▶ de balde _free_
- ▶ en menos que canta un gallo _v. fast._
- ▶ en secreto
- ▶ en voz baja
- ▶ en cuclillas _crouch_

2. Pregunta a tu compañero cómo realiza determinadas acciones; por ejemplo, cómo le gusta cocinar la merluza, cómo se bebe la cerveza, cómo iría a buscar una vela a la cocina si se va la luz, etc.

ALUMNO B

1. Pregunta a tu compañero cómo realiza determinadas acciones; por ejemplo, cómo cocina los huevos, cómo se ha aprendido los verbos irregulares del español, etc.

2. Contesta a las preguntas que te hace tu compañero utilizando las expresiones correspondientes.

Food

- ▶ a bulto _round shape_
- ▶ a cien por hora _fast_
- ▶ a la fuerza _by force_
- ▶ a gusto _voluntary manner._
- ▶ a empujones _pushing way thro/rude manner_
- ▶ a tiro hecho _- a safe bet. shot_
- ▶ a duras penas _with difficulties_
- ▶ a pedir de boca _perfectly_
- ▶ a la francesa
- ▶ a la parrilla _grill_
- ▶ a fuego lento
- ▶ a la brasa
- ▶ a la marinera _type of dish_
- ▶ de carrerilla _v. quickly do something from start to finish_
- ▶ de cabo a rabo _to finish_
- ▶ de mala gana _against_
- ▶ de gorra
- ▶ de oídas
- ▶ en un abrir y cerrar de ojos _fast_
- ▶ en confianza _in confidence_
- ▶ en serio _seriously._
- ▶ en fila india _one behind another_

do something, knew going to be successful / positive

comprar algo a bulto - buy something based on shape

aprender algo de carrerilla.

cheeky, don't want to pay for something

25 Une cada expresión con su significado. Después completa las frases con la expresión adecuada.

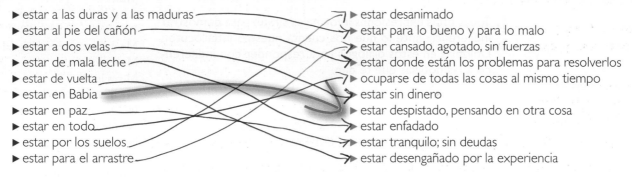

▸ estar a las duras y a las maduras   ▸ estar desanimado
▸ estar al pie del cañón   ▸ estar para lo bueno y para lo malo
▸ estar a dos velas   ▸ estar cansado, agotado, sin fuerzas
▸ estar de mala leche   ▸ estar donde están los problemas para resolverlos
▸ estar de vuelta   ▸ ocuparse de todas las cosas al mismo tiempo
▸ estar en Babia   ▸ estar sin dinero
▸ estar en paz   ▸ estar despistado, pensando en otra cosa
▸ estar en todo   ▸ estar enfadado
▸ estar por los suelos   ▸ estar tranquilo; sin deudas
▸ estar para el arrastre   ▸ estar desengañado por la experiencia

1. Lo siento, no puedo prestarte nada, me he quedado ...... *estoy a dos velas.*
2. Se ha pasado toda la mañana .... *en Babia* no se ha dado cuenta ni de que hoy ha venido el jefe.
3. Cuando llegamos, estaba .... *de mala leche* porque le habían perdido unos papeles muy importantes. *por los suelos,*
4. Solo pido que me dejen unos minutos al día para estar ...*en paz* y disfrutar de la música y la lectura.
5. Pero ¿dónde vas tú? Si estás ..*para el arrastre*, anda, descansa un poco y ya seguiremos más tarde.
6. Es que siempre soy yo el que tiene que estar ...*en todo* si no, nada sale bien.
7. A mí ya no me sorprende nada, yo ya estoy *de vuelta* de todos esos asuntos.
8. Y ahí estaba él, ...*al pie del cañón*, intentando resolver los problemas.
9. Últimamente está ...., a ver si llega el verano y se anima algo más *por los suelos.*
10. Un buen amigo debe estar ...., no solo para asistir a las fiestas. *a las duras y a las maduras.*

26 Escribe oraciones con las siguientes construcciones.

1. calle arriba   6. patas arriba
2. carretera adelante   7. años antes
3. kilómetros atrás   8. siglos después
4. mar adentro   9. semanas atrás
5. boca abajo

¿Se te ocurre alguna más?

27 Fíjate en estas oraciones.

▸ Pronunció el discurso <u>en</u> mangas de camisa.
▸ Al salir del ascensor se dio cuenta de que iba <u>en</u> zapatillas.
▸ A estos actos es necesario asistir <u>con</u> traje y corbata.
▸ No se te ocurra salir del hotel <u>en</u> bañador; ponte algo.
▸ Durante la semana tiene que ir <u>con</u> traje a la oficina, por eso aprovecha los fines de semana para vestir de sport.
▸ No aguanto ni dos horas <u>con</u> zapatos de tacón; lo siento, tengo que llevar algo más cómodo.

1. Clasifica en dos bloques las expresiones introducidas por las preposiciones *en* y *con*.

in   *with.*

en	con

2. ¿Qué significado aportan las expresiones al ir introducidas por la preposición *en*?
¿Y las introducidas por *con*?

28 **POR MÍ…**

1. Todas estas expresiones informales sirven para demostrar indiferencia ante lo que nos cuenta nuestro interlocutor. Utilízalas en estos diálogos para responder con indiferencia a las noticias que te dan.

¡Ah!
A mí…
Por mí…
Me da (exactamente) igual
Me da lo mismo
Me es igual
Me trae sin cuidado
Ni me va ni me viene
No me interesa
No me importa
Me importa un pimiento
Eso no va conmigo
No es asunto mío
Me trae al fresco

Oye, ¿sabes que me acaban de conceder una beca de estudios para ir al extranjero?

Bueno, perdona, hijo, no sé qué te pasa hoy.

¿Quieres que vayamos mañana al zoo? Es fiesta y hace muy buen tiempo.

Ya sabía yo que me ibas a contestar eso; ¿es que tengo que pensar yo siempre qué hacer en cada momento?

1

3

Dice el periódico que estamos poniendo en peligro la vida en el Planeta con nuestros hábitos antiecologistas, ya sabes, por lo de la capa de ozono y todo eso.

Oye, te estoy hablando de un problema grave.

Me han dicho en la carnicería que tu novia, bueno, tu ex novia está saliendo con Santi.

Sí, sí, eso es lo que dices, pero en el fondo…

2

4

2. Lee esta conversación.

José: ¿Vas a entrar en esa tienda después de lo mal que te trataron? Yo no volvería a entrar.
Ana: Ya, pero quiero que me devuelvan el dinero, porque además me engañaron en el peso.
José: ¡Bah!, déjalo, anda. Olvídate de ello.
Ana: No, además, eso a ti ni te va ni te viene, ¿o no te acuerdas de que te fuiste y me dejaste sola?

José: Sí, sí me acuerdo, pero me fui porque cuando te pusiste nerviosa me dijiste: "Y tú, cállate que no es asunto tuyo"; y yo, claro, me fui.
Ana: Por eso, ahora voy a entrar yo solita, ¿vale?

Localiza qué expresiones sirven para decirle a alguien que se muestre indiferente ante algo, que se mantenga al margen.

29 DE VACACIONES

1. Lee y escucha el siguiente texto.

Oiga, oiga, déjese de pamplinas. Le digo y le repito que este rollo del verano es un coñazo. Bueno, yo qué sé lo que es. ¡Si yo le contara! Empezaría y no acabaría. Ante todo, sepa usted que somos muchos en casa, un familión, a ver, mi señora, o sea: mi costilla, la Amparo, es muy tradicional y cree que si no crece la purrela, no hay familia. Así de sencillito. Y no vea, ya somos diez. Diez, que se dice pronto. A ver, nosotros dos, y mi suegra, que no es moco de pavo reclamando derechos ni nada, y ya vamos tres. Añada usted los seis vástagos, seis, que, para reunirlos, hace falta movilizar un escuadrón de policía montada. Sí, hombre, sí, de esos de la Gran Vía. Y, como le voy significando, ya somos nueve. Sume la Hipólita, la chacha de siempre, ya cincuentona, con artrosis cervical y de la otra, y reúma multitudinario, y más resabiada que qué sé yo qué. A cada paso amenaza con sindicarse, no le digo más. Lo habrá aprendido en la tele, digo yo. ¿Ve? Diez. Lo que yo le decía. Y paso por alto que este verano hemos tenido que cargar con el tío Roque, padre de la Hipo, que, pobre señor, está gagá. Canta sin motivo, llora sin motivo, se hace sus cositas encima sin motivo. En fin, que, no me diga que no, que esto del veraneo... ¡Que hay que reformarlo y nada más! Como se lo digo. ¿Que por qué no reparto a la gente? ¿Y la integridad familiar? Mi señora esposa, o sea: la Amparo, que nanay. A la distribución, que nanay, que ella necesita pasar agosto y septiembre disfrutando de los suyos. Que para eso es ella la que los ha parido y no yo. Y vea, vea cómo disfruta: toditas las santas mañanas con refunfuños y broncas. Que si Paquito no ha venido a acostarse, y que si Juanín llegó a las seis de la mañana, ya de día, y que Pili... Bueno, esa, ay, la Pili, qué desmandada está. Y que si los peques tienen algo veraniego, intestinal, de tifus para arriba. Casi nada. De propi, siempre que he intentado desparramarlos por ahí, de alguna manera más o menos útil, siempre me ha salido el tiro por la culata. Figúrese: enviamos a Paquito a Inglaterra. Fue en abril. Y volvió diciendo "baybay" sin parar. Reconozca conmigo que no es muy presentable largar baybay, por todo cumplimiento, al desayunar, al comer, al cenar, al traer un suspenso más en junio. Para mí que le han hechizado, a ver si no. Sostiene que el inglés es nuestra lengua oficial y que, para trabajar en márketing o en *consulting*, a ver qué porras pinta hablar en madrileño. Y que ya está bien, y que a él no se la pega nadie. ¿Usted sabía algo de eso del inglés como lengua oficial? Y con esto de tantas lenguas regionales... Por si fuera poco, este "cenutriobilingüistatontaina" ha fundado una asociación para suprimir las corridas de toros y espera alcanzar por ese camino el reconocimiento universal y, a lo mejor, un diploma de benefactor ecologista. Lo jorobante será que le tendré que pagar el marco para colgar el titulito.

A. Zamora Vicente, «Menudo reconcomio»,
Diario 16.

2. Busca en el diccionario las palabras y expresiones del siguiente cuadro cuyo significado desconozcas. Si no encuentras alguna, pregúntale a tu profesor qué significa y en qué contexto se usa.

palabras		expresiones
► artrosis cervical _____	► policía montada _____	► de propi _____
► benefactor _____	► purrela _____	► dejarse de pamplinas _____
► broncas _____	► refunfuños _____	► estar gagá _____
► coñazo _____	► resabiada _____	► nanay _____
► desmandada _____	► rollo _____	► salir el tiro por la culata _____
► desparramar _____	► tifus _____	► no ser moco de pavo _____
► jorobar _____	► vástagos _____	► qué porras _____
► largar _____		► decirse pronto _____
► pintar _____		► no pegársela _____
► reúma multitudinario _____		

3. Comenta con tus compañeros a qué tipo de interlocutores puede dirigirse el escrito de A. Zamora Vicente. Relaciónalo con el tratamiento empleado en él.

4. Comenta las siguientes expresiones.

  ▶ un familión
    ▶ la Amparo, la Pili, la Hipólita, la Hipo
      ▶ como le voy significando
        ▶ de propi
          ▶ cenutriobilingüistatontaina

30 **A DEBATE**

1. En pequeños grupos, comentad los siguientes temas de acuerdo con el texto de la página anterior.

– Las vacaciones de una familia española según la visión del protagonista.
– El concepto de familia (lo que piensa él, su mujer…).
– Comparad esta visión de la familia y de las vacaciones con la de vuestros países.

2. En grupos, buscad argumentos a favor y en contra de cada una de las opiniones que aparecen en estos textos sobre la incorporación de la mujer al mundo laboral.

Abogado, 37 años.

En la actualidad, la mujer que así lo desea está plenamente incorporada al mundo laboral. Una mujer preparada y competente puede desarrollar los mismos cargos que un hombre en igualdad de condiciones y dedicarle a su trabajo las mismas horas al día que sus compañeros. Claro está que en estas situaciones, si la mujer vive con su pareja, las obligaciones familiares se reparten de forma equitativa entre ambos.

Empresario, 53 años.

La mujer trabajadora actual aminora su ritmo de trabajo y, por tanto, pierde responsabilidades y competencias en su puesto laboral en el momento en que decide tener familia y desempeñar sus funciones como madre. Cuando aparecen los hijos, es muy difícil mantener la completa igualdad dentro de la pareja en cuanto a responsabilidades domésticas.

Mujer casada, oficinista, 35 años, sin hijos.

Si el mundo laboral respetara una jornada de trabajo justa y proporcionada, tanto hombres como mujeres podrían dedicar el mismo número de horas a la familia (con o sin hijos) y al trabajo (no más de siete u ocho horas diarias). Se acabaría de esta manera la superioridad y mayor responsabilidad laboral que consiguen las personas (hombres o mujeres) que quieren y se pueden permitir dedicar más de diez o doce horas a su trabajo.

Mujer casada, 39 años, profesora en excedencia desde que tuvo su primer hijo.

La sociedad está sufriendo un gran cambio a causa de la incorporación de la mujer al mundo laboral. Se están perdiendo valores como la familia, la educación de los hijos por sus padres, el disfrute de periodos vacacionales compartidos con el marido, hijos, etc. Todo ello repercute en el comportamiento social de niños y jóvenes e influye en el aumento de los grandes problemas de la sociedad actual: violencia, intolerancia, drogadicción, soledad, etc. La mujer debería permanecer más tiempo en el hogar para mantener un ambiente familiar acogedor y productivo y, para ello, se debería remunerar este trabajo.

AUTOCORRECCIÓN FONÉTICA I: EL VOCALISMO

La incorrecta interpretación y producción de los sonidos, el acento y la entonación pueden provocar confusiones que impidan que nos comuniquemos con los demás. Por eso es tan importante que trabajes para perfeccionar la fonética. ¿Qué has de hacer para conseguirlo?

1. Conocer el sistema fónico español. **2.** Identificar tus errores. **3.** Trabajar para corregirlos.

31 **Empecemos por las vocales. Son solo cinco y se pronuncian prácticamente igual en cualquier contexto. ¿Se corresponden con las vocales de tu lengua? Escribe palabras en tu idioma o en otro que domines donde aparezcan estos sonidos.**

español	ejemplos de tu lengua
a	
e	
i	
o	
u	

32 **A continuación te presentamos los errores más frecuentes de los hablantes extranjeros al pronunciar las vocales del español. Analizando y comparando las dos lenguas comprobarás si tú cometes alguno de ellos. Con lo que vas a ver en clase y con tu trabajo en casa podrás completar el cuadro.**

	¿qué vocales?	¿en contacto con determinados sonidos?	¿en determinada posición?
abertura			
cierre			
confusión de vocales			
alargamiento			
nasalización			
velarización			
formación de diptongos			
simplificación de diptongos			
eliminación de vocales			
otros			

33 **Lee este texto.**

Esta mañana el despertador de Enrique sonó a las cinco en punto. Sin embargo, decidió dormir un ratito más. "Dos horas para arreglarme y llegar al trabajo son suficientes", pensó. En un cuarto de hora –según su apreciación del tiempo– las agujas del reloj habían alcanzado las siete. La vecina del piso de al lado se despertó sobresaltada por el grito de Enrique.

1. Vas a oír cómo lo leen un castellano y otros hablantes de distintas nacionalidades. Presta atención a la realización de las vocales y apunta todas las alteraciones que notes. ¿Puedes identificar de dónde son esas personas?
CD1: 3

2. Ahora grábate y compara tu pronunciación con la del español. Anota las diferencias en la ficha del ejercicio 32. Intercambia tu cinta con un compañero y comparad las diferencias.

CD1: 4

34 **Escucha y escribe las vocales que les faltan a estas palabras (a veces hay dos seguidas); después, léelas. Hay seis palabras que se refieren a animales. ¿Sabes cuáles?**

1. som__rm__jo
2. __nc__nso
3. __sc__ltar
4. p__sado
5. __sc__lta
6. p__rañ__
7. pedr__
8. m__ndo
9. r__m__no
10. s__ciedad
11. __g__rio
12. m__rlo
13. __sc__lo
14. cart__l__na
15. t__rt__la
16. m__rdago
17. c__gulo
18. l__ciém__ga
19. pr__t__ber__nte
20. __nd__lada

CULTURAS INDÍGENAS DE HISPANOAMÉRICA

Cultura azteca

¿Conocéis el Templo Mayor de México? Es el primer templo que los mexicanos erigieron al dios Huitzilopochtli, un dios sanguinario al que los aztecas identificaban con el Sol. En este templo se llevaban a cabo sacrificios humanos porque la sangre derramada alimentaba a los dioses y permitía la conservación del universo. Hay otros restos arquitectónicos importantes, como la Pirámide del Sol en Teotihuacán, pirámide-montaña imagen del mundo y lugar de origen del cosmos. Los aztecas eran politeístas y además de Huitzilopochtli tenían otros dioses, como Quetzalcóatl, el dios tribal de los toltecas que los aztecas de México acogen junto a sus propios dioses tribales como el dios civilizador, del viento, de la vida y del planeta Venus. Lo veneraban bajo la forma de la serpiente emplumada, que es el significado de su nombre en náhuatl.

Una leyenda azteca hablaba de que debía reaparecer en forma de hombre blanco y con barba, por lo que, al llegar los españoles, algunos indígenas tomaron a Hernán Cortés por un dios.

Calendario azteca
(Museo de Antropología, México)

Cultura maya

Es más antigua y homogénea que la azteca, y se caracteriza por ser un pueblo de agricultores, organizado políticamente en familias. Su religión también se basa en las fuerzas de la naturaleza, como el Sol y la Luna. Han dedicado la pirámide escalonada de Chichén-Itzá (la ciudad de los brujos del agua) a Kukulcán, dios en forma de serpiente emplumada, que es la misma divinidad que el Quetzalcóatl de los aztecas. Los toltecas invadieron a los mayas y transformaron su sociedad al convertirla en un pueblo militarizado e introducir nuevos ritos religiosos basados en sacrificios humanos.

El agua siempre ha sido importante en la cultura maya; entre los edificios de Chichén-Itzá, el Cenote sagrado, un gran pozo, constituía el máximo exponente del culto al agua entre los mayas.

Allí se lanzaba a hombres al romper el alba y, si a mediodía aún continuaban con vida, debían ser izados para dar a conocer el oráculo de los dioses.

Chichén-Itzá (Yucatán, México)

Cultura inca

El jefe supremo de esta cultura era el Inca, de carácter semidivino, hijo del Sol. Los dioses habían engendrado a los hombres, pero no tenían forma humana; se representaban como túmulos o con formas animales: jaguar, puma o cóndor. El único dios antropomorfo era el dios supremo, tutelar del Inca: el Sol, llamado Viracocha.

Los restos arquitectónicos más importantes son el Machu Picchu (pico viejo), que se encuentra a 3.000 metros de altura.

Se rendía culto a los antepasados, que se momificaban. El culto se basaba en ofrendas vegetales o animales y solo excepcionalmente se producían sacrificios humanos. Pero sobre todo se rendía culto al Sol. De gran importancia en la cultura inca son las denominadas Vírgenes del Sol o *acllacuna*: niñas de ocho y nueve años, aunque algunos cronistas prolongan el límite hasta los doce, que eran escogidas por su belleza, sin mancha ni defecto físico y, por supuesto, vírgenes, para que se dedicaran al culto al Sol.

AZTECAS
MAYAS
INCAS

Machu Picchu (Perú)

EL SECRETO DE LA ETERNA JUVENTUD

Esteban D'Oneón es un periodista argentino, de padre irlandés, afincado en España desde hace diez años. Trabaja para el periódico *El Planeta,* donde escribe crónicas periodísticas muy interesantes sobre las noticias más extrañas. Le encanta viajar y conocer gente nueva. En uno de sus viajes por Bolivia tuvo noticias de la existencia de un grupo de aimaras que había emigrado de Guataqui, pueblecito cercano al lago Titicaca, a Tupiza, casi en la frontera con Argentina y muy cerca del río San Juan. Este pueblo, según cuenta la leyenda, se había llevado consigo la fórmula mágica más buscada en todo el mundo: "el secreto de la eterna juventud". Su jefe, Mateo Helman D'On, acostumbrado a escuchar las conversaciones de sus empleados, se enteró de esta noticia. Inmediatamente se ocupó de que Esteban tuviera todo lo necesario para poder regresar a América, y recurrió a algunos de sus amigos para facilitarle la "misión". Soñó con ser el primero en tomar la pócima mágica y así vivir para siempre. Le insistió a Esteban en que fuera discreto al preguntar por la receta para no levantar sospechas. Esteban D'Oneón se comprometió con su jefe en conseguir la exclusiva y comenzó sus pesquisas.

▶ Estas son las recetas médicas que le entregaron, pero, como ves, algunas palabras están representadas por extraños signos. ¿Podrías decirnos cuáles son esas palabras que faltan?

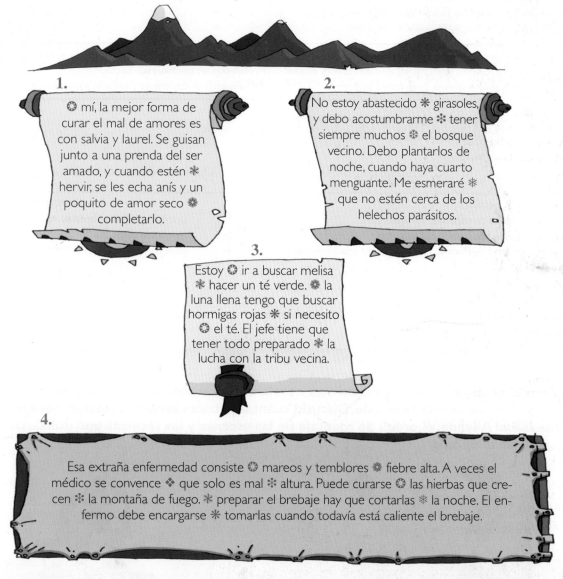

1.

✿ mí, la mejor forma de curar el mal de amores es con salvia y laurel. Se guisan junto a una prenda del ser amado, y cuando estén ✳ hervir, se les echa anís y un poquito de amor seco ✿ completarlo.

2.

No estoy abastecido ✳ girasoles, y debo acostumbrarme ✳ tener siempre muchos ✿ el bosque vecino. Debo plantarlos de noche, cuando haya cuarto menguante. Me esmeraré ✳ que no estén cerca de los helechos parásitos.

3.

Estoy ✿ ir a buscar melisa ✳ hacer un té verde. ✿ la luna llena tengo que buscar hormigas rojas ✳ si necesito ✿ el té. El jefe tiene que tener todo preparado ✳ la lucha con la tribu vecina.

4.

Esa extraña enfermedad consiste ✿ mareos y temblores ✿ fiebre alta. A veces el médico se convence ✳ que solo es mal ✳ altura. Puede curarse ✿ las hierbas que crecen ✳ la montaña de fuego. ✳ preparar el brebaje hay que cortarlas ✳ la noche. El enfermo debe encargarse ✳ tomarlas cuando todavía está caliente el brebaje.

¿Crees que ha descubierto la pócima mágica? El jefe de Esteban no está contento con toda esta información y le pide más datos. Le insiste en que conozca la receta mágica, así como todos y cada uno de los detalles de este médico boliviano que vivió hace siglos y del que todavía se guarda un gran recuerdo entre los pueblos de los Andes de Bolivia. El periodista, entonces, viaja a Ecuador.

(Continúa en la próxima recapitulación.)

2 Recuerdos

indef   pluscuan

En la primera clase de historia la profesora habló de las guerras de Chile contra Perú y Bolivia en el siglo XIX. Había aprendido en mi país que los chilenos habían ganado las batallas por su valor temerario y el patriotismo de sus jefes, pero en esa clase nos revelaron las brutalidades cometidas por mis compatriotas contra la población civil. Los soldados chilenos, drogados con una mezcla de aguardiente y pólvora, entraban a las ciudades ocupadas como hordas enloquecidas. Con bayoneta calada y cuchillos de matarifes abrían el vientre a las mujeres y mutilaban los genitales de los hombres. Levanté la mano dispuesta a defender el honor de nuestras Fuerzas Armadas, sin sospechar entonces de lo que son capaces, y me cayó una lluvia de proyectiles. La maestra me echó del salón y salí, en medio de una silbatina feroz, a cumplir castigo de pie en un rincón del pasillo con la cara contra la pared. Sujetando las lágrimas, para que nadie me viera humillada, rumié mi rabia durante tres cuartos de hora. En esos minutos decisivos mis hormonas explotaron con la fuerza de una catástrofe volcánica; no exagero, ese mismo día tuve mi primera menstruación. En la esquina opuesta del pasillo, de pie contra el muro, cumplía también castigo un muchacho alto y flaco como una escoba, con el cuello largo, el cabello negro y enormes orejas protuberantes, que por detrás le daban un aire de ánfora griega. No he vuelto a ver orejas más sensuales que aquellas. Me enamoré de sus orejas antes de verle la cara, con tal vehemencia que en los meses siguientes se me arruinó el apetito y de tanto ayunar y suspirar caí con anemia.

perfecto

Isabel Allende, *Paula* (texto adaptado).

Horda: pueblo salvaje y, por extensión, gente que actúa sin moderación.
Bayoneta calada: con la bayoneta (arma blanca) ajustada a la boca del fusil.
Matarife: el que trabaja en un matadero; quien mata a las reses.

Silbatina (Am.): pita, acción de silbar mucha gente para mostrar desagrado.
Protuberante: que sobresale mucho.
Ánfora: vasija de cuello largo y estrecha por abajo.

CONTRASTE DE LOS TIEMPOS DE PASADO

contar o narrar hechos

dentro de la unidad de presente del hablante ▶	pretérito perfecto *(he ido)*
dentro de la unidad de pasado del hablante ▶	indefinido *(fui)*
dentro de la unidad de pasado, pasado anterior a otro pasado ▶	pluscuamperfecto *(había ido)*

describir

personas y cosas	
acciones habituales o repetidas (si no se determina el número de veces) ▶	imperfecto *(iba)*
circunstancias o contextos de los hechos	

1 En grupos, adaptad el fragmento de esta novela al cine sustituyendo la narración por escenas que muestren lo que se está contando. Discutid cuántas actrices serían necesarias para encarnar el papel de Isabel Allende, el orden de montaje de las escenas y las técnicas que utilizaríais para tratar los saltos en el tiempo.

2 Resume el texto en tercera persona partiendo del momento en que Isabel Allende se enamora.

3 Ahora narra la historia en tercera persona de tal manera que no tengas que utilizar el pretérito pluscuamperfecto.

índe[f] / perfecto / pluscuamp. (handwritten)

CE 1.2 **4** **Completa el siguiente fragmento correspondiente al inicio del episodio al que pertenece el texto analizado.**

¡Ah, el amor carnal! La primera vez que *(padecer, yo)* ....*Padecí*........... un ataque fulminante *(ser)* ....*fue*........... a los once años. El tío Ramón *(ser destinado)* ~~ha sido que~~ *había llevado* en Bolivia de nuevo, pero esta vez *(llevar)* ....*llevó*........... a mi madre y sus tres hijos. No *(poder, ellos)* ....*pudieron*........... casarse y el Gobierno no *(pagar)* ....*pagó*........... los gastos de esa familia ilegal, pero ellos *(hacer)* ....*hicieron*........... oídos sordos a los chismes malintencionados y *(empeñarse)* ...*se empeñaron*... en sacar adelante esa difícil relación a pesar de los obstáculos formidables que *(deber, ellos)* ....*debieron*........... salvar. Lo *(conseguir, ellos)* ....*consiguieron*........... plenamente y hoy, más de cuarenta años después, constituyen una pareja legendaria. */han conseguido.*

INDEFINIDO Y PRETÉRITO PERFECTO SIN MARCADORES TEMPORALES

5 **Elige la respuesta que te parezca más adecuada para cada contexto; si todas son posibles, indícalo.**

1
-Ah, ¿sí? ¿Cuándo?
-Ah, ¿sí? ¿Por qué?

2
-Yo me iré a casa a comer.
-¿Qué? ¿De qué hablas?

3
-Sí, claro. ¿Al final qué vas a hacer?
-Sí, claro. ¿Al final qué has hecho?
-Sí, claro. ¿Al final qué hiciste?

6 **En parejas, escribid un texto siguiendo el esquema de los tiempos de pasado que os damos. Elegid el tipo de frases y la relación entre ellas (unidas por *y, que, cuando, porque, aunque...*), los marcadores temporales, etc. El tema ha de ser "el primer beso de amor".**

[pretérito perfecto / imperfecto / imperfecto / indefinido / pluscuamperfecto / pluscuamperfecto / imperfecto / indefinido / indefinido / pluscuamperfecto / imperfecto / pretérito perfecto / indefinido / indefinido]

[handwritten top margin: Indef - repetitive in past but stopped ✓✓✓✓ / Imp - unclear when start/finish ✗✗✗✗]

INDEFINIDO PARA LA DESCRIPCIÓN

7 **Lee el texto e identifica los indefinidos. ¿Se refieren a acciones habituales o puntuales?** *[handwritten: single]*

No creo que yo fuera mejor que él. Pero no desaprovechaba ocasión para demostrar a mi abuela que estaba allí contra mi voluntad. Y quien no haya sido, desde los nueve a los catorce años, traído y llevado de un lugar a otro, de unas a otras manos, como un objeto, no podrá entender mi desamor y rebeldía de aquel tiempo. Además, nunca *esperé* nada de mi abuela: *soporté* su trato helado, sus frases hechas, sus oraciones a un Dios de su exclusiva invención y pertenencia, y alguna caricia indiferente, como indiferentes *fueron* también sus castigos.

Sus manos manchadas de rosa y marrón se posaban protectoras en mi cabeza, mientras hablaba, entre suspiros, de mi corrompido padre (ideas infernales, hechos nefastos) y mi desventurada madre (Gracias a Dios, en Gloria está), con las dos viejas gatas de Son Llunch, las tardes en que estas llegaban en su tartana a nuestra casa.

Ana María Matute, Primera memoria.

8 **Completa con indefinido o imperfecto.**

Con acciones habituales:

El ......*imperfecto*...... evoca la repetición de acciones en el pasado sin marcar el final.

El ......*indefinido*...... presenta la repetición de esas acciones como una característica definidora de un periodo cerrado y terminado.

Como consecuencia, con el ......*imperfecto*...... nos detenemos en el pasado, mientras que con el ......*indefinido*...... lo resumimos y enfatizamos la acción. *[handwritten: emphasize]*

9 **Todas estas frases se refieren a una acción repetida. Indica si las dos opciones que se dan son correctas o no.**

I. Maite no tiene un buen recuerdo de su padre: nunca *tuvo* / *tenía* tiempo para ella.

2. *Luchó* / *luchaba* toda su vida por las libertades en su país.

3. Durante cinco años de destierro en Francia, el poeta *escribió* / *escribía* varios libros.

4. No sé cómo pude creerla. Siempre me *dijo* / *decía* que me esperaría, ¡y ya ves! *[handwritten: still do - not know if finished]*

5. En los años de convivencia *tuvimos* / *teníamos* algunos problemas económicos.

6. Siempre *trabajó y trabajó* y no *tuvo* / *trabajaba y trabajaba* y no *tenía* tiempo de disfrutar de la vida.

7. Jamás *pensó* / *pensaba* en el futuro.

8. Los días *pasaron* / *pasaban* muy...

9. No *hizo* / *hacía* daño a nadie en la vida.

10. En seis meses en Berlín no *conseguí* / *conseguía* aprender una palabra de alemán.

[handwritten: repeatedly went to Berlin for 6 months]

ñam, ñam... Strudelwurst!

CE 4 **10** **Completa el cuadro con los marcadores temporales utilizados en el ejercicio anterior y los tiempos de pasado que les corresponda.**

TIEMPO ÚNICO, PERIODO CERRADO		TIEMPO FRAGMENTADO (REPETICIÓN)	
marcador	tiempo	marcador	tiempo
En 6 meses		Siempre	
Durante 6 años		en el futuro.	
Toda su vida.			

11 Explica las diferencias entre estos pares de frases y sitúalas en un contexto adecuado.

1. ▶ Cuando volvió de su viaje sabía que todo había cambiado.
   ▶ Cuando volvió de su viaje supo que todo había cambiado.

2. ▶ El día del examen fue un completo desastre.
   ▶ El día del examen era un completo desastre.

3. ▶ Nunca había estado en Puerto Rico.
   ▶ Nunca he estado en Puerto Rico.

4. ▶ En invierno íbamos a la sierra.
   ▶ En invierno fuimos a la sierra.

5. ▶ A mi abuelo siempre le gustó fumarse un puro después de la comida.
   ▶ A mi abuelo siempre le ha gustado fumarse un puro después de la comida.

6. ▶ Pudieron pasar dos cartones de tabaco por la aduana.
   ▶ Podían pasar dos cartones de tabaco por la aduana.

7. ▶ Por la tarde dábamos un paseo.
   ▶ Por la tarde dimos un paseo.

12 Completa esta anécdota con las formas correctas del pasado. Te damos algunos de los verbos que puedes utilizar.

▷ pisar	▷ alimentarse	▷ darse cuenta	▷ notar
▷ buscar	▷ cubrir	▷ ignorar	▷ bautizar
▷ gritar	▷ intentar	▷ comerse	▷ soñar
▷ caminar	▷ introducir	▷ acercar	▷ acostumbrar

Pepa. Ese fue el nombre con que .... Mikiko los compañeros de facultad cuando .... sigilosamente en clase con cara de pavor ante aquella masa de gente que .... incesantemente.

A: Hola, ¿eres nueva?

B: Sí.

A: ¿Cómo te llamas?

B: Mikiko.

A: ¿Tu qué?

B: Mikiko. Me llamo Mikiko.

A: ¡Ah!, perdona. Yo que tú me .... de nombre…, algo más castizo… Pepa, por ejemplo.

Así fue como Pepa .... a Paula y a sus amigos, que .... a ir al bar de Lolo cuando .... las clases, a las ocho de la tarde. La primera vez que Pepa .... aquel local una alfombra de cáscaras .... el suelo. Al principio .... ir poniendo sus pies en los pequeños espacios limpios que ...., pero .... que sus acrobacias .... más que chocantes para los españoles, que .... con paso firme sobre el crujiente manto. ¿Cuántas veces .... que .... sobre insectos? ¿No .... aquello la materialización de la peor de sus pesadillas?

Tras pedir la consumición, la mano de Alberto le .... un enorme cuenco lleno de pipas. "Coge", le dijo, y Pepa, ante aquel imperativo, se .... sin rechistar. .... las aves tropicales que .... con aquellas simientes cuyo nombre ...., pero no vio ninguna. Entonces .... de que era la gente la que .... aquellas cosas. Se las .... en la boca y en un momento .... la cáscara. Aquello le .... una operación, además de muy difícil, poco higiénica, por lo que .... masticarlas y tragárselas enteras. "¿Cómo se llaman?", preguntó. "Pipas", le dijo Alberto, "son las pepitas del girasol".

¿Pepitas? ¿Pepas? ¿Era una broma de mal gusto? ¿Acaso .... riéndose de ella? Bueno, teniendo en cuenta que el dueño del bar .... como el animal que se alimenta de esas simientes, no .... motivo de enfado.

IMPERFECTO Y PRESENTE NARRATIVOS

CE 5 **13** En los siguientes textos, sustituye el imperfecto por el indefinido siempre que puedas.

NUEVO INTENTO DE SUICIDIO COLECTIVO

La madrugada del jueves 8 de enero, agentes del Cuerpo Nacional de Policía irrumpían en una casa de Santa Cruz de Tenerife y detenían a Heide Fittkau-Garthe y a 32 de sus fieles. La psicóloga alemana Fittkau-Garthe, conocida por sus sectarios como la Madre Aida, llevaba muchos meses preparando la "última cena en el planeta Tierra" y el suicidio colectivo que la intervención de la policía conseguía abortar tras varios meses de investigación. En el momento de la detención todos vestían túnicas amplias, iban descalzos y escuchaban una música muy suave, según declaró uno de los agentes que intervino en la operación.

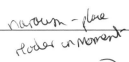

EL DESCUBRIMIENTO DE AMÉRICA

El 3 de agosto de 1492 partía Cristóbal Colón de Palos (Huelva) con tres carabelas: la Pinta estaba mandada por Martín Alonso Pinzón, la Niña por Vicente Yáñez Pinzón y la Santa María por el propio Colón.

CE 7 **14** Pon en pasado este fragmento de *Sin noticias de Gurb,* de Eduardo Mendoza. Gurb es un extraterrestre que se ha perdido en Barcelona; su amigo, cuyas aventuras se narran, lo está buscando.

Después de un examen detenido del plano de la ciudad, decido proseguir la búsqueda de Gurb en una zona periférica de la misma habitada por una variante humana denominada "pobres". Como el Catálogo Astral les atribuye un índice de mansedumbre algo inferior al de la variante denominada "ricos" y muy inferior al de la variante denominada "clase media", opto por la apariencia del ente individualizado denominado Gary Cooper.

10.00 Me naturalizo en una calle aparentemente desierta del barrio de San Cosme. Dudo que Gurb haya venido a instalarse aquí por propia voluntad, aunque nunca ha brillado por sus luces.

10.01 Un grupo de mozalbetes provistos de navaja me quitan la cartera.

10.02 Un grupo de mozalbetes provistos de navaja me quitan las pistolas y la estrella de sherif.

10.03 Un grupo de mozalbetes provistos de navaja me quitan el chaleco, la camisa y los pantalones.

10.04 Un grupo de mozalbetes provistos de navaja me quitan las botas, las espuelas y la armónica.

10.10 Un coche-patrulla de la policía nacional se detiene a mi lado. Desciende un miembro de la policía nacional, me informa de los derechos constitucionales que me asisten, me pone las esposas y me mete en el coche-patrulla de un capón [...].

10.30 Ingreso en el calabozo de una comisaría. En el mismo calabozo hay un individuo de porte astroso al que me presento y pongo al corriente de las vicisitudes que han dado conmigo en aquel lugar inicuo.

10.45 Disipada la desconfianza inicial que los seres humanos sienten por todos sus congéneres sin excepción, el individuo con quien la suerte me ha unido decide entablar diálogo conmigo. Me entrega su tarjeta de visita que dice así:

JETULIO PENCAS
Agente mendicante
Se echa el tarot, se toca el violín, se da pena
Servicio callejero y a domicilio

10.50 Mi nuevo amigo me cuenta que lo han trincado por error, porque él en su vida ha abierto un coche para llevarse nada, que pidiendo se gana la vida muy bien y muy honradamente, y que los polvos que la policía le decomisó no son lo que dicen ellos que son, sino las cenizas de su difunto padre, que Dios tenga en su gloria, que precisamente ese día se proponía aventar sobre la ciudad desde el Mirador del Alcalde. A continuación añade que todo lo que acaba de contarme, sobre ser mentira, no le servirá de nada, porque la justicia en este país está podrida, por lo cual, sin pruebas ni testigos, solo por la pinta que tenemos los dos, a buen seguro nos mandan al talego de donde saldremos ambos con sida y con pulgas [...].

11.30 Un miembro de la policía nacional distinto del miembro antes citado abre la puerta del calabozo y nos ordena seguirle con el objeto aparente de comparecer ante el señor comisario. Amedrentado por las admoniciones de mi nuevo amigo, decido adoptar una apariencia más respetable y me transformo en don José Ortega y Gasset.

11.35 Comparecemos ante el señor comisario, el cual nos examina de arriba abajo, se rasca la cabeza, declara no querer complicarse la vida y ordena que nos pongan en la calle.

15 Uno de los recursos que emplea Mendoza para provocar la risa en el lector es el uso de un lenguaje extremadamente culto e incluso pedante (registro que contrasta con los personajes y las situaciones que narran) salpicado de términos coloquiales.

1. Escribe las palabras y expresiones cultas del texto y sus correspondencias en el lenguaje conversacional.

2. Ahora localiza las expresiones vulgares o coloquiales y piensa en sus equivalencias en el lenguaje familiar.

OTROS VALORES TEMPORALES DE LAS FORMAS VERBALES DEL PASADO

"Lo pasado, pasado está"; sin embargo, los pasados no siempre hablan de acciones pasadas.

idea psycologica futuro o presente.

16 **¿A qué tiempo real se refiere el <u>pretérito perfecto</u> en estas frases?**

presente.

1. Si <u>dentro de una hora</u> no has recogido todo, te quedas en casa. *futuro.*
2. Venga, Raúl, un último esfuerzo, que <u>ya casi</u> lo has conseguido. *futuro/presente.*
3. ¡Mira, allí, unas casas! ¡Ya hemos llegado!
4. Espérame, que <u>en cinco minutos</u> he terminado. *futuro*
5. Vete a casa y, <u>si a las diez</u> no ha llegado, llámame al despacho. *futuro*

CE 8 **17** **Indica si en las siguientes oraciones el imperfecto equivale <u>al presente</u> o <u>al condicional</u> y reflexiona sobre su valor.**

P   C.

1. Perdona, ¿cómo te llamabas? *Present.*
2. Si hubiera algún cambio de última hora te llamaba, ¿vale? *con.*
3. Yo en tu lugar le decía la verdad de una vez por todas. *c*
4. Hace un mes, a mediados de julio, me dijo que empezaba a trabajar en octubre. *c.*
5. ¿Qué haces aquí? ¿No estabas de vacaciones? *P*
6. Necesitaba hablar contigo. ¿Tienes un momento?
7. Aunque fuera la única persona en el mundo, yo no le pedía ayuda. *c*
8. Ahora mismo me daba un buen baño de espuma. *c*

9. ¿Y estos eran los maravillosos efectos especiales de la película? ¡Pues vaya tontería! *P.*
10. Venía a pedirle un gran favor, Sr. García. *looks*
11. Tiene tan buena pinta que me lo comía entero.
12. Su avión llegaba mañana a las tres, ¿no? *P.*

18 **Completa la ficha con los ejemplos del ejercicio anterior.**

*10.6
12.1.
5. 9.*

Imperfecto = presente o futuro	Imperfecto = condicional	
1. Cortesía o modestia:	1. Posterioridad respecto a un pasado:	*4.*
2. Duda u olvido de una información ya dada:	2. Futuro hipotético (con oraciones condicionales o concesivas):	*2,3,7.*
3. Contraste de la información que teníamos con la realidad:	3. Deseo hipotético:	*8,11*

19 **Construye frases utilizando el pretérito perfecto o el imperfecto en los siguientes contextos.**

1. Eres tan optimista que tienes esperanzas de que te toque la lotería, y ya estás haciendo planes.

_____

2. Te has encontrado con un conocido que te ha preguntado por tu trabajo, pero eres incapaz de recordar a qué se dedica él.

_____

3. Un corredor de maratón está a pocos metros de la meta y está totalmente agotado.

_____

4. Tienes un amigo que presume de ser un experto cocinero, pero su paella está incomible.

_____

5. Ana acaba de llamarte para decirte que llegará un poquito tarde, pero tú estás harto de sus retrasos, que suelen superar la hora.

_____

6. Sabes que el otro día metiste la pata con Andrés y quieres disculparte.

_____

PUNTUACIÓN I

20 El siguiente texto explica los principales usos de los signos de puntuación más habituales. Léelo con atención.

1   La **coma** tiene muchísimas funciones, pero es posible reducir la mayoría de los casos a dos grupos: las comas que van solas y las que funcionan en parejas, caso este en el que una de ellas puede ser reemplazada por otro signo
5   de puntuación más fuerte. La primera sirve para separar elementos de una serie (enumeraciones de palabras de la misma categoría o de frases; ante elementos que marcan oposición, como *pero, aunque, mientras que, salvo, excepto o menos;* o en sustitución de un verbo que se sobreentien-
10   de) y la segunda, para introducir incisos (cualquier tipo de elemento explicativo, vocativos y un gran número de elementos que sirven para establecer relaciones entre las distintas oraciones o partes de un texto: *así, además, en ese caso, por lo tanto, por consiguiente, en cambio, no obstante,*
15   *en primer / segundo / tercer lugar, por una / otra parte, en resumen, en definitiva,* etc.); asimismo, las oraciones ad-

verbiales, cuando se invierte su orden normal, suelen separarse por coma.

El **punto y coma** está a medio camino entre la coma y el
20   punto y seguido. Generalmente separa frases que mantienen una conexión de significado más fuerte que las separadas por punto y seguido, aunque muchas veces estos dos signos pueden intercambiarse. También se utiliza en las enumeraciones de elementos extensos o que poseen comas en su interior.
25   En cuanto a la diferencia entre **punto y seguido** y **punto y aparte,** puede decirse que el primero se usa para separar frases referidas a aspectos distintos dentro de un mismo asunto, mientras que el segundo separa ideas o asuntos, formando párrafos.
30   Los **dos puntos,** además de para el estilo directo, sirven para introducir una enumeración, una ejemplificación o una conclusión o resumen.

21 En parejas, completad este esquema con ejemplos de usos de los signos de puntuación sacados del texto anterior. Si no los hay, inventadlos vosotros.

SIGNO	VALOR		EJEMPLO
coma	1. en enumeraciones 2. ante marcas de oposición 3. en sustitución de un verbo		
dos comas	1. incisos	– elementos explicativos – vocativos – conectores	
	2. subordinadas adverbiales antepuestas		
punto y coma	1. frases con relación semántica 2. enumeraciones		
punto y seguido	separar frases (distintos aspectos de un mismo asunto)		
punto y aparte	formar párrafos (distintos temas o ideas)		
dos puntos	1. enumeraciones 2. ejemplificaciones 3. conclusiones o resúmenes		

Coloca los signos de puntuación que le faltan a este texto. Compara el resultado con el de tu compañero.

"… Y a las 0.30 horas después de besar el suelo rocoso de la cripta abandoné el huerto de José de Arimatea los soldados de la fortaleza Antonia continuaban allí desmayados como mudos testigos de la más sensacional noticia la resurrección del Hijo del Hombre.

Y a las 05.42 horas de aquel domingo de gloria 9 de abril del año 30 de nuestra Era el módulo despegó con el sol y al elevarnos hacia el futuro una parte de mi corazón quedó para siempre en aquel 'tiempo' y en aquel Hombre a quien llaman Jesús de Nazaret."

Así con estas frases finaliza mi anterior libro *Caballo de Troya* quienes lo hayan leído recordarán quizá que en el relato del mayor norteamericano se adelanta lo que el propio Jasón denomina un segundo "viaje" en el tiempo pues bien la presente obra recoge esa nueva y no menos fascinante aventura interrumpida en las líneas precedentes por razones puramente técnicas el volumen de la documentación era tal que fue preciso dividirlo al menos en dos partes.

J. J. Benítez, *Caballo de Troya 2*.

 CE 9.10 **Prepara un texto del que hayas eliminado todos los signos de puntuación. Dáselo a un compañero para que lo puntúe y después corrígeselo, pero recuerda que suele haber más de una posibilidad.**

NARRACIÓN Y DESCRIPCIÓN

NARRACIÓN LITERARIA

Narrar es relatar un(os) hecho(s) que se ha(n) producido a lo largo del tiempo. La narración cuenta con palabras los sucesos que los seres realizan. Cuando es extensa, suele incluir descripciones y diálogos.

Los elementos de la narración son la acción (con presentación, nudo o desarrollo y desenlace), los personajes y el contexto en que tiene lugar la acción.

Procedimientos lingüísticos

1. *Las formas verbales.* Como se trata de contar hechos sucesivos, es normal que predominen las formas verbales sobre cualquier otro tipo de palabras.

Suele predominar el indefinido, aunque en menor medida aparecen el imperfecto (tiempo de la descripción) y el presente, con el que se actualizan los sucesos relatados y se acerca el pasado al presente del lector.

2. *Las estructuras sintácticas.* La sintaxis viene exigida por el propio contenido de lo narrado. La organización general es coordinativa, pero dentro de ella se produce todo tipo de subordinación, especialmente la temporal.

3. *Las figuras literarias.* Su uso es bastante limitado, aunque es posible encontrar metáforas (establecer una igualdad o comparación entre dos términos y emplear uno de ellos en el sentido del otro; por ej.: *la primavera de la vida* = juventud), la ironía (dar a entender lo contrario de lo que se dice), la antítesis (unir dos palabras o frases de significado contrario; por ej.: *ardiente hielo*) y la paradoja (poner en relación dos ideas que parecen opuestas, pero que en el fondo no lo son; por ej.: *vivo sin vivir en mí)*, así como el paralelismo sintáctico o estructuras repetitivas de gran expresividad.

DESCRIPCIÓN LITERARIA

Consiste en explicar unas cualidades o características de cualquier cosa que se perciba de tal forma que el lector vea mentalmente la realidad descrita. El proceso descriptivo consiste en la observación, reflexión y expresión, etapas que son casi imposibles de aislar.

Procedimientos lingüísticos

1. *Las formas verbales.* Las formas más utilizadas son el presente y el imperfecto, frecuentemente combinados. Con el presente se muestra el carácter intemporal de la materia descrita.

2. *El adjetivo.* Predominan los sustantivos y los adjetivos muy por encima de los verbos. El adjetivo puede completar la información que el sustantivo ofrece, puede matizar el sentido y dar mayor expresividad. El manejo correcto de la adjetivación exige gran dominio de la lengua. No es conveniente la acumulación de adjetivos, sino el empleo de aquellos que mejor se adapten a las intenciones del autor. El adjetivo, además, pone de relieve los componentes sensoriales que existen en toda descripción.

3. *Las estructuras sintácticas.* Predominan las estructuras coordinadas y yuxtapuestas (sin conector).

4. *Las figuras literarias.* Puesto que se trata de comunicar una visión personal de la realidad, son muy frecuentes las figuras, especialmente la comparación y la metáfora.

Miriam Álvarez, *Tipos de escritos I: Narración y descripción* (texto adaptado).

Ahora vas a practicar estos dos tipos de escritos incorporando lo que has aprendido en esta unidad sobre los pasados y la puntuación.

24 En parejas, reconstruid la historia de Pepe Gáfez ordenando los hechos y añadiendo las circunstancias en que se produjeron.

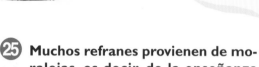
Resbaló al pisar una piel de plátano /
Se echó una larga siesta / Cogió el coche /
Se puso el jersey al revés /
Lo detuvo la policía /
Se olvidó la cartera en casa /
Cayó en un charco / Llamó a su novia /
El coche se estropeó / Dos individuos le pidieron el dinero y le dieron una paliza /
Su novia se había ido /
Se puso a decir palabrotas.

25 Muchos refranes provienen de moralejas, es decir, de la enseñanza que se obtiene de una fábula o historia. Lee este cuento popular.

1. ¿Cuál de los siguientes refranes crees que puede servir de moraleja a la fábula?

- ✓ No se puede nadar y guardar la ropa.
- ✓ No dejes para mañana lo que puedas hacer hoy.
- ✓ No es oro todo lo que reluce.
- ✓ Si el presente no es seguro, no anheles el bien futuro.
- ✓ La avaricia rompe el saco.
- ✓ Dos son compañía; tres, multitud.

LA LECHERA

Una muchacha llevaba en la cabeza un cántaro de leche para venderla en el mercado. El camino era largo, pero la muchacha andaba ligerita, mientras iba calculando la ganancia que le proporcionaría la venta de la leche. Y empezó a hacer proyectos de este modo:

"Con el dinero que cobre, compraré un canasto de huevos. Los pondré a incubar y así tendré muchos pollitos. Cuando mis pollitos hayan crecido, los llevaré a vender y compraré más huevos. Repitiendo el negocio unas cuantas veces, me haré rica, y todos los jóvenes querrán casarse conmigo, pero yo no aceptaré al primero que se presente, sino que elegiré al más guapo y más rico. ¡Qué envidia van a tener mis amigas! Iré a la ciudad y me compraré un vestido de seda y una cofia de encajes para la boda. ¡Y seré la novia más elegante de toda la comarca!".

Pensando en sus planes, echó atrás la cabeza y, sin poder impedirlo, el cántaro cayó al suelo y se rompió en mil pedazos. ¡Adiós, huevos; adiós, pollitos; adiós, sueños de la muchacha!

2. Inventa un cuento que pueda tener por moraleja uno de los otros refranes.

26 Todos conocemos historias con un apuesto príncipe, una bella princesa, un malvado, un bosque, una rana... Para variar, escribe una historia con los siguientes "ingredientes".

- ◗ un abejorro
- ◗ un *spray* antivioladores
- ◗ una viejecita de 85 años
- ◗ una lata de sardinas
- ◗ un ascensor
- ◗ un dentista
- ◗ un cojín con forma de corazón
- ◗ un CD con los grandes éxitos de Julio Iglesias
- ◗ un conserje
- ◗ una limusina

LA MEDICINA

27 La mayoría de las palabras del campo de la medicina proceden del griego y son comunes a muchas lenguas. ¿Sabes cuál es el significado de las siguientes raíces?

raíz	significado	raíz	significado
oftalm(o)-	*eye. /ojo / vison.*	derm(ato)-	*skin /piel*
ot(o)-	*oído /ear*	hem(ato)-	*sangre.*
rin(o)-	*nariz*	onc(o)-	*cancer.*
laring(o)-	*garganta.*	psiqu-, psico-	*psychology. / mente*
neur(o)-	*brain / cerebro.*	ginec(o)-	*female reproductive*
odont(o)-	*teeth / dientes*	ped-	*~~feet~~. niños*
cardi(o)-	*heart / corazón.*	ger-	*ancianos.*
ur(o)-	*vejiga. male reproductive*	traum(ato)-	*trauma.*
neum(o)-	*pulmones. /respiratory*	alerg(o)-	*allergy.*

28 Con los sufijos *-logía* (tratado, estudio, ciencia) y *-logo* (especialista) se forma la mayoría de los compuestos, por ejemplo, *otorrinolaringología - otorrinolaringólogo*. ¿Qué especialistas son conocidos también con los términos de origen latino *oculista* y *dentista*?

29 ¿Sabes a cuáles de las raíces del cuadro anterior se unen *-iatra* (médico), *-iatría* (curación) para formar los compuestos correspondientes?

-iatra (médico)

▶ *pediatra.* — *psychiatrist.*
▶ *psiquiatra.*
▶ *geriatra*

-iatría (curación)

▶ *pediatría*
▶ *psiquiatría* — *study of mind.*
▶ *geriatría*

30 Teniendo en cuenta el significado de los siguientes sufijos, define las patologías que te damos y añade otras nuevas a la lista.

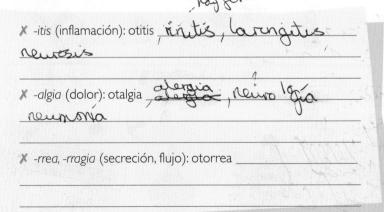

✗ *-itis* (inflamación): otitis *, rinitis, laringitis* — *hay fever*
neurosis

✗ *-algia* (dolor): otalgia *, alergia ~~alergia~~, neurología*
neumonía

✗ *-rrea, -rragia* (secreción, flujo): otorrea

31 ¿A qué especialistas crees que deberías acudir si tuvieras los siguientes síntomas?

feel sleepy

- náuseas
- somnolencia *tene sueño*
- vómitos
- diarrea
- taquicardia
- dolor de espalda
- cefalea *dolor de cabeza*
- picor o prurito *itches / rash*
- estornudos *sneeze*
- síncope *paralysis / breathing*
- ardores o pirosis *heartburn*
- inflamación de las articulaciones o artritis

feel dizzy etc / lose conciencia

- hormigueo o parestesia
- estreñimiento *constipation*
- insuficiencia respiratoria
- tos
- aerofagia *trapped wind*
- congestión nasal
- convulsiones
- expectoración *phlem*
- infección cutánea *eg. acne*
- hipo *hiccups*
- mareos *feel dizzy*

- cardiólogo taquicardia
- dermatólogo picor o prurito, hormigueo o parestesia, infección cutánea
- gastroenterólogo náuseas, vomitos, diarrea *hipo* estreñimiento cardiros o pirosis, aerofagia
- traumatólogo dolor de espalda
- neumólogo estornudos, tos, insuficiencia respiratoria síncope, congestión nasal, expectoración
- neurólogo somnolencia, cefalea síncope ~~ardores o pirosis~~, convulsiones mareos.

32 Todos estos verbos de uso común adquieren un significado especial cuando se utilizan en el ámbito de la medicina. Busca en el diccionario sus diferentes acepciones.

verbos	acepción general	en medicina
administrar	to manage	administer
aplicar	apply.	apply (put on)
asistir	attend	help
examinar	examine (study / consider)	examine
explorar	explore.	explore / examine
intervenir	participate.	intervene
palpar	feel / touch.	feel / touch - where pain is
reconocer		examine
restablecer/se	reestablish.	recover
tratar	try	treat.

33 Busca en la sopa de letras diez nombres de formas de presentación de un medicamento.

sugar coated pill   *pomada - ointment*   *inyección*   *pildora*   *jarabe*

E	O	R	I	G	R	A	G	E	A
Y	I	E	P	E	N	P	I	L	A
E	R	B	O	S	D	C	L	L	R
C	O	A	M	R	B	O	U	T	O
C	T	R	A	G	P	S	A	U	D
A	I	A	D	M	P	Y	M	O	L
L	S	J	A	A	S	O	E	J	I
N	O	I	C	C	E	Y	N	T	P
J	P	G	E	L	T	R	E	S	M
R	U	N	O	I	C	U	L	O	S
N	S	O	J	P	C	I	S	P	Y

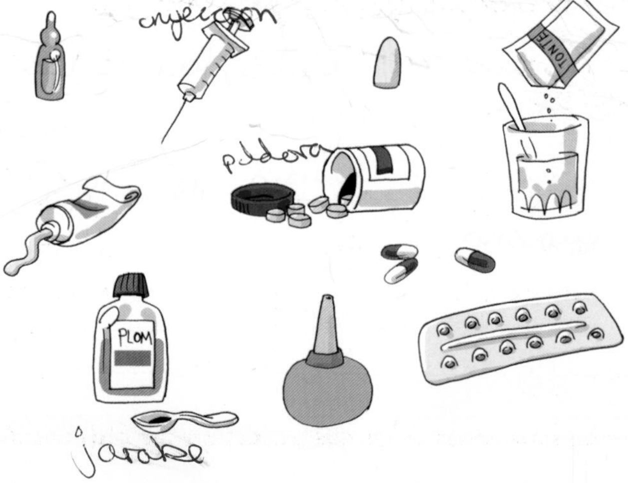

CE
17, 18, 19, 20

34 Hemos suprimido de este prospecto los nombres de los distintos apartados. ¿Puedes reponerlos?

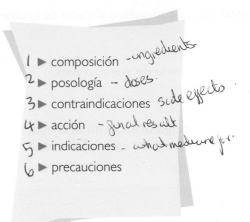

1 ► composición –ingredients
2 ► posología – doses.
3 ► contraindicaciones side effects
4 ► acción – final result
5 ► indicaciones – what medicine for.
6 ► precauciones

ASPIRINA® C
efervescente

① Cada comprimido contiene: ácido acetilsalicílico, 400 mg; ácido ascórbico (DCI), 240 mg. Excipientes: bicarbonato sódico, carbonato sódico, sacarina 5 mg, citrato monosódico, ácido cítrico y kombiaroma.

El ácido acetilsalicílico es eficaz como antipirético y analgésico. La vitamina C (ácido ascórbico), está indicada en la prevención de su deficiencia, y su presencia en el preparado es debida a que en las enfermedades por enfriamiento puede ser necesario un mayor aporte de la misma.

Tratamiento sintomático del dolor leve o moderado y fiebre asociados a estados gripales o resfriado común.

Dosis media recomendada
② Adultos: 1-2 comprimidos hasta 3-4 veces al día.
Niños de 6 a 12 años: ½ a 1 comprimido hasta 3-4 veces al día.
Niños de 4 a 6 años: ½ comprimido hasta 3-4 veces al día.

⑤ Los comprimidos se toman disueltos en medio vaso de agua. La administración de este preparado está supeditada a la aparición de los síntomas dolorosos o febriles. A medida que éstos desaparezcan debe suspenderse esta medicación.

④ Ulcera gastroduodenal o molestias gástricas de repetición; alergia a salicilatos; hemofilia o problemas de coagulación sanguínea; terapia conjunta con anticoagulantes orales; insuficiencia renal y/o hepática.
En condiciones normales no necesitan administrarse en el embarazo dosis superiores a los 100 mg al día de vitamina C y, en cualquier caso, siempre por indicación del médico. Aunque no hay evidencia de efectos perjudiciales, la seguridad fetal de las dosis altas de vitamina C no ha sido establecida.

③ La ingesta de ácido acetilsalicílico, entre otros factores, se ha relacionado con el síndrome de Reye, enfermedad muy poco frecuente, pero grave. Es por ello que se recomienda consultar al médico antes de administrarlo a niños y adolescentes en casos de procesos febriles, gripe o varicela. Si se presentaran vómitos o letargo debe interrumpirse el tratamiento y consultar inmediatamente al médico.

En caso de administración continuada prevenir a su médico u odontólogo ante posibles intervenciones quirúrgicas.

⑥ IMPORTANTE PARA LA MUJER: Si está usted embarazada o cree que pudiera estarlo, consulte a su médico antes de tomar este medicamento. El consumo de medicamentos durante el embarazo puede ser peligroso para el embrión o el feto y debe ser vigilado por su médico.

No administrar sistemáticamente como preventivo de las posibles molestias originadas por vacunaciones.
Por su contenido en ácido ascórbico cabe la posibilidad de que origine resultados erróneos en las pruebas de glucosa en orina, incluyendo las pruebas por tiras reactivas.
00271395/697/bm

Fragmento del prospecto de Aspirina adultos, Química Farmacéutica Bayer, S.A.

---

35 Clasifica los siguientes adjetivos según el sentido con el que se perciban.

► mullido squidgy; padsrell.
► hediondo odour of metal.
► plomizo metal.
► fétido smelly.
► celeste
► amargo bitter

► áspero rough.
► rugoso wrinkled
► agudo high pitch
► aromático
► melodioso
► empalagoso muy muy dulce.

► desvaído faint/fading
► estridente
► sabroso no
► insípido no tiene sabor
► chirriante door squeaky
► agrio sour.

VISTA	TACTO touch.	OÍDO hearing	GUSTO taste.	OLFATO
mullido. plomizo celeste. desvaído	áspero rugoso	melodioso agudo desvaído estridente. chirriante.	aromático amargo áspero empalagoso sabroso insípido agrio	hediondo. fétido. aromático.

---

36 Relaciona cada expresión con su significado.

turn a blind eye
1. Hacer la vista gorda
2. Tener tacto
3. Tomar el pulso to sound someone out
4. Saltar a la vista be obvious
5. Mandar a hacer gárgaras send someone packing
6. Oler a chamusquina sense something wrong.
7. Poner los cinco sentidos use all 5 senses
8. Tener vista have sight
9. Dorar la píldora sweeten the pill.

③ ► Tantear un asunto o la opinión de alguien
⑧ ► Ser vivo y astuto
② ► Actuar con diplomacia o habilidad
④ ► Ser algo evidente o llamativo
⑦ ► Realizar algo con mucho cuidado y atención
① ► Fingir no haber visto algo
⑤ ► Rechazar algo o a alguien de forma tajante
⑨ ► Adular, halagar para obtener un beneficio
⑥ ► Provocar sospechas un asunto smell a rat.

Describe situaciones en las que puedas utilizar cada una de estas expresiones.

37 **BÍOGRAFÍAS**

Haz preguntas a tu compañero acerca de su vida y anota las respuestas. Obtén datos de al menos tres periodos de su historia: niñez, adolescencia, juventud…, y del acontecimiento más importante de cada uno de ellos.

Tomando esos puntos como ejes de la narración, cuenta la biografía de tu compañero al resto de la clase.

38 **ALGO DE HISTORIA**

Reuníos por nacionalidades y preparad una exposición sobre la historia de vuestro país.

39 **NOVELAS DE INTRIGA**

En grupos de cuatro, escribid el argumento de una novela de intriga utilizando el mayor número posible de los elementos que os damos a continuación (al menos cuatro de cada apartado).

Personajes

Luis, 58 años, casado, rico empresario.

Wqspit, edad, estado civil y profesión desconocidos.

Javier, 62 años, casado, director adjunto de una empresa.

Carmen, 21 años, soltera, estudiante de Derecho.

El Chuti, 28 años, delincuente común.

Ángel, 40 años, divorciado, abogado.

Cristina, 36 años, divorciada, secretaria.

Roberto, 31 años, soltero, guardaespaldas.

Tina, 25 años, soltera, actriz en paro.

Carlitos, 6 meses.

Sucesos

Un encuentro inesperado

Un viaje

Una reunión familiar

Una muerte violenta

Un robo

Divulgación de un secreto

Pérdida transitoria de memoria

Una llamada de teléfono a las 4 de la madrugada

Escena(s) de amor

Una pelea

Escenarios

Una sórdida habitación de un motel

Un chalé en Marbella

Una playa en Las Bahamas

Un restaurante

Una carretera comarcal, de noche

Un avión

Un ovni

Un despacho

El desierto del Sahara

Un hospital

Un vertedero

Un faro

Representad ante el resto de los compañeros tres de las escenas dialogadas más importantes de vuestra historia.

40 **A DEBATE**

1. La infancia.

Cuéntanos qué sentido te trae más recuerdos de tu infancia. Dinos…

► Una imagen.
► Un sabor.
► Un olor.
► Un sonido.
► Una sensación táctil.

⇨ ¿Recuerdas algún sueño o pesadilla de tu niñez?

⇨ ¿Es realmente la infancia una edad idílica y maravillosa?

⇨ ¿Es la edad de la inocencia?

⇨ ¿Te gustaría volver a ser niño?

⇨ En grupos, haced una lista de los derechos y las obligaciones de los niños.

2. Bebés a la carta.

El anuncio de una clínica londinense que ofrece a sus clientes la posibilidad de elegir el sexo de sus hijos ha recorrido Europa como un reguero de pólvora. Las opiniones oscilan entre la acogida entusiasta de las miles de parejas que ya han solicitado sus servicios y las duras críticas de la mayoría de los especialistas, que consideran la oferta como un lucrativo engaño, ya que se basa en una técnica veterinaria abandonada hace más de 20 años. ¿Es posible elegir el sexo de nuestros hijos? Y si es así, ¿resulta ético hacerlo? Numerosos métodos han sido estudiados para conseguir este polémico objetivo. Muchos han sido desestimados, pero otros están dando resultados. Los expertos recomiendan que las nuevas técnicas solo se usen bajo recomendaciones médicas concretas. Sin embargo, como demuestra el caso de la clínica londinense, una vez abierta la puerta cualquiera puede pasar por ella.

Carlos San Román, médico jefe del Servicio de Genética del Hospital Ramón y Cajal.

El único procedimiento que alcanza un éxito del 100 por 100 es la identificación del sexo en el embrión después de una fecundación in vitro. Poder determinar el sexo tiene una enorme utilidad médica, pero lo que mueve a la mayoría de la gente a preferir un niño o una niña es un capricho, y eso me parece una tontería. En el caso de los animales se puede hacer porque es muy útil.

Mariano Esteban, director del Centro Nacional de Biotecnología.

Los procedimientos que se emplean actualmente solo consiguen aumentar muy poco el 50 por 100 de posibilidades naturales de conseguir niños de uno u otro sexo. Poder determinar el sexo previamente es muy útil cuando se trata de evitar la transmisión de enfermedades que están estrechamente ligadas a los cromosomas sexuales, es decir, que se transmiten por herencia, pero que solo afectan a los descendientes de un determinado sexo, como es el caso de la hemofilia. Pero tiene connotaciones sociales importantísimas. Tantas, que de convertirse en una práctica rutinaria podría llegar a cambiar la estructura de una población entera. Podría, por ejemplo, potenciar un problema de dominio de los varones sobre las hembras. En animales se justifica porque se necesita garantizar la productividad, y eso es progreso.

Blanco y Negro (texto adaptado).

Busca en el texto las razones que se dan a favor y en contra de la posibilidad científica de la elección del sexo de los hijos y añade otras.

► ¿Qué opinas de esta posibilidad?

► ¿Te gustaría poder elegir el sexo de tus hijos?

► ¿Hay que poner límites a la ciencia? ¿Y a su aplicación?

► ¿La ciencia debe someterse a la moral?

AUTOCORRECCIÓN FONÉTICA II: EL CONSONANTISMO

41 Aquí tienes el cuadro de las consonantes que pueden aparecer al comienzo de sílaba. Escribe la grafía correspondiente y algún ejemplo.

ESPAÑOL			TU LENGUA	
signo	grafía	ejemplos	grafía	ejemplos
p	p	pato, copa		
b	b, v	bola, vaca, cambio, envío		
ƀ	b, v	la bola, la vaca, saber, caviar		
t	t	todo, roto		
d	d	decir, andar, toldo		
đ	d	pedir, perder		
k	c, qu, k	casa, queso, kilo, seco, toque		
g	g	gota, ángulo, guerra		
ǥ	g	la gota, la guerra, pagar		
x	g(e, i), j	gente, jota, caja		
f	f	foca, café		
θ	c(e, i), z	cien, zapato		
s	s	sartén, casa		
ŷ	y	yo, cónyuge		
y	y	como yo, ayer		
ĉ	ch	cheque, coche		
m	m	mano, cama		
n	n	noche, canas		
ṋ	ñ	paño		
l	l	lado, pelo		
ḽ	ll	llover, calle		
r	r	caro		
r̄	r-, -(l, n, s)r-, rr	ropa, enredo, carro		

Son pocas las consonantes que pueden aparecer al final de síla-ba, y su pronunciación es más inestable. En general, tienden a realizarse de una forma más suave o relajada y fricativa (no se produce un cierre total de la salida del aire). Un caso especial es la x, que ante consonante se realiza normalmente /s/, y /ks/ solo en una pronunciación cuidada.

CD1: 5

42 Lee este texto, que después escucharás leído por un español del centro peninsular y por varios hablantes extranjeros.

Llevo pocos meses viviendo aquí, pero siento que mi vida ya no volverá a ser igual. Cada día que paso lejos de mi casa descubro algo nuevo sobre esta tierra y sobre la que dejé. Aunque pueda resultar extraño, el conocimiento de una cultura y una lengua distintas a las mías me está permitiendo reconocer aspectos de mi propio país y de mí mismo en los que jamás había reparado.

1. Identifica las diferencias. Para ello, consulta primero la lista de los errores más frecuentes de los extranjeros al hablar español que tienes en la página siguiente.

consonantes iniciales

incorrecta realización de /x/	realización alveolar de /t/ y /d/
incorrecta realización de /θ/	realización palatal de /ti/ y /di/
incorrecta realización de /ĉ/	realización /nj/ o /ɲj/ de /ɲ/
realización labiodental de v	realización /šj/ o /š/ de /sj/
/b/ en lugar de /ƀ/	realización /j + vocal/ de /y + vocal/
/d/ en lugar de /đ/	indistinción /r/ - /r̄/
/g/ en lugar de /g/	/r/ muy suave
confusión de /p/ y /b/	/r̄/ muy suave
confusión de /t/ y /d/	/r̄/ velar o retrofleja
confusión de /k/ y /g/	confusión de /l/ y /r/
aspiración de /p/ inicial o tras consonante	tendencia a doblar algunas consonantes
aspiración de /t/ inicial o tras consonante	
aspiración de /k/ inicial o tras consonante	Otros:

consonantes finales

adición de una pequeña vocal tras la consonante	incorrecta realización de /r/ (ver arriba)
realización /n/ en lugar de /m/ de -nv-	realización /š/ de /s/
realización muy fuerte de la consonante	
aspiración de la consonante	Otros:
/p, t, k/ en lugar de /b, d, g/ relajadas	

2. Atento a las audiciones. ¿Eres capaz de identificar las nacionalidades?
CD1: 6

3. Graba en una casete tu lectura del texto y compara tu pronunciación con la del español. Después señala tus problemas en los cuadros anteriores y añade otros.

4. Intercambia tu cinta con la de otro estudiante y ayúdalo a detectar sus dificultades. Después, comentad vuestros resultados y, en caso de duda, pedid la opinión de vuestro profesor.

 43 **Escucha y repite.**
CD1: 7

p/b		t/d		k/g		b/ƀ		d/đ		g/g	
peso	beso	seta	seda	coma	goma	boca	la boca	dolor	lado	gato	ese gato
pelo	velo	suelto	sueldo	corro	gorro	vida	la vida	mando	tarde	guapo	agua
pino	vino	tos	dos	Paco	pago	un velo	ese velo	toldo	Madrid	guerra	la guerra
poca	boca	moto	modo	quita	guita	cambio	labio	un día	los dos	tengo	sigo

r/r̄		r/l		r/g		r/d		s/θ		otra	
pero	perro	poro	polo	para	paga	toro	todo	peses	peces		
para	parra	cobro	pueblo	Roma	goma	pira	pida	beses	veces		
coro	corro	arma	alma	paro	pago	duro	dudo	poso	pozo		
suero	sierra	correr	cordel	rato	gato	rara	radar	risa	riza		

 Ahora oirás una sola palabra de cada par (excluimos las oposiciones b / ƀ, d / đ y g / g). Señálala.
CD1: 8

 44 **Escucha y repite las siguientes frases.**
CD1: 9

1. Ayer un muchacho intentó engañar a un niño para quitarle el yoyó.
2. Begoña ha estado viviendo en Alemania siete u ocho años.
3. Una señora se cayó en la calle Sevilla.
4. César sólo hizo seis ejercicios de los diez de la lección.
5. Javier siempre gasta bromas a la gente.
6. El toro corrió para sorprender al torero por detrás.
7. El problema de algunas palabras es que son muy parecidas.
8. Todo el mundo tiene que decir la palabra cada vez que pare la música.
9. Madrid es la capital del Estado español.
10. Los trabajos más difíciles son sus preferidos.

LENGUAS INDÍGENAS DE HISPANOAMÉRICA

En gran parte de Hispanoamérica el español, lengua oficial, coexiste con las lenguas indígenas. Muchos indios son bilingües, aunque cada vez son menos los hablantes de las primitivas lenguas amerindias. Cuando llegaron los conquistadores a América, en el continente había más de cien familias de lenguas indígenas diferentes, de las que tan solo subsisten el arahuaco, el náhuatl, el maya, el araucano, el aimara, el quechua y el guaraní. Solo en Paraguay la lengua indígena, el guaraní, es lengua oficial junto con el español.

ARAHUACO. El arauak es una familia lingüística que comprende más de un centenar de dialectos hablados por numerosas tribus que disminuyen rápidamente, por lo que en la actualidad está prácticamente extinguida. Será concretamente el dialecto haitiano taíno el que más influencia deje en el caudal léxico de los españoles, a pesar de que los taínos fueron una cultura de muy escaso desarrollo, sobre todo si la comparamos con las aztecas, mayas o incas. El número de individuos de lengua arauak en la actualidad es relativamente pequeño: unos 100.000. *Canoa* es el primer americanismo registrado en la lengua española. Otros americanismos que posee el español procedentes del arahuaco son los siguientes:

▶ barbacoa, batata, cacique, caníbal, caribe, enaguas, hamaca, huracán, loro, maíz, maní, sabana, tabaco, tiburón.

ARAUCANO. Antes de la conquista española se hablaba en el centro de Chile y se extendió por el sur, hasta cerca de Buenos Aires. En la actualidad cuenta, aproximadamente, con unos 200.000 hablantes en Chile y 9.000 en Argentina.

GUARANÍ. La zona de los dialectos tupí-guaraníes se extiende desde el Amazonas al río Uruguay y desde el Atlántico hasta los Andes, formando grupos discontinuos, excepto en Paraguay, donde se encuentra una comunidad monolingüe que utiliza el guaraní como lengua nacional con función unificadora y separatista, pero que no ha adquirido un grado de desarrollo y de extensión suficiente como para que se utilice en ámbitos científicos, teóricos, etc. Para fines administrativos y educativos se emplea el español.

MAYA. Es una de las más importantes lenguas de civilización de la América precolombina. Está todavía muy extendida en amplias zonas del sur de México, Yucatán y América Central, y lo hablan más de 400.000 personas.

QUECHUA. Es la lengua del imperio inca y sustituyó en muchas regiones al aimara y otras lenguas indígenas. Con la conquista española esta lengua se extendió todavía más, porque los misioneros la usaron como lengua general para la evangelización. Entre los americanismos de origen quechua se encuentran:

▶ cancha, coca, cóndor, llama, pampa, patata.

NÁHUATL. El náhuatl es la lengua del imperio azteca. El español de México recoge un gran número de palabras tomadas de esta lengua:

▶ aguacate, cacahuete, cacao, chicle, chocolate, hule, petaca, tiza, tomate.

AIMARA. Actualmente los aimaras son alrededor de 1.250.000 individuos en Bolivia y Perú. Antiguamente hablaban esta lengua muchas más tribus, pero a partir del siglo XV muchos aimaras adoptaron la lengua de los quechuas.

En algunas ocasiones se introdujo el término de dos lenguas diferentes, como ocurrió con *maní,* del arahuaco de las Antillas, y *cacahuete,* del náhuatl. En las diferentes variedades del español de América existe un mayor número de indigenismos que se usan con más frecuencia que en España, puesto que el hablante peninsular apenas tiene ocasiones de emplear vocablos como *vicuña, cóndor, sabana,* etc.

¿QUIÉN ES TOTENACA?

Por fin, Esteban D'Oneón está sobre la pista del médico. Ha descubierto que se llamaba Totenaca y que hay datos sueltos sobre él en la Biblioteca Nacional de Quito. Además, ha leído periódicos de principios del siglo xx que cuentan esta leyenda y ha conocido personas que saben cosas de este personaje.

▶ Ordena toda la información y escribe su biografía añadiendo los contextos y circunstancias de estos hechos.

Estudia el complejo mundo de las hierbas con un médico guaraní que conoce en la selva amazónica.

Muere a la edad de 104 años. Nadie vio nunca su cadáver.

Viaja por todos los Andes.

Sus padres deciden que sea médico y así saldrá de la pobreza.

Nace en Tupiza, pequeño pueblo al lado del río San Juan, en la frontera con Argentina.

Conoce la realidad de las tribus andinas y decide dedicarse a ellas por completo.

Lo ataca un puma y es recogido por un médico guaraní.

Sube al Aconcagua para recoger hierbas.

Lo llevan al Colegio del Sagrado Corazón para que estudie el bachillerato.

Se casa con la hija del cacique del pueblo.

Se doctora en la Universidad Católica de Quito.

Sus padres se trasladan a Quito cuando tiene 4 años.

Se dice que todavía hoy se aparece de vez en cuando y cura a los enfermos.

Esteban ha decidido hacer el mismo viaje que hizo Totenaca, desde Quito a Tupiza, para comprobar si en los poblados donde él estuvo queda algún recuerdo suyo. Quedará sorprendido con lo que encuentra. Su jefe, además, está muy intrigado y le envía nuevos fondos para este viaje.

(Continúa en la próxima recapitulación.)

3 ⊕ ¿Qué será, será?

⇨ ¿Conoces los nombres de los signos del zodiaco?

⇨ Lee el texto que tu profesor te va a dar con las últimas predicciones astrológicas. Comprobemos si lo has entendido con un juego.

ADIVINA, ADIVINANZA

Memoriza las predicciones correspondientes a tu signo; después, contesta con un *sí / no* a las preguntas formuladas por tus compañeros, que tratarán de averiguar de qué signo se trata.

▶ FUTUROS Y CONDICIONALES

futuro (simple y compuesto)		condicional (simple y compuesto)
• Acción futura (simple).	**q**	• Acción futura en relación con un pasado (simple).
Mañana iré a Madrid.		*Ayer vi a Pedro y me dijo que vendría hoy.*
• Acción futura anterior a otra también futura (compuesto).	**b**	• Acción futura anterior a otra futura en el pasado (compuesto).
Cuando volvamos a casa ya habrán terminado las obras.		*Ayer pensé que a las diez ya habrían terminado.*
• Inseguridad (conjetura) en el presente. ~~hipotesis~~	**c**	• Inseguridad (conjetura) en el pasado. ~~think~~
No ha venido Tere. Estará en su casa.		*Por aquella época tendría 25 años.*
No está Javi. Se habrá ido a su casa.		*Fui a ver a Ana pero no estaba; habría salido.*
• Concesión, oposición en el presente.	**d**	• Concesión, oposición en el pasado.
Estudiará mucho pero nunca aprueba.		*Estudiaría mucho pero nunca aprobaba.*
Habrá estudiado mucho esta semana pero no ha aprobado.		*Habría tenido muchos problemas pero nunca nos dijo nada.*
• Orden, mandato (simple).	**e**	• Probabilidad o imposibilidad en oraciones condicionales que
Te quedarás en casa y estudiarás.		se refieren al presente, al futuro o atemporales (simple).
• Sorpresa, extrañeza (en oraciones interrogativas y exclamativas; futuro simple).	**f**	*Si viera a Juani le daría tu recado.*
¿Será verdad que ha dejado su trabajo?		• Imposibilidad en oraciones condicionales referidas al pasado (compuesto).
• Temor de que se produzca o se haya producido algo y deseo de que no sea así (en oraciones negativas). ~~I'm joking.~~		*Si me hubiera tocado la lotería habría comprado un coche.*
¿No te lo tomarás en serio?	**g**	• Cortesía (simple).
¿No os habréis olvidado de comprar el pan?		*¿Podría decirme qué hora es, por favor?*

(Anotaciones manuscritas a la izquierda: 1, 2, 3, 4, 5, 6, 7)

---

1 Lee con atención el siguiente diálogo.

Andrés: ¿Dónde estará Javier? *(inseguridad.)*

Tomás: Se habrá ido ya a su casa. Si yo fuera el jefe, también me iría cuando quisiera y tendría un horario flexible. Bueno, a lo mejor no ha venido.

Andrés: ¿Será capaz de quedarse tranquilamente en su casa con todo el trabajo que hay aquí?

Tomás: Pues no se me ocurre dónde podrá estar.

Andrés: Ahora que recuerdo, ayer me dijo que hoy vendría por la tarde, pero claro, llegará con retraso, como siempre. Oye, y tú, ¿qué piensas de este hombre?

Tomás: La verdad, yo creo que es un poco extraño.

Andrés: Pues según dicen, tiene mucha experiencia en puestos similares y ha realizado numerosos cursos de formación.

Tomás: Tendrá mucha experiencia y habrá realizado muchos cursos, pero no demuestra saber mucho del asunto.

Andrés: Él trabaja sin parar, pero no recibe el apoyo necesario.

Tomás: Sí, sí, sí; trabajará mucho pero todavía no hay resultados, que es lo importante.

Andrés: Tienes razón. En mi opinión, le falta experiencia en este sector.

Tomás: Podríamos decirle que nos enseñara su currículum vitae, aunque debería ser él quien tomara la iniciativa y nos informara.

Andrés: Diría que estamos locos y pensaría que tramamos algo contra él.

Tomás: Bueno, ya nos enteraremos algún día.

1. ¿Cuántos usos diferentes del futuro y del condicional aparecen en el diálogo?

2. Ahora compara estas dos situaciones. ¿Qué diferencias hay entre ellas? ¿En qué situación o contexto se utiliza cada una? ¿Qué sentido tiene la respuesta en la situación 1?

1.

Él trabaja sin parar, pero no recibe el apoyo necesario.

Sí, sí, sí; trabajará mucho, pero todavía no hay resultados, que es lo importante.

2.

¿Qué tal Javier en su nuevo puesto?

Trabaja mucho, pero todavía no hay resultados.

3. Fíjate en estos ejemplos y señala a qué tiempos de indicativo equivalen los futuros y los condicionales.

1. Tendrá mucho dinero, pero no lo demuestra.

2. Habrá tenido mucho dinero, pero no lo demuestra.

3. Tendría mucho dinero, pero no lo demostraba.

4. Habría tenido mucho dinero, pero no lo demostraba.

CE 1 **2** **Todas estas oraciones expresan inseguridad. Transfórmalas utilizando futuros o condicionales, según convenga, pero manteniendo el mismo valor.**

1. No sé, pero a lo mejor había allí unas doscientas personas.

2. Mira qué coche tan bonito. Tal vez cueste más de treinta mil euros.

3. Pedro no estaba en casa. Probablemente salió a comprar algo.

4. A: ¿Dónde está Laura?
B: Es posible que se haya ido.

5. No encuentro mi paraguas. Quizá lo haya dejado olvidado en la oficina.

6. Debían de ser ya las doce. Oí un ruido en la calle y pensé: "Seguramente son los vecinos, que ya vuelven de la fiesta".

7. A: Me ha dicho Carmen que ayer me llamó por teléfono.
B: No sé, yo no oí nada; puede que llamara cuando estaba en la ducha.

8. No sé si el tren ha pasado ya o viene con algo de retraso.

9. Eva y Sebastián llegaron tarde, como siempre. Eran aproximadamente las once.

3 **Lee y completa el texto.**

A menudo *(pensar)* .... en lo que *(hacer)* .... cuando llegara el momento de la verdad, el día decisivo. *(Imaginar)* .... paso a paso todo lo que *(ocurrir)* ....: *(levantarme)* .... temprano para no ir con prisas, *(desayunar)* .... algo ligero para evitar la pesadez de estómago, *(dejar)* .... el coche en casa y *(viajar)* .... en autobús, porque, con los nervios, *(poder tener)* .... algún percance. *(Ponerme)* .... el traje gris, aquel que me *(comprar)* .... para la boda de mi prima, aunque *(ir)* .... sin corbata, más que nada para no *(llamar)* .... la atención. En la oficina *(comportarme)* .... como si nada ocurriera, y aunque los compañeros me preguntasen, yo no *(decir)* .... nada. Al acabar la jornada matutina, antes de *(ir)* .... a comer, *(entrar)* .... en su despacho y *(hablar)* .... con él. Seguramente, el señor Guzmán *(estar)* .... sentado en su mesa, revisando facturas y papeles, como siempre. Yo lo *(mirar)* .... a los ojos y con voz firme le *(decir)* ....: "Señor, *(querer casarme)* .... con su hija. Usted *(pensar)* .... que soy muy atrevido o *(creer)* .... que me he vuelto loco, pero no es así. Ella y yo *(conocerse)* .... hace un año y *(enamorarse)* .... Yo sé que mi sueldo *(ser)* .... muy modesto y que no *(poder ofrecer)* .... gran cosa, pero *(trabajar)* .... muy duro, *(hacer)* .... horas extraordinarias, *(esforzarse)* .... mucho para que pueda vivir bien". Él *(poner)* ....

cara de asombro y *(decir)* ....: "Se ha vuelto usted loco, muchacho. *(Estar)* .... usted bromeando, ¿verdad? Jamás *(permitir)* .... semejante estupidez". Entonces yo lo *(informar)* .... de que no le *(estar)* .... pidiendo autorización sino que solo le *(anunciar)* .... el acontecimiento. El señor Guzmán *(ponerse)* .... de pie, *(gritar)* .... y *(dar)* .... golpes sobre la mesa; yo *(permanecer)* .... en mi lugar, sin retroceder, sin alterarme, y *(esperar)* .... tranquilamente a que se le pasara el enfado. Pero lo que no *(tolerar)* .... es que se riera de mí, porque uno *(ser)* .... pobre y no *(tener)* .... estudios, pero tiene mucha dignidad. Sin embargo, nada de esto *(ocurrir)* ...., porque la señorita Guzmán, mi futura esposa, o al menos, la que yo creía que *(ser)* .... mi esposa, decidió en el último momento casarse con Jacinto de Villamayor, rico heredero de ilustre familia.

▶ LA EXPRESIÓN DEL FUTURO

futuro	ir a + infinitivo
• Enunciación de una acción futura. Posee dos valores:	• Enunciación de una voluntad y una decisión referidas al futuro.
1. Acción futura en "estado puro": contingencia. La acción presenta la inseguridad propia del futuro. Por ello, es muy frecuente su aparición con expresiones y verbos de duda y probabilidad del tipo *no sé, imagino, supongo,* etc.	La acción se concibe como segura y real, pues la realización depende de la decisión y de la voluntad del hablante.
A: ¿Qué vas a hacer el próximo fin de semana?	
B: No sé, supongo que me quedaré en casa estudiando / Imagino que me quedaré en casa estudiando.	*A: ¿Qué vas a hacer el próximo fin de semana?*
2. Acción futura + mecanismo de impersonalidad (para ocultar el agente responsable de la acción; a veces, desconocimiento o irrelevancia del agente).	*B: Voy a quedarme en casa.*
2.1. Sin agente explícito: refuerzo del valor impersonal en oraciones que ya, por sí mismas, son impersonales.	Es incompatible su aparición con expresiones o verbos de duda y probabilidad del tipo *no sé, quizás, tal vez,* etc.
Se desestimará toda candidatura que no reúna las condiciones exigidas.	*A: ¿Qué vas a hacer el próximo fin de semana?*
2.2. Con agente explícito: acción impuesta en la que el agente que la realiza o experimenta se presenta carente de responsabilidad (real o intencionadamente).	*B: *Tal vez vaya a quedarme en casa.*
Desembarcaremos por la noche y atacaremos al amanecer.	

CE 5 **④** ¿Futuro o *ir a* + infinitivo? Razona tu respuesta.

[anotación manuscrita] Construiremos / Voy a construir / Can be all of them.

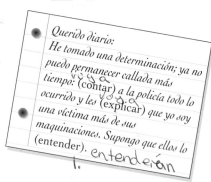

2.1 / 2.2.

[anotación manuscrita: se visitará]

EXCURSIÓN A TOLEDO

A las 12.00 h *(visitar)* la catedral; a continuación, *(disponer)* de una hora de tiempo libre para realizar las compras. La comida *(tener)* lugar a las 14.00 h y *(servirse)* en el restaurante El Caldero.

Querido diario:

He tomado una determinación; ya no puedo permanecer callada más tiempo: *(contar)* a la policía todo lo ocurrido y les *(explicar)* que yo soy una víctima más de sus maquinaciones. Supongo que ellos lo *(entender).* **entenderán**
1.

CONTRATO DE VENTA

Cualquier modificación de este proyecto, una vez aceptado por el cliente, *(suponer)* la anulación del mismo, siendo necesaria la elaboración de un nuevo proyecto. Todas estas modificaciones *(deber)* ser aceptadas de nuevo por escrito por el cliente.

ESTATUTOS DE CONSTITUCIÓN DE EMPRESA

Artículo 37: La Sociedad se *(disolver)* por las causas legalmente previstas en el artículo 104 de la Ley.
Acordada la disolución se *(abrir)* el período de liquidación, que se *(llevar)* a cabo por quienes fueren administradores al tiempo de la disolución o por quienes designe la Junta General que acuerde la disolución.

MITIN POLÍTICO

(Construir) dos nuevos hospitales en la zona norte y *(mejorar)* la sanidad pública. Les aseguro que *(trabajar)* sin descanso para conseguir acabar con las listas de espera.

EL CONDICIONAL DE MODESTIA

⑤ **Los reporteros de la cadena Supermás han salido a la calle para conocer la opinión de los ciudadanos.**

| ¿Qué cree usted que le falta a su ciudad? |

1.
Hombre, pues yo **diría** que un sistema de transportes más eficaz.

2.
Harían falta más zonas verdes y parques para poder pasear.

3.
En mi opinión, creo que **sería necesario** construir un nuevo polideportivo en la zona oeste, aunque **juraría** que el proyecto ya está en marcha.

4.
A mí me parece que es una ciudad muy completa, incluso **aseguraría** que perfecta.

1. Fíjate en los casos de condicional y transforma las oraciones utilizando un presente de indicativo. ¿Qué cambios observas? ¿Son los mismos en todos los casos?

2. En *haría falta* y *sería necesario,* ¿qué valor añade el condicional?

3. Imagina otras situaciones en que las oraciones con indicativo sean correctas y adecuadas.

petición/demand

LA EXPRESIÓN DE LA CORTESÍA EN LOS CONTEXTOS DE PETICIÓN

En todas las lenguas, los mecanismos de cortesía se hacen más patentes en los casos en que el hablante desea formular una petición. El español cuenta con numerosos recursos de naturaleza muy diversa (gramaticales, léxicos, tonales o gestuales). Centrémonos ahora en la expresión de la cortesía mediante la alternancia de formas verbales en contextos de petición.

> **Verbos que aceptan la alternancia como mecanismo de cortesía**
> querer, poder (en oraciones interrogativas), necesitar (solo presente), desear (solo presente / condicional), desear (solo presente / imperfecto), pedir (solo presente / condicional).

Situación comunicativa	Tiempo verbal
Familiar, informal	Presente. _Quiero una cerveza._
	Imperativo (normalmente, solo). _Pon la televisión; va a empezar la película._
Formal, entre interlocutores socialmente iguales	Imperfecto. _¿Podías enseñarme otro modelo?_
	Imperativo (con o sin expresión de cortesía). _Déjame el diccionario, por favor._
Formal, entre interlocutores socialmente desiguales	Condicional. _Querría hablar con usted un momento. ¿Podría traerme el expediente?_
	Este condicional puede a veces sustituirse por imperfecto de subjuntivo en _-ra_; esto solo sucede con algunos verbos modales, como _querer, deber, poder,_ y en situaciones de gran formalidad: _Quisiera hablar con usted, por favor. Debiera ser más cauto con sus afirmaciones, señor presidente._
	Imperativo (con expresión de cortesía). _Por favor, tome nota de la siguiente carta._

CE-6

6 Lee estas frases y clasifícalas en los apartados siguientes.

> La alternancia presente / imperfecto / condicional en verbos del tipo gustar, encantar, fascinar y del tipo decir, asegurar, afirmar, jurar... (verbos de lengua sinónimos de decir) no significa mayor o menor grado de cortesía o de formalidad, sino que refleja actos de habla muy diferentes.

1. Aseguraba una y otra vez que era inocente.
2. Yo juraría que esta es la calle de Pedro.
3. Me gusta que la gente se divierta.
4. Me gustaría ir al cine esta noche.
5. Yo te aseguro que esta casa es mejor.
6. Me gustaba ir a la playa por las tardes.
7. Juro que todo es verdad.
8. Nos encantaría viajar a un lugar exótico.

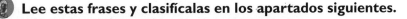

aserción	descripción de situaciones	expresión de deseos	opinión
42, 7	1, 6	4. 8	3, 2, 5

presente condicional   Imperfecto   Condicional   presente but con use condicional "polite"

¿Qué tiempo verbal se utiliza en cada caso?

7 Imagínate en las siguientes situaciones y actúa adecuadamente.

Sabes como llegar a la plaza mayor?   Podría decirme dónde... / dime como se va a la...

1. Estás en la Puerta del Sol, te has perdido y quieres saber cómo llegar a la Plaza Mayor. Te acercas a un grupo de jóvenes y les solicitas información.

2. Te encuentras un poco resfriado; vas a la consulta del médico para que te recete algo que alivie tu malestar.
Quería que
Podría darme algo.
Recéteme algo.

3. Te han invitado a una boda y has ido a una tienda a comprarte un traje para la ocasión.
Puede ver

4. Entras en una cafetería y pides un café con leche. Le dices al camarero que añada un poco más de leche al café.
camarero your age
Me das un poco mas de leche
Podría poner...
me pondría un poco más

8 Escucha estos diálogos y di si se hacen las peticiones de manera adecuada según la situación.

CD1: 10

➤ Diálogo 1   ➤ Diálogo 2   ➤ Diálogo 3   ➤ Diálogo 4

9 Completa el texto con el tiempo verbal adecuado.

¿QUÉ HACEMOS ESTA NOCHE?

Juan: Bueno, ¿qué *(querer, vosotros)* .... que hagamos esta noche?

José: *(Poder)* .... ir al cine; a mí me *(gustar)* .... ver la nueva película de Brad Pitt, que *(decir)* .... que es muy interesante, aunque seguro que *(haber)* .... mucha gente. Si fuéramos temprano, *(encontrar)* .... entradas.

Juan: Sí, *(ser)* .... muy interesante, pero es aburridísima. Yo, a decir verdad, *(preferir)* .... ir a otro sitio, como por ejemplo al teatro. Ahora *(representar)* .... una obra muy buena de Antonio Gala.

Pilar: Pero eso *(costar)* .... mucho, ¿no?

Juan: No, no demasiado; depende de la localidad: en el patio, *(salir)* .... por unos 18 € mientras que en los palcos, no *(llegar)* .... a 15 €.

Pilar: *(Deber)* .... llamar a Elena; la semana pasada me dijo que hoy sí nos *(acompañar)* .... porque ya *(terminar)* .... el trabajo que *(estar)* .... haciendo.

Juan: Después, *(poder)* .... ir a tomar una copa a algún sitio.

José: Sí, pero ¿adónde? A esas horas *(cerrar)* .... ya muchos bares, y los que no, *(estar)* .... hasta la bandera.

Pilar: Yo tengo un amigo que *(tener)* .... un bar en el que *(tocar)* .... música en directo. *(Poder)* .... llamar y decirle que nos reserve una mesa, aunque no sé si a estas horas no *(tener)* .... reservado ya todo. Si lo hubiéramos pensado hace un par de días la *(avisar)* .... y ahora *(tener)* .... un plan bueno y seguro.

José: Venga, vamos a organizarnos: tú, Juan, *(sacar)* .... las entradas para el teatro, y tú, Pilar, *(llamar)* .... tu amigo. Yo *(intentar)* .... hablar con Elena lo antes posible.

10 Lee los siguientes textos y explica con qué valor se utilizan los futuros y condicionales que aparecen.

1.

Volverán las oscuras golondrinas
a tu jardín sus nidos a colgar,
y otra vez con el ala en tus cristales
jugando llamarán.

Gustavo Adolfo Bécquer, *Rimas.*

2.

Yo soy doña Bárbara. No te acordarás de mí. Yo soy tu abuela. De ahora en adelante estás a mi cargo y harás todo lo que te diga. ¿Me has entendido? Soy quien manda aquí.
(...) Le pregunté a Amanda que quién era la enana y ella no supo o quizá no quiso contestarme.
–Es una persona muy rara, y muy inteligente –se limitó a decir.
Y cuando yo insistía me repetía lo mismo:
–Ya lo verás. Ya la conocerás. Una mujer rarísima.

Rosa Montero, *Bella y oscura.*

3.

A: ¿Has leído el periódico?
B: No, no he tenido tiempo. Lo leeré después. ¿Por qué?
A: Hablan sobre la huelga de transportes. Asegura el portavoz de los trabajadores que esta misma noche empezarán los paros, y que continuarán hasta que se llegue a un acuerdo.
B: Pues, si es verdad, no sé cómo vendré yo a trabajar. ¿Tú qué vas a hacer?
A: Había pensado que podríamos venir los dos en tu coche.
B: Sabes que no me gusta conducir. Preferiría no tener que hacerlo; desde el accidente le he cogido un poco de miedo. Creo que nunca lo superaré.
A: Podría conducir yo, no me importaría hacerlo. Si venimos en coche podremos levantarnos un poco más tarde: no nos vendrá mal dormir un poco más.
B: ¿Y será verdad que durará hasta que se llegue a un acuerdo?
A: Eso dicen, pero nunca conseguirán un acuerdo absoluto. El año pasado aseguraron que ya no habría más problemas y que solucionarían la cuestión de una vez por todas, y fíjate, otra vez igual.
B: La verdad es que habría sido estupendo que por fin se hubiera llegado a un acuerdo definitivo: no estaríamos otra vez igual.
A: Estaremos así años y años. ¡Ya verás!

11 Fíjate en los esquemas que aparecen en la lección e intenta establecer con tus compañeros qué valores temporales puede tener cada uno de los tiempos estudiados.

LA EXPRESIÓN DE LA INSEGURIDAD

- Futuros y condicionales (expresan una conjetura, que se establece siempre sobre una base o un hecho conocido).
- *Posiblemente, probablemente* + subjuntivo / indicativo (depende del grado de inseguridad del hablante).
- *Seguramente* + indicativo / subjuntivo (normalmente indicativo, pero acepta subjuntivo).
- *Seguro que* + indicativo (puede expresar seguridad o, con más frecuencia, una hipótesis que el hablante cree muy probable).
- *Tener que, deber de* + infinitivo (expresan alto grado de seguridad, lo que se espera que suceda; se suele explicar el porqué de la afirmación).
- *Quizás, tal vez* + subjuntivo / indicativo; *puede (ser) que, es posible que, es probable que* + subjuntivo.
- *A lo mejor, igual, lo mismo* + indicativo (son de carácter informal; las acciones se presentan como meras posibilidades, en ocasiones, infundadas).

12 Fíjate en los siguientes ejemplos.

- El autor ha descubierto, quizás, la solución a tan complejo problema.
- Según el portavoz de la Junta Directiva, tal vez se celebre la reunión en esta misma sede.
- Quizás ha sufrido algún accidente.
- Algún día me necesitarás, pero entonces quizás sea ya demasiado tarde.
- Son las 8.30; tal vez han llegado ya a su destino.
- Todavía no estoy segura, pero quizás haga un largo viaje para olvidarme de todo.
- Tal vez esté enfadado porque nadie se ha acordado de que era su cumpleaños.

- Quizás tendría cosas mejores que hacer, y por eso no vino.
- Parecía asustado; quizás estuviera huyendo de algo o de alguien.
- Vimos a Sandra pero no nos saludó: tal vez seguía enfadada por la broma que le gastamos la noche anterior.
- Oye, mira, no tengo ni idea de por qué se ha ido: quizás se encontraba mal.

Con las formas quizás y tal vez puedes utilizar indicativo o subjuntivo. Hay ocasiones en que el uso de uno u otro modo es obligatorio, otras veces, es recomendable alguno, y en otros casos, un modo determinado es el más frecuente.

Intenta establecer los criterios que permiten la alternancia de indicativo o subjuntivo en estas oraciones y completa el cuadro gramatical con tus conclusiones.

Normalmente - but exceptions

▶ **QUIZÁS, TAL VEZ**: INDICATIVO / SUBJUNTIVO	
posición	● delante del verbo → *both*
	● detrás del verbo → *Indicativo*
hechos a los que se refiere	● hechos futuros → *Subjuntivo*
	● hechos presentes → *Subjuntivo*
	● hechos pasados → *Indicativo*
registro	● formal → *} both*
	● informal →
grado de seguridad	● gran seguridad → *Indicativo*
	● poca seguridad → *Subjuntivo*

Not really difference

CE 11, 12, 13, 14 **13 Relaciona.**

1 ▶ A lo mejor *indicativo*	▶ no le guste este tipo de comidas.
2 ▶ Quizás *- all*	▶ regrese para las Navidades.
3 ▶ Puede que *subj*	2/1. ▶ ha salido de viaje.
4 ▶ Posiblemente *~all*	2/1 ▶ ha sufrido un altercado.
5 ▶ Lo mismo *indic*	▶ tuviera prisa porque llegaba tarde.
6 ▶ Es posible que *Subj*	▶ la fiesta no se celebre el día previsto.
7 ▶ Tal vez *- all*	2/1. ▶ le escribirá para decírselo.
8 ▶ Seguramente *- all*	▶ no supiera lo del cambio de horario.
9 ▶ Probablemente *- all.*	▶ les pondrán objeciones en la aduana.

CE 15 **14** ¿Qué ha sucedido? En parejas, imaginad qué explicación tienen estos insólitos hechos.

A.

Como todos los sábados por la noche, Paco ha salido con sus amigos a tomar unas copas y a escuchar música. Algo inexplicable ha sucedido, porque a la mañana siguiente se despierta en la comisaría de policía; no lleva chaqueta ni camisa. En la espalda le han tatuado unos extraños símbolos astrológicos.

Caerá en la noche porque estaba borracho y tendrá amnesia

B.

Juan y Lola han contratado un viaje por el Caribe que incluye el alojamiento en un fabuloso hotel de cinco estrellas, situado en una playa paradisíaca, desayuno y cena tipo bufé, así como algunas excursiones por la zona.
Cuando llegan al lugar indicado, comprueban que se trata de una playa desierta y desolada y que el hotel no existe.

Será un error y estará en el lugar incorrecto

C.

Pilar volvió a casa después de un durísimo día de trabajo: no había tenido tiempo para comer, el teléfono no paró de sonar y, para colmo, tuvo que cubrir el puesto de su compañera de trabajo, que no acudió porque estaba enferma. Además, sostuvo una discusión fortísima con su jefe. Subió las escaleras casi sin aliento (vivía en un 5.° y no había ascensor); al llegar, vio que el rellano de la escalera estaba inundado de flores, bombones, joyas y otros regalos valiosos, todos a su nombre.

Tendrá un enamorado secreto.

15 El diario de Rosa estaba lleno de interesantes confidencias. Posiblemente en las últimas páginas esté la clave de su extraña desaparición, pero lloró tanto mientras lo escribía que las lágrimas han *(borrar)* borrado casi todo el texto; solo hemos podido recuperar algunas frases. Reconstruye la historia.

- Habría tenido muchos problemas en su infancia pero jamás nos contó nada.
- Le dije que no me volvería a ver si no cambiaba de actitud.
- ¿Será posible? ¿Tendrá valor para hacer semejante estupidez?
- ¿Leería mi carta o la rompería en mil pedazos?
- Bueno, ya ha pasado. Todo permanecerá en mi mente como un simple recuerdo.
- Andrés pensaría que soy muy cobarde por no tener el valor de hablarle cara a cara.
- Alquilaré una casa para vivir y buscaré un nuevo empleo.
- Me gustaría hacer un largo viaje, pero no tengo dinero.
- ¿Estaré enferma o serán solo mis nervios?
- Cogerás tus trastos y tu ropa y te marcharás de mi casa.

ACENTUACIÓN I

  16 Escucha el siguiente texto y coloca las tildes que faltan.

CD1: 11

Mira, Platero: el canario de los niños ha amanecido hoy muerto en su jaula de plata. Es verdad que el pobre estaba ya muy viejo... El invierno ultimo, tu te acuerdas bien, lo paso silencioso, con la cabeza escondida en el plumon. Y al entrar esta primavera, cuando el sol hacia jardin la estancia abierta, y abrian las mejores rosas del patio, el quiso tambien engalanar la vida nueva, y canto; pero su voz era quebradiza y asmatica, como la voz de una flauta cascada.

El mayor de los niños, que lo cuidaba, viendolo yerto en el fondo de la jaula, se ha apresurado lloroso a decir:

—¡Puej no l'a faltao na, ni comida ni agua!

No, no le ha faltado nada, Platero. Se ha muerto porque si —diria Campoamor, otro canario viejo...

Platero, ¿habra un paraiso de los pajaros?; ¿habra un vergel verde sobre el cielo azul, todo en flor de rosales aureos, con almas de pajaros blancos, rosas, celestes, amarillos?

Oye: a la noche, los niños, tu y yo bajaremos el pajaro muerto al jardin. La luna esta ahora llena, y a su palida plata el pobre cantor, en la mano candida de Blanca, parecera el petalo mustio de un lirio amarillento. Y lo enterraremos en la tierra del rosal grande.

A la primavera, Platero, hemos de ver al pajaro salir del corazon de una rosa blanca. El aire fragante se pondra canoro y habra por el sol de abril un errar encantado de alas invisibles y un reguero secreto de trinos claros de oro puro.

Juan Ramón Jiménez, *Platero y yo.*

Clasifica las palabras que llevan acento ortográfico o tilde en el siguiente cuadro y explica por qué se acentúan.

agudas	llanas	esdrújulas

17 Elige tres palabras agudas y tres llanas que no lleven tilde y explica por qué no la llevan.

 18 Fíjate en la siguiente ficha.

- Las palabras compuestas unidas sin guión forman una sola palabra y, por tanto, el primer elemento pierde el acento y el segundo lleva tilde según las reglas generales de acentuación:
  decimosexto, tiovivo, asimismo, duodécimo, oceanografía
- Las palabras compuestas unidas con guión mantienen la acentuación originaria en el primer y segundo elemento:
  físico-químico, hispano-marroquí, histórico-crítico
  Se escriben con guión los compuestos formados por dos adjetivos, el primero de los cuales siempre conserva invariable la terminación masculino singular, mientras que el segundo concuerda en género y número con el nombre al que se refiere.
  Los últimos estudios hispano-marroquíes aportan nuevos datos sobre este problema.
- Los adverbios terminados en -*mente* mantienen el acento ortográfico del adjetivo sobre el que se forman:
  inútilmente, hábilmente, rápidamente
- Las palabras compuestas por verbo + pronombre siguen las reglas generales de acentuación:
  llámame, prepárate, estate, ponte

En grupos de tres. Elaborad una lista de palabras compuestas y acentuadlas. A continuación, pasad la lista a otro grupo para que la corrija.

19 En parejas, poned los acentos necesarios en estas palabras. Utilizad el diccionario si tenéis alguna duda.

acne, alveolo, amoniaco, atmosfera, austriaco, cardiaco, coctel, conclave, chofer, etiope, futbol, gladiolo, medula, misil, olimpiada, omoplato, parasito, periodo, policiaco, reptil, reuma, zodiaco

LA EXPOSICIÓN

 20 **Lee el siguiente texto. ¿De qué nos habla el autor? Justifica tu respuesta.**

En sentido estricto, es un tubo impulsado por un mecanismo eléctrico. Esta especie de cilindro tiene algunos agujeros superiores e inferiores, unas alargaderas con pinzas en los flancos y todo eso va montado sobre un compás que sirve para desplazarlo en cualquier dirección, siempre detrás de un deseo. La alta misión de este tubo en la Tierra consiste en arramblar cosas de alrededor generalmente vivas, en sacrificarlas, trocearlas, introducirlas por la ranura de arriba y expulsarlas por el escape o sumidero de abajo, después de haberlas transformado en abono. Esta operación posee cierta calidad mística.

Manuel Vicent, "El cilindro", *El País* (26-03-85).

1. Completa el cuadro, que refleja la estructura de un texto expositivo.

Idea principal
Datos complementarios
(desarrollo o cuerpo del texto)
Conclusión

2. Identifica en el texto las técnicas y recursos básicos de un texto expositivo.

Tiempo verbal: presente con carácter atemporal.
Modalidad: enunciativa.
Tipo de construcciones sintácticas:
- Estructuras sencillas, predominio de yuxtaposición y coordinación.
- Construcciones sintácticas de carácter explicativo (subordinadas adjetivas, adverbiales de causa, etc.).
- Nominalizaciones.
- Enumeraciones.
Léxico especializado (no ambiguo).

21 **Lee ahora el siguiente texto titulado "Diecisiete verdes" y completa el cuadro.**

Los indios borobos del Amazonas disponen en su lengua de diecisiete palabras diferentes, que aluden a realidades para ellos distintas y designan lo que para nosotros es una realidad única expresada por una sola palabra: el color verde. Nosotros apreciamos los diversos matices del verde, pero todos nos remiten a la misma cualidad, al mismo pensamiento. Esto sería impensable para un sujeto amazónico, para quien es vital la distinción de las variedades de lo que para nosotros es un único color, ya que lo capacita para reconocer los elementos vegetales comestibles, las zonas de agua potable, etc., de un mundo que es todo selva y agua, río.

P. J. Navarro Alcalá-Zamora, *Sociedades, pueblos y culturas.*

Idea principal
Datos complementarios (contraste o comparación de datos)
Conclusión. Repetición de la idea principal
Tiempo verbal
Modalidad
Tipo de oraciones
Léxico

22 Es fácil encontrar un texto expositivo combinado con fragmentos descriptivos, argumentativos o narrativos. Lee el siguiente texto; en él se informa sobre la importancia que, en la cultura inca, tienen las denominadas *vírgenes del Sol* o *acllacuna*.

La costumbre de escoger niñas y muchachas para dedicarlas al culto del Sol encuentra su mayor apogeo en la época de Pachacuti, noveno inca, en cuyo mandato el imperio incaico alcanzó el desarrollo y madurez de un verdadero imperio. En el Cuzco estaba situado el principal *acllahuasi* (casa de Escogidas) del reino. Este sirvió de modelo al resto de los *acllahuasi,* que se repartieron por todo el territorio inca.

Se escogía a niñas de ocho y nueve años, aunque algunos cronistas prolongan el límite hasta los doce. Las elegidas debían ser muy bellas, sin mancha ni defecto físico y, por supuesto, vírgenes. Si una cara de la moneda era prestigio, respeto y admiración para las *acllacuna,* la otra era una sumisión total a las decisiones de la superiora del convento, o *mamacona,* del *Hatun Vilca* (máxima representante del orden religioso) y, en última instancia, del propio Inca.

Ya elegida, la muchacha no podía negarse; pero sí cambiar su destino cuando terminara la fase de iniciación de tres años, en que se las enseñaba a hilar, tejer, hacer comidas rituales y se las iniciaba en algunas ceremonias religiosas. Finalizada esta fase, los padres podían solicitar permiso de la *mamacona* para sacar a sus hijas del *acllahuasi* con el fin de casarlas.

No todas las *acllacuna* pertenecían al mismo estamento social ni tenían la misma edad. Estas dos características servían de baremo para asignar un trabajo u otro a las escogidas. *Grosso modo* podemos hacer una distinción entre muchachas dedicadas al ámbito religioso y al social. Entre las primeras había una relación inversa entre edad y cargo, pues a menor edad, más importante era la *huaca* a la que se dedicaban. Por ejemplo, las jóvenes de veinte años estaban al servicio del culto al Sol y la Luna; las de veinticinco, al de *huacas* principales; las de treinta y cinco a cuarenta años, al de *huacas* secundarias, y las de cincuenta, a *huacas* comunes. (*Huaca* era todo aquello que podía considerarse sagrado. Para el hombre andino, una *huaca* podía ser una piedra con características especiales: montaña, fuente, río, adoratorio, ídolo, templo, etc.).

En el segundo ámbito, el civil, la edad también contaba, pues las niñas más pequeñas seguían un primer aprendizaje, las de veinticinco años servían a los Incas, aunque por ser vírgenes del Sol no les estaba permitido ser concubinas de estos ni de cualquier otro alto mandatario. Caso que sí ocurría con escogidas que, por su belleza y alta alcurnia, tenían relación con el Inca y la clase más alta.

Pilar Alberti Manzanares, "Las Vírgenes del Sol", *Historia 16.*

1. ¿Dónde se podría decir que comienza el texto expositivo propiamente dicho?

2. ¿Qué tiempo verbal se utiliza? ¿Cuál crees que es el motivo?

3. ¿Qué tipo de oraciones predomina en el texto?

23 Elabora un texto expositivo con los datos que te damos sobre el Sol y la Tierra. Para ello, ten en cuenta las siguientes fases.

1.° Preparación: recogida de datos de diferentes fuentes.

2.° Organización de los datos mediante la elaboración de un guión, esquema o borrador.

3.° Redacción definitiva del texto.

> La materia del Sol equivale a 745 veces la materia de todos los planetas unidos.
>
> La masa del Sol es 330.000 veces mayor que la de la Tierra.
>
> El diámetro del Sol es de 1.500.000 kilómetros.
>
> El Sol es, con diferencia, el miembro número uno del sistema solar.
>
> El Sol se encuentra a unos 150.000.000 de kilómetros de distancia de la Tierra.
>
> El diámetro del Sol es 110 veces el diámetro de la Tierra.
>
> El Sol contiene más o menos el 99,56% de toda la materia del sistema solar.
>
> Isaac Asimov, *Nueva guía de las ciencias físicas.*

Show business   *en alarde = show off.*

EL MUNDO DEL ESPECTÁCULO

24 Lee las siguientes críticas y señala a qué espectáculo se refiere cada una.

Bullfight. Una corrida de toro   *Una película. Cine*

Nada menos que cuatro <u>brindis</u> al público hubo en esta penúltima <u>corrida de la feria pilarista</u>. Eso antes significaba una garantía prácticamente segura de que iba a ver faena. Ahora ya no.

Podrá parecer mentira, pero al diestro lo desbordó la bravura del primer ejemplar de Cebada Gago, al que le faltó <u>un puyazo</u>, pero que tenía un gran <u>tranco</u>. Esplá le hizo, a distancia, un quite por navarras y lo banderilleó midiendo las fuertes arrancadas del <u>bovino.</u> Con la muleta dio la sensación de impotencia para dominar ese gran caudal de bravura. El cuarto hubiese podido servir para sacarse la espina de la desafortunada faena anterior, pero ahí la desgracia se cebó en Esplá, porque después del primer par de <u>banderillas</u> y al saltar al callejón, cayó mal y se lesionó.

Pau Nadal, *El País* (texto adaptado).

Volavérunt es <u>un alarde de tosquedad</u> inexplicable en un profesional curtido como Bigas Luna. Comienza bien, incluso muy bien [...] Que comience tan brillantemente no la beneficia, sino que la daña irreparablemente. Un relato de esta especie, si no quiere estrellarse, ha de ir de menos a más, y aquí ocurre, en proporciones ridículas, lo contrario. A la mitad de su metraje, *Volavérunt*, en vez de volar hacia arriba, comienza a caer en picado, y su zona final es uno de los más <u>vertiginosos batacazos</u> que conozco, y conozco muchos. Tal como deja verse en la pantalla, <u>el guión</u> es un alarde de torpeza absoluta en lo que hace a la construcción y a su medida, pues cada escena muerde <u>los talones</u> de la siguiente, de manera que las tomas se añaden vulgar y mecánicamente unas a otras y los conjuntos de tomas se apretujan informes unos contra otros sin que su paso cree la menor sensación de flujo o secuencialidad. Una de dos, o bien el guión es un disparate o el disparate proviene de la sala de montaje, o más exactamente, de desmontaje.

Ángel Fernández-Santos, *El País* (texto adaptado).

Fabrics

Miró se ha hartado de ver <u>tejidos</u> fabulosos, de esos que se conocen como tecnológicos y a los que él denomina fantasía contemporánea. De la investigación y la creación de nuevos tejidos vendrá la revolución del siglo que viene, pero Miró prefiere hablar de periodos más cortos. Ya ha dado el primer paso para la colección del invierno próximo –"¡Qué vértigo!"– y ahora tendrá que vérselas con los colores, uno de los pasos más tortuosos para este diseñador, que trabaja con cuatro o cinco tonos sobre los que articula toda la colección, paso previo al diseño de las <u>prendas</u>, al corte y al patronaje. La fabricación de las ropas la contratará posteriormente a los industriales con los que trabaja habitualmente.

Purificación García, *El País*.

ropa / moda

Las Malqueridas llegan a Barcelona. La formación, dirigida por Liti Hernández y formada exclusivamente por mujeres, actúa con su tercer montaje *Agalopar* (del 10 al 12 de diciembre). El epílogo lo protagoniza Provisional Danza (del 16 al 19 de diciembre), una de las dos agrupaciones más veteranas de la escena madrileña. Dirigida por Carmen Werner, la compañía ofrece un alto nivel técnico y un variado criterio temático. En ocasiones, <u>sus coreografías</u> siguen un hilo argumental que se inspira en fuentes literarias. Presentan en Madrid *Irreverente quietud*, su último trabajo.

Liz Perales, *El Cultural*

Teatro. Danza   *modista / modistos*

CE 24 **25** Clasifica los términos que aparecen a continuación.

acomodador   estoque
anfiteatro   modelos
bailarina   modistos
banderilla   opereta
barítono   palco
camerino   partitura
capote   pasarela
concierto   personaje
coro   soprana
desfile   telón
diseñador   tragedia
dramaturgo   traje de luces
encierro   zarzuela

cine	teatro	danza	música	moda	toros
acomodador	acomodador	bailarina	barítono	diseñador	banderilla
personaje	anfiteatro		concierto	modelos	capote
tragedia	dramaturgo		opereta	modistos	estoque
	opereta		soprano	desfile	traje de luces
	tragedia		coro	pasarela	encierro
	camerino		partitura	telón	
	palco		zarzuela		
	personaje				
	telón				

(handwritten: Semale / or male.)
(handwritten: el/ la guitarrista)
(handwritten: type of trumpet.)
(handwritten: drum)
(handwritten: instrument.)

26 **Fíjate en los siguientes pares de palabras.**

(handwritten: Man person who plays it)

el guitarra / la guitarra   el batería / la batería   el cámara / la cámara   el corneta / la corneta

(handwritten: instrument) *(handwritten: instrument)*

1. ¿Qué expresa la variación genérica?

2. En español, por lo general, las palabras que designan a la persona que toca un instrumento o maneja una máquina se forman añadiendo un sufijo. ¿Sabes cuál? Demuéstralo con los siguientes ejemplos.

27 **Del mundo de los toros y el toreo proceden algunas expresiones muy frecuentes en español. ¿Conoces alguna? Estas definiciones pueden ayudarte.**

> **novillo:** cría de la vaca, de dos o tres años.
>
> **quite:** movimiento del torero, generalmente con la capa, para librar a otro del ataque del toro.
>
> **arrastre:** acción y resultado de arrastrar o llevar por el suelo al toro una vez muerto.
>
> **montera:** sombrero del torero.
>
> **capote:** pieza de tela grande y con colores vivos que se usa para torear.
>
> **tercio:** parte de una corrida de toros.

Relaciona cada expresión con su significado.

▶ Hacer novillos   ▶ Cambiar de tema.

▶ Estar al quite   ▶ No hacer caso de la opinión ajena; comportarse según el propio criterio.

▶ Estar para el arrastre   ▶ Encontrarse física o psíquicamente muy mal.

▶ Ponerse el mundo por montera   ▶ Estar preparado para ayudar a alguien; estar a la defensiva.

▶ Echar un capote   ▶ Dejar de asistir a clase sin causa justificada.

▶ Pillar el toro a alguien   ▶ Ayudar a alguien.

▶ Cambiar de tercio   ▶ Enfrentarse con decisión y de forma directa a una situación determinada o a algún problema.

▶ Coger el toro por los cuernos   ▶ No poder llevar a cabo algo; falta de tiempo; verse perjudicado por algo que no ha sido posible controlar.

▶ Ver los toros desde la barrera   ▶ Presenciar algo sin intervenir ni arriesgarse.

28 **Busca sinónimos para las palabras siguientes.**

(handwritten: fan) **1.** hincha _aficionada._

(handwritten: canvas/cloth) **2.** lienzo _tejido. / tela._

3. película _metraje / filme_

(handwritten: hem / bullring) **4.** ruedo _plaza de toros. / bajo-hem._

5. cine _la gran pantalla_

(handwritten: bullfighter) **6.** torero _matador (toreador)_

29 Completa.

sala				pantalla
	actor			
		torear		
			libreto	

30 Veamos hasta qué punto eres un teleadicto: busca un programa de televisión para cada uno de los géneros que te proponemos.

▶ serie _____

▶ concurso _____

▶ infantil _____

▶ musical _____

▶ informativo _____

▶ educativo _____

▶ variedades _____

▶ documental _____

31 El estreno de una película es el resultado final y la recompensa al trabajo en equipo. En parejas, intentad reconstruir el proceso desde la idea hasta el estreno, pasando por la financiación, el rodaje, etc., a través de las personas que intervienen en él.

Haced lo mismo sustituyendo la película por un desfile de moda.

 32 Escucha la información que ha elaborado la emisora de radio *Pop-Do Re Mi.* Anota
CD1: 12   todos los términos relacionados con la música que oigas.

33 Escucha la siguiente oferta televisiva y completa la programación con la información que falta.

CD1: 13

TELECITA: PROGRAMACIÓN

1. Día: _____
Hora: _____
Título del programa: _____
Modalidad: _____

2. Día: _____
Hora: _____
Título del programa: _____
Modalidad: _____

3. Día: _____
Hora: _____
Título del programa: _____
Modalidad: _____

4. Día: _____
Hora: _____
Título del programa: _____
Modalidad: _____

---

34 En grupos, elaborad un guión cinematográfico con una de las seis fichas que aparecen al final del ejercicio. Seguid las pautas que os proporcionamos. Cada equipo expondrá su guión y al final se procederá a la entrega de los premios Goya.

1. Elegid una serie de **personajes,** asignadles una personalidad y relacionadlos unos con otros.

    1.1. ¿Cómo se llaman?, ¿cuántos años tienen?, ¿a qué se dedican?, ¿dónde trabajan?, ¿están casados?, ¿tienen hijos?, ¿quiénes son sus padres?, ¿dónde viven?

    1.2. ¿Cómo son?, ¿qué les gusta?, ¿cómo es su carácter?

2. Inventad una **historia** en la que intervengan estos personajes y en la que se narren al menos los sucesos de la ficha elegida.

    2.1. Situad la historia geográficamente (¿dónde?).

    2.2. Situad la historia cronológicamente (¿cuándo?).

    2.3. Contad los hechos.

3. La película. El **guión** se va a convertir en una película; para ello:

    3.1. Elegid al director y a los actores y actrices (famosos).

    3.2. Ficha:

      - Género al que pertenece (cine negro, infantil, comedia, tragedia, melodrama, de acción, de costumbres, del oeste, de autor, de arte y ensayo).

      - Público al que va destinada.

      - Objetivo (entretener, distraer, hacer reír, instruir, enseñar, moralizar, criticar, denunciar, describir…).

4. Premios Goya de la Academia de Cine:

    4.1. Guión más absurdo e increíble.

    4.2. Personaje femenino más simpático y entrañable.

    4.3. Personaje masculino más odioso e impresentable.

    4.4. Mejor recreación de la historia.

    4.5. Premio al sentido del humor.

Ficha 1
- Tener un hijo.
- Accidente de tráfico.
- Volverse alcohólico.
- Convertirse en director de una empresa.
- Divorciarse.
- Aparición de un hijo ilegítimo.

Ficha 2
- Recibir una herencia.
- Una persecución.
- Boda / matrimonio.
- Ocultar un gran secreto.
- Viajar en globo.
- Ser mordido por un perro.

Ficha 3
- Buscar a una persona.
- Cenar con la Familia Real.
- Viajar por el desierto.
- Problemas con las drogas.
- Pagar un rescate.
- Cambiar de sexo.

Ficha 4
- Sufrir un desengaño amoroso.
- Hacer un viaje decisivo.
- Tener amnesia.
- Vivir una pasión turbulenta y peligrosa.
- Disparar un arma.
- Comprar un loro y un periquito.

Ficha 5
- Confundir las maletas en el aeropuerto.
- Hablar con un extraterrestre.
- Enamorarse de un psicópata.
- Regresar de una guerra.
- Ser perseguido por el FBI.
- Comprarse una peluca.

Ficha 6
- Asesinato.
- Ser operado a vida o muerte.
- Un reencuentro.
- Tener problemas con la mafia.
- Vivir en un orfanato.
- Quedarse embarazada.

35 CONCURSO QUIEN SABE, GANA

Dividid la clase en tres grupos: cada uno formará un equipo. Seguid las instrucciones del profesor.

1	2	3	4	5
6	7	8	9	10
11	12	13	14	15
16	17	18	19	20
21	22	23	24	25
26	27	28	29	30

1	2	3	4	5
6	7	8	9	10
11	12	13	14	15
16	17	18	19	20
21	22	23	24	25
26	27	28	29	30

36 **A debate: el "famoseo". Famosos y famosillos.**

Vivir del cuento se ha puesto de moda. Cada vez son más los famosos que en periodos de paro o de crisis financiera recurren a la prensa rosa para vender algo de sus vidas; de la misma manera, está aumentando el número de revistas que se dedican a perseguir, agobiar e, incluso, intimidar a los famosos.

Todo se compra porque todo se vende: bodas, divorcios, embarazos, peleas, escándalos, casas nuevas, vacaciones, etc. Entre prensa rosa y famosos existe actualmente una extraña relación de amor / odio, pues ya se muestran como "amigos del alma" (y establecen entre ellos fructíferas relaciones comerciales), ya se enzarzan en demandas, juicios y agresiones.

Por otra parte, no se sabe muy bien el porqué de esta invasión de información "rosa". Para algunos, la razón hay que buscarla en un aumento de la demanda por parte del público-consumidor, que se muestra más y más ávido de noticias sobre vidas ajenas; para otros, esta mayor demanda no es más que la consecuencia lógica de la manipulación de los gustos de los consumidores. Sea como fuere, lo cierto es que estamos rodeados de estos personajes, que acaparan buena parte del espacio televisivo y de las publicaciones de prensa. En los últimos años ha surgido, además, una nueva clase de famosos: "los famosillos", gente que ha saltado a la fama únicamente por tener algún tipo de relación con alguien más famoso que ella (primo, vecino, antiguo novio, tío, sobrino...).

Son el colmo de la intrascendencia y de la inutilidad.

37 **Cortesía y educación: las buenas costumbres.**

Cediendo el paso: Durante siglos ha sido norma de cortesía que los hombres cedieran el paso a las mujeres y los jóvenes lo cediesen a los mayores. Claro está que las actuales condiciones de vida en las ciudades (transportes urbanos abarrotados, colas de supermercado en las que la gente intenta avanzar una posición desesperadamente, caravanas de vehículos en las carreteras, etc.) han hecho que la norma se haya relajado enormemente.

También sería de esperar que quien cruza delante de nosotros una puerta tuviese la amabilidad de sostenerla para que pasásemos y no la dejase caer en nuestras narices.

Pero, en fin, los tiempos son otros y si usted sigue empeñado en ser amable e ir cediendo el paso y sosteniendo puertas, pronto descubrirá que muchísima gente, en su ajetreo inexplicable, ni se molestará en darle las gracias.

El cuerpo y su educación: Por supuesto, usted no debe ser uno de esos que se suenan estruendosamente o que se dedican a hurgarse las narices ante la luz roja del semáforo. Con todo, ciertas "inconveniencias" del cuerpo son inevitables. Un estornudo siempre es disculpable, pero el que estornuda deberá poner atención en cubrir su nariz con la mano (si es que no le da tiempo a esgrimir su pañuelo). Otras acciones del cuerpo son más inconfesables... Procure usted evitar una ventosidad intestinal en público (uno siempre puede retirarse al excusado). Si no lo consigue, la buena educación exige el disimulo. La sinceridad no suele ser conveniente en un caso como este. Si es usted quien percibe claramente que algo flota en el aire, hará bien en no comentarlo, aunque solo vaya con usted otra persona en el ascensor y sepa que "ha tenido que ser él".

Descalzarse: No se hace en público. Si los zapatos le hacen daño, recuérdelo la próxima vez que vaya a comprar un par.

Manías: No las tenga aunque los demás se las toleren. Evite en especial los gestos neuróticos del estilo de comerse o morderse las uñas, atusarse constantemente el bigote o alisarse el pelo, etc. Si ha de tener alguna manía, procure que sea una fobia, son más simpáticas, y vigile que su fobia demuestre buen gusto (odie el fútbol o las sardinas).

Meñique: Solo los cursis hacen ostentación del dedo meñique al beber una taza de café. Absténgase, pues, de separarlo del vaso o la taza. En lugar de parecer distinguido, hará el ridículo.

Palillos: También llamados mondadientes. Solo son tolerables en un *dry martini*. Su uso debería estar prohibido y, desde luego, nadie debería escarbarse las encías o las caries con ellos. Peor aún si usted es de los que tienen un mondadientes de plata; lejos de ser el colmo del refinamiento, es el colmo de la ordinariez. La costumbre de usar palillos en público sólo es comparable, en la escala de la ordinariez, a escupir ostensiblemente o a hurgarse la nariz. En cuanto a los que dejan el palillo en la boca y lo chupan, mastican y probablemente hasta tragan y digieren, no hay nada que decir: son irrecuperables.

Ángel Amable, *Manual de las buenas costumbres.*

1. ¿Te parece importante que la gente conozca y respete las buenas costumbres y las normas de cortesía que rigen en su país? ¿Hasta qué punto?

2. ¿Cuáles te parecen que son las normas imprescindibles y cuáles las secundarias?

3. ¿Conoces alguna norma social o costumbre que sea diferente de las de tu país?

4. ¿Qué malas costumbres no soportas de los demás? Coméntalas con tu compañero. ¿Coincidís?

5. Entre todos, elaborad una lista con las diez normas cívicas universales y ordenadlas según su importancia.

1.

2.

3.

4.

5.

6.

7.

8.

9.

10.

38 **ANIMALES DE COSTUMBRES. Lee el siguiente texto.**

No cabe ninguna duda de que somos animales de costumbres. Todos tenemos alguna manía, algunos incluso muchas. La mayor parte de estas manías no pasa de ser hábitos o costumbres intrascendentes que no repercuten negativamente en nuestro vivir cotidiano (quitarse la ropa siempre en el mismo orden, beber agua antes de acostarse, tener las puertas de los armarios cerradas, dormir con la ventana abierta...). Sin embargo, existen otras más perniciosas que acaban esclavizando a las personas que las sufren. Se trata de ciertos actos o principios que regulan y dirigen el comportamiento de los hombres y de los que no pueden zafarse por temor a quedar desvalidos, desprotegidos, expuestos a la voluntad de fuerzas extrañas y sobrenaturales. La persona que padece de dos o tres de ellas puede llevar una vida más o menos normal, ligeramente supeditada a algunas molestas obligaciones, pero aquellas que son víctimas de más de cinco dependen por completo de las servidumbres impuestas por sus manías. En realidad, estos son casos muy próximos a determinadas patologías de orden mental (esquizofrenia, paranoia...) que alteran totalmente el comportamiento de sus víctimas, que acaban mostrando evidentes dificultades para relacionarse socialmente e incluso para llevar una vida dentro de los límites de lo normal.

¿Qué tal si jugamos un rato?

Se divide la clase en tres equipos (A, B y C). Cada estudiante escribe en un papel alguna de sus manías. Los papeles de cada grupo se mezclan y se entregan a otro grupo. El juego consiste en identificar a quién pertenece cada manía.

39 **LA CORTESÍA**

1. En parejas, intentad definir los siguientes conceptos.

- *contexto formal / contexto informal*

- *cortesía / descortesía*

- *persona educada / persona maleducada*

2. Escucha con atención estas conversaciones y contesta a las preguntas.

CD1: 14

   I. ¿Cuál es la más formal?

   2. ¿En cuál de ellas los interlocutores se expresan con más cortesía? ¿Por qué?

   3. ¿Te parece que en alguna hay descortesía? ¿Por qué?

   4. ¿En algún caso los interlocutores pueden ser calificados de "maleducados"?

3. Vuelve a escucharlas y anota los elementos que encuentres para la expresión de la cortesía.

CD1: 14   Compara tus resultados con los de tus compañeros.

contexto _____	contexto _____	contexto _____
petición, orden y mandato	**petición, orden y mandato**	**rechazo**

4. Ahora que ya has analizado las tres conversaciones, contesta nuevamente: ¿crees que en alguna falta la cortesía?

AUTOCORRECCIÓN FONÉTICA III: LOS GRUPOS FÓNICOS

En las dos primeras lecciones has practicado los sonidos vocálicos y consonánticos dentro de la sílaba. Ahora vamos a ver qué ocurre con los sonidos al agruparse en unidades mayores.

Debes evitar los cortes o pausas entre las sílabas que forman una palabra. Pero eso no es suficiente; en español tampoco se marcan los límites entre las palabras, e incluso hay grupos de palabras que se han de pronunciar juntas, ya que forman una unidad.

1. artículo, indefinido o posesivo + sustantivo: *el árbol* [elárƀol]; *un perro* [úmpéřo]; *mi hermano* [mjermáno]

2. artículo + sustantivo o sustantivo + adjetivo: *el coche negro* [elkóĉenégro]

3. sustantivo, adjetivo o adverbio + complemento con preposición: *el coche de Carlos* [elkóĉeđekárlos]; *lejos de aquí* [léxosđeakí]

4. cuantificador + sustantivo, adjetivo o adverbio: *bastantes cosas* [bastánteskósas]; *bastante lejos de aquí* [bastánteléxosđeakí]

5. pronombre átono + verbo: *lo vi* [loƀí]; *lo hice* [loíθe]

6. tiempos compuestos y perífrasis: *lo he comprado* [loékompráđo]

7. verbo + adverbio: *vive cerca* [bíƀeθérka]

8. nexo (preposición o conjunción) + elemento introducido: *es para ti* [esparatí]; *para que veas* [parakeƀéas]

---

40 **Lee las frases, escucha la grabación y después graba tu repetición.**

CD1: 15

1. La hermana de Alberto está embarazada.
2. Las_esculturas de Miguel_Ángel son famosas_en todo el mundo.
3. Dentro de un_año empezaré a trabajar_en la empresa con mi hermano.

1. ¿Has respetado todas las uniones? Si no es así, vuelve a intentarlo.

2. Ahora propón un par de frases como las anteriores al resto de la clase.

Fíjate en que las consonantes finales pasan a ser iniciales de sílaba cuando la palabra siguiente empieza por vocal. Por otra parte, la vocal final de una palabra y la inicial de la siguiente también se unen en una sola sílaba.

41 **¿Qué sucede cuando la vocal final de una palabra y la inicial de la palabra siguiente son iguales? Graba tu pronunciación.**

CD1: 16

tónica + tónica → larga tónica	*pasará antes* [pasará:ntes]; *se comió otra* [sekomjó:tra]
átona + átona → breve átona	*este estado* [éstestáđo]; *lamento ofenderte* [laméntofendérte]
átona + tónica → larga tónica	*esta arma* [éstá:rma]; *tengo otro* [téngó:tro]
tónica + átona → breve tónica	*está animado* [estánimáđo]; *comió orejones* [comjórexónes]

42 **Lee estos grupos de palabras y compara tu realización con la de la grabación. ¿Encuentras diferencias? Pide su opinión a tu compañero y al profesor.**

CD1: 17

▶ hay otro hombre   ▶ la niña ya anda   ▶ toma antibióticos
▶ iré enseguida   ▶ viene en enero   ▶ te dirá algo
▶ quizás esté enfadado   ▶ coge ese   ▶ trae entradas

43 **Formad una cadena. Cada uno repetirá las palabras dichas por el compañero y añadirá alguna más.**

Ej.: *Una amiga* ⇨ *una amiga andaluza* ⇨ *una amiga andaluza de Antonio* ⇨ *una amiga andaluza de Antonio ha ligado* ⇨ *una amiga andaluza de Antonio ha ligado con un alto ejecutivo…*

MÚSICA Y FOLCLORE

En todo el ámbito hispánico ha existido siempre la tradición de poner música a textos poéticos famosos. Un ejemplo de ello es el poema *Guantanamera*, del cubano José Martí, del que se han hecho numerosas versiones musicales.

GUANTANAMERA

Yo soy un hombre sincero
de donde crece la palma,
y antes de morirme quiero
echar mis versos del alma.

Mi verso es de un verde claro
y de un carmín encendido,
mi verso es de un ciervo herido
que busca en el monte amparo.

Con los pobres de la tierra quiero yo mi suerte echar.
El arroyo de la sierra
me complace más que el mar.

En la música hispanoamericana confluyen tres grandes corrientes folclóricas muy diferentes: la indígena, la española y la africana. De ahí que sea muy variada. Cabe destacar los siguientes tipos musicales:

- El **tango argentino**, baile que nació en los arrabales de Buenos Aires durante la primera mitad del siglo XIX pero que se ha convertido en un símbolo nacional. Tiene un ritmo violento, y la pareja danza enlazada por un amplio espacio con ciertos toques de erotismo, lo que propició su prohibición durante mucho tiempo en la alta sociedad bonaerense. Expresa el desgarro y el desarraigo de los inmigrantes. Enrique Santos Discépolo es considerado el más inspirado autor de tangos y Carlos Gardel el mejor intérprete.

- El **corrido mexicano** es una composición de ocho sílabas con variedad de rimas propia de México, pero que también se canta en Venezuela y en otros países americanos. Se canta a dos voces y con instrumentos de gran riqueza rítmica. Es una composición musical de influencia española, que nació a finales del siglo XIX para difundir los sucesos que herían la sensibilidad del pueblo mexicano. Una característica de la música popular mexicana son los conjuntos instrumentales populares llamados *mariachi*, compuestos de violines, guitarras, jaranas, guitarrones, clarinete y trompeta. La música de estos grupos suele ser de cortejo y muy alegre. La mañanita, la jarana o la sandunga son danzas típicas mexicanas.

- Los bailes en Cuba son en su mayoría de origen africano, como la conga o el tango congo, o están fuertemente influidos por la música de color, como el bolero, el danzón, la rumba.

  - La **conga** se ejecuta por grupos colocados en doble fila y al compás de un tambor. Consta de tres pasos, seguidos de un brusco movimiento de todo el cuerpo. Bailada en un salón, las parejas forman una cola semejante a las que antes recorrían las calles de Cuba.

- El **bolero** es una canción y una danza antillanas muy populares en Puerto Rico y en la República Dominicana, así como en su país de origen, la región oriental de Cuba. Es totalmente diferente del bolero español, del que posiblemente es una forma muy evolucionada.

- La **rumba** es un baile popular cubano de origen africano, interpretado generalmente por una pareja no enlazada; su carácter erótico está simbolizado por el movimiento del cuerpo de la bailarina. A la misma familia pertenecen la conga, el danzón y el son.

- La **habanera** es una danza que se hizo popular durante el siglo XIX. Existen dos teorías en cuanto a su origen: una la considera una danza española que al llegar a América se vio influida por la música negra; la otra le atribuye origen afrocubano.

EL JEFE Y LOS PROYECTOS DE FUTURO

Mateo Helman D'On está entusiasmado con las noticias que va recibiendo de Esteban. Tanto es así que le ha contado parte de la historia a un amigo suyo (no le ha mencionado lo de la pócima mágica, que quiere para él solo) que es productor de cine en Hollywood. Este ha quedado impresionado con la historia y cree que puede ser un gran éxito de taquilla si consiguen a Sean Connery, Al Pacino o Harrison Ford para el papel principal. Pero para poder presentar la idea a su estudio necesita tener el guión y una carta de presentación. Además, le sugiere a su amigo Helman D'On que le haga una memoria del proyecto para concretar todos los detalles.

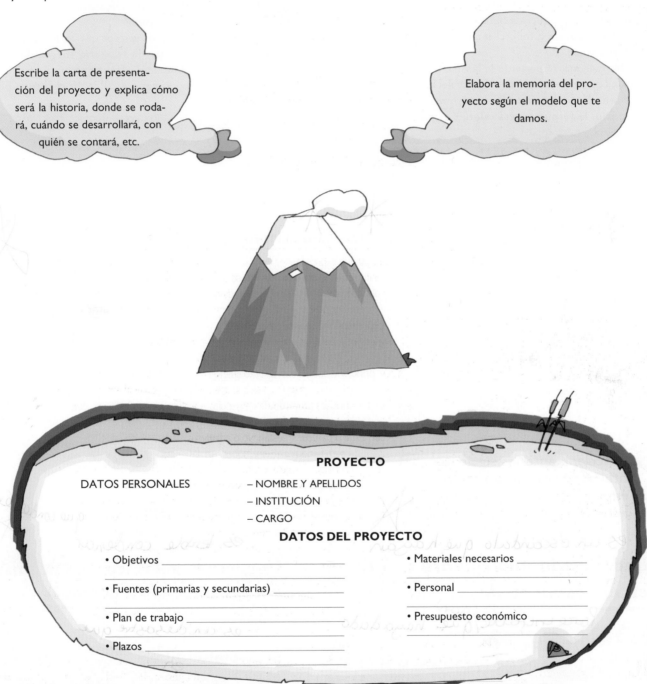

Escribe la carta de presentación del proyecto y explica cómo será la historia, donde se rodará, cuándo se desarrollará, con quién se contará, etc.

Elabora la memoria del proyecto según el modelo que te damos.

PROYECTO

DATOS PERSONALES
– NOMBRE Y APELLIDOS
– INSTITUCIÓN
– CARGO

DATOS DEL PROYECTO

• Objetivos _____

_____

• Fuentes (primarias y secundarias) _____

_____

• Plan de trabajo _____

_____

• Plazos _____

• Materiales necesarios _____

_____

• Personal _____

_____

• Presupuesto económico _____

Con todo esto en marcha, Mateo Helman D'On necesita más datos de Esteban y le insiste en que haga el viaje por los Andes lo más deprisa posible.

(Continúa en la próxima recapitulación.)

Aunque a mí me interesen los caballos o las piedras preciosas, no puedo exigir que todos los demás tengan los mismos intereses que yo. Si sigo con gran interés todas las emisiones deportivas en la televisión, tengo que tolerar que otros opinen que el deporte es aburrido.

¿Hay, no obstante, algo que debería interesar a todo el mundo? ¿Existe algo que concierna a todos los seres humanos, independientemente de quiénes sean o de en qué parte del mundo vivan? Sí, querida Sofía, hay algunas cuestiones que deberían interesar a todo el mundo. Sobre esas cuestiones trata este curso.

¿Qué es lo más importante en la vida? Si preguntamos a una persona que se encuentra en el límite del hambre, la respuesta será comida. Si dirigimos la misma pregunta a alguien que tiene frío, la respuesta será calor. Y si preguntamos a una persona que se siente sola, la respuesta seguramente será estar con otras personas.

Pero con todas esas necesidades cubiertas, ¿hay todavía algo que todo el mundo necesite? Los filósofos opinan que sí. Opinan que el ser humano no vive sólo de pan. Es evidente que todo el mundo necesita comer. Todo el mundo necesita también amor y cuidados. Pero aún hay algo más que todo el mundo necesita. Necesitamos encontrar una respuesta a quiénes somos y por qué vivimos (…).

Uno de los viejos filósofos griegos que vivió hace más de dos mil años pensaba que la filosofía surgió debido al asombro de los seres humanos. Al ser humano le parece tan extraño existir que las preguntas filosóficas surgen por sí solas, opinaba él.

Jostein Gaarder, *El mundo de Sofía.*

ORACIONES SUSTANTIVAS. REGLA I

⇨ ¿Qué necesidades humanas se citan en el texto?

⇨ Según el autor, ¿qué orden de prioridad tienen esas necesidades? ¿Estás de acuerdo?

⇨ Localiza en el texto los verbos o expresiones de:

– opinión;

– sentimiento o juicio de valor;

– voluntad o influencia en el oyente.

▶ **REGLA I. INDICATIVO / SUBJUNTIVO**

Verbos que expresan:

- sentimiento, juicio de valor o duda: *importar, molestar, dudar…*

- voluntad, deseo o influencia (mandato, prohibición o consejo): *querer, mandar, prohibir…*

- expresiones con *ser, estar* o *parecer* + sustantivo o adjetivo que no indique certeza: *ser necesario, raro, posible, increíble…*

• v. princ. y v. subor. con mismo sujeto → v. subor. en infinitivo
  Me encanta cocinar para mis amigos.

• v. princ. y v. subor. con distinto sujeto → *que* + v. subor. en subjuntivo
  Me encanta que mis amigos cocinen para mí.

• si el v. princ. es un verbo de influencia → v. subor. en infinitivo o *que* + subjuntivo
  De pequeña, no me dejaban jugar / que jugara en la calle.

• *ser, estar* o *parecer* + sustantivo o adjetivo
  - para generalizar → v. subor. en infinitivo
    Es una pena malgastar la energía.
  - sujeto específico → *que* + v. subor. en subjuntivo
    Es una pena que malgastes tanta energía.

que condenen

1 **Reacciona ante los siguientes titulares haciendo uso de *ser*, *estar* o *parecer* + sustantivo / adjetivo.**

es un escandalo que hayan.

Encontrada una cámara oculta en el despacho del presidente.

Parece increíble (dor) /que haya dado
de

EL GOBIERNO DA LUZ VERDE A LA CLONACIÓN HUMANA.

Me parece fantastico que

"María, el arroz está pasado." Una mujer hiere a su marido por quejarse de la comida.

injure/hit

es terrible condenar

Condenado a dos semanas de prisión por orinar en la vía pública.

es un desastre que

Se censurarán las escenas de sexo en el cine.
en

Me parece fantastico abrir

Se le abre expediente a una maestra que mandaba demasiados deberes para casa.

to get punishment
open your gole

metar la pata — *do smth wrong*

ORACIONES SUSTANTIVAS. REGLA II

CE 1.4 **2** **Completa.**

1. Pocos creían que aquello *(estar ocurriendo)* _estaba/estuviera_ de verdad.

2. Por favor, no le cuentes a nadie que me *(despedir, ellos)* _han despedido_

3. ¿No es verdad que lo *(sorprender, ellos)* _sorprendieron/sorprendieran_ copiando en el examen?

4. No me imagino qué *(querer, ella)* _quiere_ para su cumpleaños.

5. Nunca admitió que *(haber metido)* _hubiera_ la pata.

6. ¡Perdón! No había visto que *(estar, tú)* _estuvieras_ aquí.

7. Supongo que *(tener, tú)* _tienes_ una buena excusa, ¿no?

8. ¿Nadie cree que *(ser)* _es_ cierto lo de Tomás?

9. ¡Qué orgullosa! En la vida reconoció que *(haber sido)* _había sido_ culpa suya.

10. No creo que *(lograr, nosotros)* _logremos_ hacerle cambiar de opinión, pero debemos intentarlo.

11. ¿No te parece que ya *(ser)* _es_ tarde para echarse atrás?

12. No pienses que ya *(estar)* _está_ todo arreglado. _orden_

REGLA II. INDICATIVO / SUBJUNTIVO

Verbos que expresan:
- actividad mental: *pensar, creer, imaginar…*
- comunicación: *contar, escribir, confesar…*
- percepción por los sentidos: *ver, oír, notar…*

Ser, estar o *parecer* + *evidente, cierto, seguro, claro, demostrado, una realidad…*

- V. princ. afirmativo → v. subor. en indicativo
  Dice que han estado aquí antes.
- V. princ. negativo → v. subor. en subjuntivo
  No dice que hayan estado aquí antes.
- Pero si el v. princ. negativo es una orden, una pregunta o va seguido de palabra interrogativa → v. subor. en indicativo
  No digas que han estado aquí antes. — orden
  ¿No dice que han estado aquí antes? — pregunta.
  No dice dónde han estado. — palabra interrogativa

(que han hecho, cuando va a venir)

3 **Comprueba en estos diálogos el funcionamiento de las reglas que hemos estudiado.**

1

Oye, he oído que ya han pillado al del robo en el estanco.

Sí, eso parece, aunque no ha confesado que haya sido él.

Mira, por ahí va la de gramática. ¿No te parece que está cerca de los 30?

2

¡Qué va! No creo que tenga más de 26.

Pues a mí me han dicho que es mucho mayor de lo que aparenta.

Ahora vamos a realizar algunas modificaciones en los diálogos.

1. En el primero hemos sustituido el subjuntivo por el indicativo.

A: Oye, he oído que ya han pillado al del robo en el estanco.

B: Sí, eso parece, aunque no ha confesado que *ha sido* él.

En una de las dos versiones, este vecino manifiesta estar convencido de que el detenido es el ladrón. ¿En cuál?

2. En el segundo hemos añadido una frase que no se ajusta a las reglas que ya conoces.

A: Mira, por ahí va la de gramática. ¿No te parece que está cerca de los 30?

B: ¡Qué va! No creo que tenga más de 26.

A: *¿No crees que tenga más de 26?* Pues a mí me han dicho que es mucho mayor de lo que aparenta.

¿En cuál de las dos preguntas se pide realmente una información y en cuál solamente la confirmación de una información ya dada?

4 Completa la ficha.

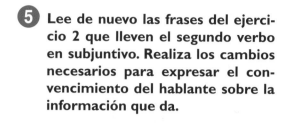
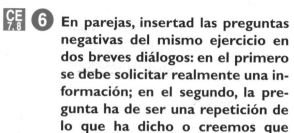

- Cuando el VP es del tipo de *decir* o *creer,* si está en forma negativa pero el hablante quiere manifestar que para él son verdad los hechos que se cuentan, el VS puede aparecer en ~~subjuntivo~~
- En las preguntas negativas que expresan extrañeza por la opinión de otro, el VS aparece en ....

5 Lee de nuevo las frases del ejercicio 2 que lleven el segundo verbo en subjuntivo. Realiza los cambios necesarios para expresar el convencimiento del hablante sobre la información que da.

CE 7.8 **6** En parejas, insertad las preguntas negativas del mismo ejercicio en dos breves diálogos: en el primero se debe solicitar realmente una información; en el segundo, la pregunta ha de ser una repetición de lo que ha dicho o creemos que piensa la otra persona.

7 ¿Qué diferencia hay entre formular una misma pregunta en forma afirmativa o negativa? Selecciona las preguntas y respuestas más lógicas de los siguientes diálogos.

- ► ¿Crees que me sienta bien este modelo?
- ► ¿No crees que me sienta bien este modelo?
- ► No, cariño, a mí tampoco me gusta.
- ► Sí, cariño.

1

- ► Este profesor parece más listo que los otros. ¿Piensas que nos creerá si le decimos que hemos estado con la fiebre amarilla?
- ► Este profesor es más listo que los otros. ¿No crees que nos creerá si le decimos que hemos estado con la fiebre amarilla?
- ► Habrá que buscar otra excusa mejor.
- ► ¿No se te ocurre nada mejor?

2

8 Lee la declaración de Marta Juárez, que afirma haber visto un ovni mientras paseaba tranquilamente por su finca de Cuenca.

No sé explicarlo bien, pero lo cierto es que iba yo paseando cuando de repente noté que se levantaba mucho aire y el cielo se oscurecía. Entonces vi que sobre mi cabeza había una luz que se movía rápidamente, haciendo círculos cada vez más pequeños. De tanto mirar hacia arriba, me mareé y perdí el equilibrio. Cuando abrí los ojos la luz había desaparecido. De lo que sí estoy segura es de que aquello no era un avión.

Debatid acerca de la existencia de vida extraterrestre utilizando las estructuras siguientes. Tened en cuenta la narración y las intervenciones de los demás compañeros.

- ► Pocas personas creen que…
- ► Yo no tengo claro que…
- ► ¿Que no crees / creéis que…?
- ► Nunca creí que…
- ► Hace tiempo oí que…
- ► No sé qué…

- ► Todavía no han confirmado que…
- ► Todo el mundo supone que…
- ► Hasta el momento nadie ha demostrado que…
- ► ¿Puedes / podéis asegurar que…?
- ► Es evidente que…
- ► ¿Te / os parece normal que…?

IMPORTANCIA DEL SIGNIFICADO DEL VERBO PRINCIPAL

9 Lee este texto del filósofo Fernando Savater en el que reflexiona sobre lo que significa para él el verdadero individualismo como postura filosófica.

EL INDIVIDUALISMO

El individualista no pretende vivir aislado. Es idiota quien cree que alguien puede ocuparse bien de sí mismo cuando se despreocupa de todo lo demás que le rodea.

(…) Vamos a dedicarnos un poco a comentar lo del individualismo, dejando los otros tópicos huecos para posterior ocasión. Leamos la crónica periodística que narra las incidencias del viaje a Estrasburgo de 1.200 jóvenes en un tren de la solidaridad, dentro de la necesaria campaña organizada por el Consejo de Europa contra el racismo y la intolerancia. Se recogen allí las declaraciones de un joven nacido en Martinica y que vive en París, dedicado al dibujo de cómic: cuenta episodios de rechazo a causa del color de su piel sufridos en la gran urbe, una odiosa vergüenza que conocemos también por desgracia en España. En el tren juvenil a Estrasburgo el joven se siente bien integrado aunque, dice, "todavía me cuesta aceptar ese individualismo de los países europeos que, a veces, te hace sentirte muy solo pese a tener buenos amigos". Probablemente, en efecto, las sociedades individualistas modernas son menos cálidas y acogedoras que otras comunidades tradicionales donde cada cual se siente formando parte de un gran todo. Pero ¿no es acaso también un logro del individualismo que cada cual sea aceptado como persona con su dignidad propia, sea cual fuere su color de piel o su procedencia étnica? No es precisamente la mentalidad individualista la que admite o rechaza a los seres humanos por el bloque racial al que pertenecen, la que distingue entre "los nuestros" y "los de fuera", la que se preocupa por la genealogía de cada uno antes de darle la mano y cree que los países deben ser homogéneos, formados exclusivamente por "los de aquí", "los de siempre", "los que son como nosotros"…

Esos jóvenes que viajaron a Estrasburgo para oponerse al racismo y la intolerancia son individualistas en el verdadero sentido de la palabra: no porque se despreocupen de sus semejantes o los ignoren, sino porque no conocen nada más digno de aprecio que cada uno de los individuos concretos. (…)

El individualismo no ignora que cada ser humano es fruto de la colectividad en la que nace y de la historia que comparte con otros; pero asegura que lo importante no es lo que las circunstancias no elegidas hacen de nosotros, sino lo que nosotros, eligiendo, hacemos a partir de esas circunstancias. El individualismo no niega que cada cual forma parte de varios grupos más o menos amplios a los que debe lealtad y solidaridad; pero insiste en que la auténtica lealtad y la verdadera solidaridad la reservemos para los individuos en cuanto tales, provengan del grupo que sea, pues todos son irrepetibles y frágiles como nosotros mismos.

El País Semanal

Vuelve a leer el último párrafo. Localiza los siguientes verbos y escribe si llevan detrás <u>indicativo o subjuntivo.</u>

El individualismo… ► no ignora que _____ Indic = ~~es fruto~~ ► asegura que _____ Indic ► no niega que _____ Indic ► insiste en que _____ subjuntivo.

10 Responde a las cuestiones que se plantean en la ficha.

1. El significado de los verbos es muy importante para el uso del indicativo o el subjuntivo. Subraya la opción correcta.

ignorar, desconocer = ~~saber, conocer~~ / <u>no saber, no conocer</u>

no ignorar, no desconocer = <u>saber, conocer</u> / ~~no saber, no conocer~~

2. Relaciona:

asegurar ——— expresa duda — Indic or subj

no asegurar ——— expresa certeza   always Indic

3. ¿De qué depende el uso de indicativo o subjuntivo tras *(no) negar*?

☐ de que el verbo *negar* aparezca en forma afirmativa o negativa.

☐ del compromiso o no del hablante con la veracidad de lo que dice (tanto con *negar* como con *no negar*).

☐ del compromiso o no del hablante con la veracidad de lo que dice (solo en el caso de *no negar*).

4. ¿Indicativo o subjuntivo?

insistir en que + ...Indicativo...... = verbo de lengua o comunicación.   Insisto en que la economía mundial es importante.

insistir en que + ...subjuntivo...... = verbo de voluntad o influencia.

11 La policía está interrogando a don Eusebio Román, secretario de dirección de la empresa Pastagán, S. A., que ha sido acusado por su director, el **Sr. Estévez**, de haberle dado un contundente golpe en la cabeza y haber robado 25 millones de la caja fuerte la tarde del 23 de diciembre, hechos que don Eusebio niega.

1. Uno de los policías está convencido de la culpabilidad del detenido, pero otro no se atreve a asegurarlo. ¿Cómo comentarían el caso a sus compañeros?

PRIMER POLICÍA: El detenido niega que _____

SEGUNDO POLICÍA: El detenido niega que _____

2. En el juicio, los abogados del Sr. Estévez y del Sr. Román han de exponer sus alegaciones para convencer al jurado: el primero, de la culpabilidad, y el segundo, de la inocencia de don Eusebio. Escucha las dos intervenciones y anota los puntos en los que no coinciden.

CD1: 18

A continuación tienes un esquema del contenido de las declaraciones de la víctima y del acusado. ¿Se te habían escapado muchos detalles?

ÁNGEL ESTÉVEZ, DIRECTOR DE PASTAGÁN, S. A.

- Es director de la empresa desde hace 7 años.
- Sus empleados lo adoran.
- Desde que accedió a la dirección no ha podido subir el sueldo a sus empleados porque la empresa está pasando una mala racha.
- Siempre ha tenido plena confianza en sus empleados, especialmente en su secretario.
- Don Eusebio se había atrevido a pedirle el 21 de diciembre la paga extra de Navidad, a pesar de conocer el mal funcionamiento de la empresa. No sabía que su secretario necesitara dinero para cubrir las deudas de póquer.
- Él le prometió una gratificación a la vuelta de las vacaciones, y le pidió que el 24 de diciembre se quedara una horita más para cerrar el balance del año, ya que tenía una tía enferma en Suiza.
- Notó perfectamente cómo don Eusebio lo amenazaba con la mirada.
- Don Eusebio lo había visto varias veces abrir la caja fuerte, por lo que podía conocer la clave.

EUSEBIO ROMÁN, SECRETARIO DE DIRECCIÓN DE PASTAGÁN, S. A.

- Es secretario del director de la empresa desde hace 15 años, cuando la creó el suegro del Sr. Estévez, fallecido hace 7 años.
- Desde hace 7 años no ha habido subida de sueldos.
- Nunca ha visto la clave de la caja fuerte, ya que el Sr. Estévez jamás ha mostrado plena confianza en él.
- El día 21 de diciembre le pidió a su jefe un adelanto de la paga del mes de enero, para poder hacer frente a los gastos de Navidad.
- El Sr. Estévez se lo negó, y le exigió que el 24 se quedara hasta tarde para terminar el balance del año, ya que él tenía que irse a Suiza.
- Nunca se ha quejado de nada, pues tenía miedo de que lo despidieran.
- No sabía que el Sr. Estévez pensara dar una gratificación a sus empleados.
- Él no golpeó al Sr. Estévez ni robó una peseta de la empresa.

CE 11 **3.** En parejas, preparad los discursos del fiscal y del abogado defensor. Debéis utilizar, entre otros, los verbos *asegurar, negar* y *desconocer* o *ignorar* en forma afirmativa y negativa.

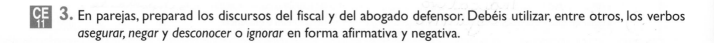

VERBO *PARECER*

12 **Lee las siguientes frases y fíjate en los diferentes valores del verbo *parecer*.**

[handwritten: expresión y supresa]

1. Parece mentira que murmuren de una persona tan íntegra como él. *[subj]* *[exclamación]*
2. ¿Qué te pasa? Parece que hubieras visto un fantasma. *[subj]* *[comparación — hipótesis]* *[You look as y...]*
3. —Parece seguro que la Fundación va a contribuir con una donación desinteresada. *[indic]* *[seguridad]*
   —Ya lo veremos. *[well, we'll see]* *[opinión]*
4. —¿Te parece que lo dejemos por hoy? *[subj]* *[sugerencia]*
   —Sí, creo que es lo mejor.
5. —¿Por qué no quieres que sea ella nuestra representante?
   —Simplemente porque me parece que no es la persona más indicada. *[indic]* *[opinión]*

Indica en la ficha qué frases se adaptan a cada uso.

[handwritten: negativo → subj / positivo → indic — no me parece / me parece]

con indicativo (según la regla II)

parecerle a alguien *que* → creencia u opinión personal:

parecer cierto, seguro, verdad … que (muchas veces la expresión de certeza se sobreentiende) → creencia u opinión general:

con subjuntivo

parecer (a alguien) *bien, normal, horrible, una estupidez … que* → valoración personal o general:

....

parecer que = parecer como si + imperfecto o pluscuamperfecto → comparación hipotética: ....

[handwritten: ¿Te parece que…? – subj – expect answer sí or no. Sugerencia.]

13 **Completa con indicativo o subjuntivo las siguientes oraciones.**

1. S Me parece muy extraño que no (haber llegado, él) *haya llegado* aún.
2. S Parece que los médicos (ir a probar) *van a probar* un nuevo medicamento con él.
3. I A mí me parece evidente que (deber, nosotros) *debemos* evitar los enfrentamientos directos, aunque reconozco que a veces es muy difícil.
4. I ¿Te parece que (convocar, yo) *convoco* una reunión para mañana a las 10?
5. S Me parece adecuado que se lo (plantear, vosotros) *planteéis* a Mari Carmen, ya que ella está tan interesada como vosotros.
6. S No os entiendo. Parece que este asunto no (ir) *vaya* con vosotros.
7. S Me parece absurdo que (perder, tú) *pierdas* el tiempo en asuntos que a ti ni siquiera te conciernen.
8. S Entonces, ¿te parece bien que le (pedir, yo) *pida* antes permiso a Luisa?
9. S ¿No te parece pueril que (reaccionar, ella) *reaccionara* de esa manera cuando se enteró?
10. I Me parece imposible que (poder, ellos) *podían* decir eso.
11. S Parece que no (dormir, tú) *duermes* esta noche.
12. I ¿Te parece que (estar, yo) *estoy* mejor en esta foto?
13. No parece tan obvio que (querer, ella) .... participar en este negocio, así que id buscando otro socio. *[indic/subj]*
14. S Le pareció una barbaridad que (hacer, ellos) *hagan* eso al animal.
15. S No parece que el incendio (ser) *sea* provocado.

LA ARGUMENTACIÓN

14 **Lee este fragmento de *El libro rojo del cole,* obra que reivindica la creación de una escuela "que pierda sus paredes para fundirse con la vida, para romper de una vez ese sistema de terribles nombres: profesor, examen, notas…".**

¿Por qué existen los deberes para hacer en casa? Quieren organizarte el tiempo que pasas en la escuela, pero, además, creen que es conveniente no dejarte malgastar a tu gusto tus horas de libertad.

La escuela cree que es incapaz de enseñarte las cosas necesarias solamente durante las horas de clase. La escuela quiere darte "buenos hábitos de trabajo". Por esto quiere inculcarte el sentido de lo que la escuela llama "deber", es decir, algo que la mayoría de las veces resulta soberanamente fastidioso.

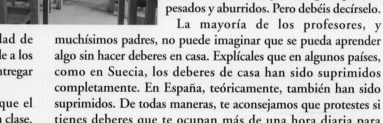

Para quitarse de encima las responsabilidades y hacerte sentir que es culpa tuya si no aprendes lo suficiente en la escuela, los profesores te ponen deberes para hacer en casa.

No existe ninguna regla para determinar la cantidad de deberes que te pueden poner. A veces, por ejemplo, se pide a los profesores que no pongan deberes escritos que se deban entregar después de vacaciones o después de algún día de fiesta.

Los deberes, en general, resultan tan fastidiosos, que el profesor no tendría valor para pediros que los hiciérais en clase. Para él, resulta menos cansado que los hagáis solos y en vuestra casa. Pero pensemos un poco en esto: en casa estáis bajo la autoridad de los padres. Un profesor no debería poder castigarte por un trabajo que no has hecho o que has hecho mal en casa sin antes haber hablado con tus padres, y a tus padres resulta a menudo bastante difícil encontrarlos en casa durante el día.

Muchas veces te dan deberes sobre temas que ya conoces bien. Se debe, pura y simplemente, al hecho de imaginar que si haces diez veces lo mismo lo sabrás mejor. Pero si te aburres haciendo los deberes no aprenderás nada, excepto quizá a odiar lo que ya sabías.

El tiempo que empleáis en hacer los deberes que os fastidian es casi siempre tiempo perdido. El profesor no dejará de poner deberes aunque le digáis que son pesados y aburridos. Pero debéis decírselo.

La mayoría de los profesores, y muchísimos padres, no puede imaginar que se pueda aprender algo sin hacer deberes en casa. Explícales que en algunos países, como en Suecia, los deberes de casa han sido suprimidos completamente. En España, teóricamente, también han sido suprimidos. De todas maneras, te aconsejamos que protestes si tienes deberes que te ocupan más de una hora diaria para hacerlos.

Soren Jansen y Jesper Jensen, *El libro rojo del cole.*

En este fragmento se pretende convencer con razones o argumentos de lo innecesarios que resultan los deberes. Identifica en el texto las características básicas del discurso argumentativo.

EL TEXTO ARGUMENTATIVO

Estructura
- Tesis
- Cuerpo argumentativo
- Conclusión

Técnicas empleadas
- Disposición: un argumento por párrafo
- Ejemplos, citas y testimonios de expertos en la materia y famosos
- Repetición de las ideas

Características lingüísticas
- Modalidad enunciativa para exponer las tesis y los argumentos
- Tipos de oraciones:
  - causales (*porque, pues, puesto que, dado que, ya que…*)
  - consecutivas (*luego, entonces, por eso, de manera que, así pues, por lo tanto, por consiguiente…*)
  - condicionales (*si, siempre que, mientras, a no ser que, a menos que…*)
  - adversativas (*pero, aunque, en cambio, no obstante, por el contrario, sin embargo, mientras que…*)
  - estructuras explicativas (oraciones de relativo), aclaraciones, definiciones, etc.
- Léxico:
  - términos técnicos
  - términos persuasivos para convencer
  - adjetivos ponderativos de la verdad, la belleza, los valores éticos…

CE 16, 17 **15** **Fíjate en el siguiente titular de periódico.**

> El Ministerio de Educación y Cultura ayudará a jóvenes investigadores de las ramas de Humanidades y de Ciencias con importantes dotaciones económicas.

Elabora un texto argumentativo en el que defiendas mediante razonamientos lógicos una de estas tesis.

Opción 1

Las ramas de Ciencias deben contar con presupuestos mayores que las de Humanidades.

Opción 2

Tanto los investigadores de Ciencias como los de Humanidades deben contar con la misma cuantía para llevar a cabo su labor investigadora.

16 **Lee la siguiente fábula.**

Y era, pues, un tiempo de mucha hambre para los zorros…, y había uno que no aguantaba. Tenía hambre, es cierto, y he ahí que todos los rediles estaban muy altos y con muchos perros. Y entonces el zorro dijo:

—Aquí no es cosa de ser zonzo: hay que ser vivo.

Y se fue donde un molino, y aprovechando que el molinero estaba por un lado, se revolcó en la harina hasta quedar blanco. Y en la noche se fue por el lado

de un redil. "Mee, mee", balaba como una oveja. Y salió la pastora y vio un bulto blanco en la noche y dijo:

—Se ha quedado afuera una ovejita.

Y abrió la puerta y metió al zorro. Los perros ladraban y el zorro se dijo:

—Esperaré que se duerman, lo mismo que las ovejas. Después buscaré al corderito más gordo y, guac, de un mordisco lo mataré y luego lo comeré. Madrugando, apenas abran la puerta echaré a correr y quién me alcanza.

Y como se dijo, así lo hizo, pero a salir no llegó. Y es que él no contaba con el aguacero. Y fue que llovió y comenzó a quitársele la harina, y una oveja que estaba a su lado vio blanco el suelo y pensó: "¿Qué oveja es esa que se despinta?". Y viendo mejor y encontrando que la desteñida era zorro, se puso a balar. Las demás también lo vieron entonces y balaron y vinieron los perros y con cuatro mordiscos lo volvieron cecinas… Y es lo que digo: siempre hay algo que no está en la cuenta de los más vivos.

Ciro Alegría, "La oveja falsa", *Fábulas y leyendas americanas.*

1. Resume los hechos que se exponen en el texto.

2. ¿Cuál es la moraleja de la fábula?

17 **Escribe una historia o anécdota que te haya ocurrido o que conozcas y que te haya servido para aprender algo.**

18 **Lee el siguiente texto de Mario Vargas Llosa.**

Caía donde la tía Laura y ella, apenas me veía en el umbral de la sala, me ordenaba silencio con un dedo en los labios, mientras permanecía inclinada hacia el aparato de radio como para poder no solo oír sino también oler, tocar la (trémula o ríspida o ardiente o cristalina) voz del artista boliviano. Aparecía donde la tía Gaby y las encontraba a ella y a la tía Hortensia, deshaciendo un ovillo con dedos absortos, mientras seguían un diálogo lleno de esdrújulas y gerundios de Luciano Pando y Josefina Sánchez. Y en mi propia casa, mis abuelos, que siempre habían tenido "afición a las novelitas", como decía la abuela Carmen, ahora habían contraído una auténtica pasión radioteatral. Me despertaba en la mañana oyendo los compases del indicativo de la Radio –se preparaban con una anticipación casi enfermiza para el primer radioteatro, el de las diez–, almorzaba oyendo el de las dos de la tarde, y a cualquier hora del día que volviera encontraba a los dos viejitos y a la cocinera, arrinconados en la salita de recibo, profundamente concentrados en la radio, que era grande y pesada como un aparador y que para mal de males siempre ponían a todo volumen.

–¿Por qué te gustan tanto los radioteatros? –le pregunté un día a la abuelita–, ¿qué tienen que no tengan los libros, por ejemplo?

–Es una cosa más viva, oír hablar a los personajes, es más real –me explicó, después de reflexionar–. Y, además, a mis años, se portan mejor los oídos que la vista.

Intenté una averiguación parecida en otras casas de parientes y los resultados fueron vagos. A las tías Gaby, Laura, Olga, Hortensia los radioteatros les gustaban porque eran entretenidos, tristes o fuertes, porque las distraían y hacían soñar, vivir cosas imposibles en la vida real, porque enseñaban algunas verdades o porque una tenía siempre un poquito de espíritu romántico. Cuando les pregunté por qué les gustaban más que los libros, protestaron: qué tontería, cómo se iba a comparar, los libros eran la cultura, los radioteatros simples adefesios para pasar el tiempo. Pero lo cierto es que seguían pegadas a la radio y que jamás había visto a ninguna de ellas abrir un libro.

Mario Vargas Llosa, *La tía Julia y el escribidor.*

1. En este texto se mezclan diferentes tipos de escrito; ¿cuáles son?

2. ¿Dónde comienza el texto argumentativo?

3. ¿Cuáles son los argumentos que se aportan en defensa de las radionovelas o radioteatros?
   - Argumentación de la abuela Carmen.

   - Argumentación de las tías Laura, Gaby, Olga y Hortensia.

4. ¿Qué argumentan en defensa de la lectura de libros?

5. ¿Qué tipo de estructura gramatical se emplea para introducir los razonamientos o las argumentaciones?

6. ¿Cuál sería la tesis o conclusión final?

19 **La asociación de vecinos de un nuevo barrio de las afueras de Valencia quiere solicitar al Ayuntamiento el permiso y las ayudas necesarias para crear una zona de espectáculos.**

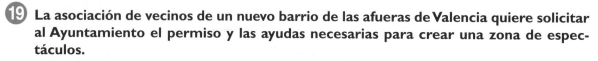

Como representantes de esa asociación de vecinos, elegid una de las cuatro ideas seleccionadas y defendedla por escrito.

♦ Un circo estable que ofrezca sesiones habituales durante el fin de semana y una extraordinaria entre semana para los alumnos de los centros educativos.

♦ Un teatro, puesto que no hay ninguno en la zona y es necesario desplazarse al centro de Valencia o a otros barrios.

♦ Un centro de multicines donde se exhiban varias películas, puesto que solo hay un cine de gran capacidad pero con una cartelera poco variada.

♦ Un auditorio que pueda ser utilizado por todos los grupos culturales del barrio para exponer sus trabajos (conciertos, obras teatrales infantiles, etc.).

PRECISIÓN LÉXICA

20 Sustituye el verbo "comodín" *tener* por otro más preciso de la siguiente lista.

albergar ▶ sufrir ▶ cobrar ▶ contener ▶ padecer ▶ adoptar ▶ contar con ▶ ejercer
▶ acarrear ▶ surtir ▶ asumir ▶ desempeñar ▶ gozar de ▶ disponer de

[anotaciones manuscritas: Soler card - con be used for various things; to get money; smth that increases; to host; suffer; smth produces efect; supply; enjoy; have]

1. Gracias a que <u>tenemos</u> los mejores colaboradores, hemos podido llegar a donde hemos llegado. *disponemos de / contamos con*

2. Este pequeño frasco <u>tiene</u> el veneno necesario para matar a un ejército. *contiene*

3. Ya era hora de que se reconocieran sus méritos. Siempre <u>ha tenido</u> un papel muy importante en la empresa. *ha desempeñado*

4. Menudo susto nos dio mi abuela el otro día. Se atragantó con el pan y <u>tuvo</u> una parada respiratoria. *padeció*

5. <u>Tiene</u> tal influencia sobre Enrique que seguro que este hará lo que ella quiera. ¡Como si le pide que se convierta a otra religión! *ejerce*

6. A la larga, una mala alimentación <u>tiene</u> consecuencias muy negativas. *acarrea*

7. ¡A sus 87 años y <u>tiene</u> una salud de hierro! *goza de* *[iron]*

8. Aunque no quería <u>tener</u> la responsabilidad de lo ocurrido, no le ha quedado más remedio. *asumir*

9. <u>Tienes</u> cinco minutos para contestar a todas las preguntas que puedas. *dispones de*

10. En muchos países la población <u>tiene</u> hambre y enfermedades derivadas de esas carencias alimenticias. *sufre / padece*

11. No es posible que siempre pienses lo peor. Deberías <u>tener</u> otra postura ante la vida. *adoptar*

12. A medida que avanza la novela va <u>teniendo</u> mayor interés. *cobrando*

13. Los familiares del alpinista desaparecido aún <u>tienen</u> la esperanza de que se encuentre sano y salvo. *albergan*

14. Si te tomas ese laxante no salgas de casa, porque <u>tiene</u> efecto en pocos minutos. *surte*

CE 18, 20 **21** Completa las frases con la palabra correspondiente y después busca un verbo que sustituya a *hacer.*

[anotaciones manuscritas: una falta; una preguntas; una fortuna; Poemas; una certificación volante; raya; amistad; una cumbre/reunión; G-P; felicitación]

1. El terremoto hizo ...... *estragos* ...... entre la población más desfavorecida. → *causó estragos.* *causar*

2. Para impresionar a los profesores basta con hacerles alguna ...... *pregunta* ...... inteligente de vez en cuando. *formular*

3. Para pedir el traslado de expediente a otra universidad, necesito que me hagan una ...... *certificación* ...... académica. *expedir*

4. Quieren hacer otra ...... *reunión* ...... de los países más industrializados del mundo para ver si se comprometen a reducir de una vez sus emisiones de gases contaminantes. *celebrar*

5. Te estás torciendo. En lugar de cortar el papel a ojo, haz una ...... *raya* ...... con la regla para guiarte. *trazar*

6. Para ir al especialista el <u>médico de cabecera</u> tiene que hacerle un ...... *volante* ...... *extender a alguien / expedir*

7. Si no quieres que te despidan, no vuelvas a hacer una ...... *falta* ...... como esa. *cometer*

8. Era tal la riqueza de aquellas minas que en pocos años hizo una gran ...... *fortuna* ...... *amasar*

9. Nada más llegar a su nuevo trabajo hizo ...... *amistad* ...... con sus compañeros. *trabar*

10. De pequeño le encantaba hacer ...... *poemas* ......, y una vez ganó un premio de poesía en su colegio. *componer*

[anotación manuscrita: take place]

22 En parejas, cada uno buscará en el diccionario las palabras que no conozca de su lista. Después completad las frases del ejercicio eligiendo la opción correcta (A o B) y construid otra con la palabra que hayáis desechado.

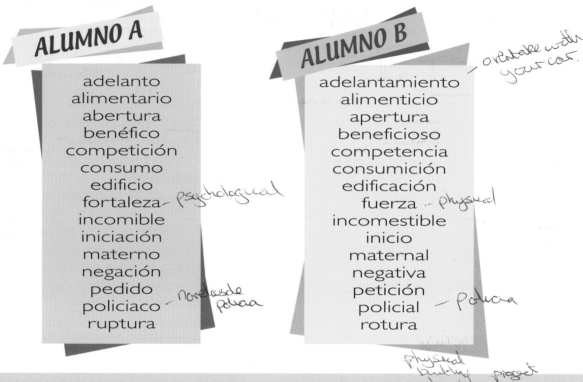

ALUMNO A

adelanto
alimentario
abertura
benéfico
competición
consumo
edificio
fortaleza — *psychological*
incomible
iniciación
materno
negación
pedido
policiaco — *Nordeste Policia*
ruptura

ALUMNO B

— orientate with your car.

adelantamiento
alimenticio
apertura
beneficioso
competencia
consumición
edificación
fuerza — *physical*
incomestible
inicio
maternal
negativa
petición
policial — *Policia*
rotura

physical building   piaget

1. El golpe de la piedra produjo una <u>*rotura*</u> / *ruptura* en la ventana.
2. Los <u>*adelantos*</u> / *adelantamientos* de la tecnología en los últimos años son increíbles.
3. ¡Qué mal me ha salido este guiso! Está <u>*incomible*</u> / *incomestible*.
4. La investigación *policiaca* / <u>*policial*</u> sigue su curso, pero aún no hay resultados.
5. Está muy ocupado con el curso de <u>*iniciación*</u> / *inicio* a la astronomía.
6. El presidente ha prometido atender *los pedidos* / <u>*las peticiones*</u> de las personas afectadas por el cierre de la fábrica.
7. Celebraron un concierto <u>*benéfico*</u> / *beneficioso* para recaudar fondos para las víctimas del huracán.
8. Los resultados de la investigación supusieron <u>*la negación*</u> / *negativa* de las hipótesis anteriores.

9. Tienen como proyecto *el edificio* / <u>*la edificación*</u> de un nuevo museo que albergue las obras de los autores contemporáneos.
10. <u>Su *fortaleza*</u> / *fuerza* durante el secuestro fue admirable; soportó las semanas de cautiverio sin perder la esperanza.
11. La falda tenía una *abertura* / *apertura* que le llegaba casi hasta la cadera.
12. La *competición* / <u>*competencia*</u> es cada vez más dura, por lo que la formación profesional ha de ser constante.
13. Los productos <u>*alimentarios*</u> / *alimenticios* de este supermercado son de primera calidad.
14. <u>La *consumición*</u> / <u>el *consumo*</u> de bebidas alcohólicas ha aumentado entre los jóvenes.
15. La familia <u>*materna*</u> / *maternal* vivía al norte del país.

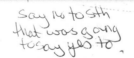

Say No to sth that was going to say yes to.

23 Encuentra la palabra intrusa.

1. adherir, adherirse, adhesivo, adherencia, adhesión, adheroso, adherente, adherido, adhesividad
2. deuda, adeudor, adeudar, adeudo, deudor, endeudar, endeudarse, endeudado, endeudamiento
3. duda, dudar, dudoso, dubitativo, indudable, indudoso
4. mover, moverse, móvil, movimiento, movible, movilidad, movilización, inmóvil, inamovible, inmovible, movida, movilizar, movedizo
5. alimento, alimentar, alimentarse, alimentario, alimenticio, alimentable, alimentación, alimentador

24 Busca en los ejercicios 22 y 23 palabras que terminen con estos sufijos.

sustantivos	
-dad	capacidad de ser afectado por una acción:
-ncia	capacidad de acción; acción y efecto:
-sión, -ción	acción y efecto: *competición, iniciación, negación, comunicación, petición, educación*
-miento	acción y efecto: *adelantamiento*
-dor	el que hace la acción o se dedica a:
-ado, -ido	resultado pasivo:
-ura	cosa hecha: *ruptura, rotura*

adjetivos	
-al	a modo de; relativo a:
-ado, -ido	resultado pasivo: *pedido*
-ario	propio de o referente a: *alimentario*
-ble	capaz de verse afectado por la acción: *irrompible*
-icio	que tiene la propiedad de realizar la acción: *edificio, alimenticio, inicio*
-ico	condición de (culto): *benéfico*
-il	condición de:
-ivo	condición de:
-izo	propensión; condición de:
-nte	capaz de realizar la acción:
-oso	condición de: *beneficioso*

25 Muchas palabras pueden funcionar como sustantivos o como adjetivos. Clasifica las siguientes.

- condestable *S=shop*
- dependienta *assistant* *A=studios S=specialist*
- estudioso

- final *A=final S=end of...*
- alentador *A=encouraging*
- receptor *A=receives S=recipient.*

- portátil *A=portable S=laptop.*
- ocioso *A=idle*
- material

- activo *A=active S=assets*
- negativa *A=negative adverse S=negative minus*
- encargado *A=responsible S=manager.*

26 Dispones de un minuto para escribir todas las palabras que sepas de la familia de...

⇨ actor   ⇨ dividir   ⇨ letra

CE 23, 24 **27** El autor del siguiente texto ha confundido muchas palabras debido a su parecido con otras. Encuéntralas y sustitúyelas por las correctas.

A Angustias la horrorizaban el dolor, la sangre y la enfermedad, temas vetados a los que nadie se atrevía a aducir en su presencia.

Para Angustias, la cocina era un lugar lleno de peligros y agresiones para su sensibilidad. No soportaba ver los cuerpos inermes de los pollos, conejos o demás animales que su asistenta preparaba para los demás miembros de la familia, ni podía ver la sangre ni nada que se le pareciera: los espaguetis con tomate le producían una verdadera aprehensión, y entre las especies, tenía prohibido el pimentón, que tañía el agua de un rojo anaranjado.

Lo mismo le ocurría con las noticias o los "reality shows" televisivos, que hojeaba al pasar por delante del cuarto de estar; solo pensar que había personas capaces de infringir algún daño o causar prejuicios a los demás le producía escalofríos, y consideraba que los asesinos debían espiar su culpa con condena perpetua.

En parejas, escribid un relato utilizando el mayor número posible de las palabras usadas inadecuadamente en el texto anterior.

28 EL PSICÓLOGO RESPONDE

Muchas revistas incluyen una sección dedicada a recoger consultas psicológicas de los lectores que son contestadas por especialistas. Aquí tienes dos ejemplos.

Tengo 39 años y vivo en un pueblo. Mi problema es que estoy casada con un hombre con el que no tengo nada en común, ya que es pastor, casi no sabe leer y habla muy mal, mientras que yo tengo una carrera universitaria. Al mes de casados me di cuenta del error, pero ahora estoy esperando un hijo y siento que mi vida es un completo desastre. Tengo miedo de caer en una depresión o de aficionarme a la bebida. ¿Qué puedo hacer para salir de esta situación?

Respuesta: Todos cometemos errores y gracias a ellos aprendemos y mejoramos. La vida es un reto continuo de pruebas que van formando nuestro carácter. Te aconsejo que, en primer lugar, no tomes bebidas alcohólicas, pues beber hace los problemas aún más grandes, con el riesgo de acabar dependiendo del alcohol. En segundo lugar, debes rechazar la culpa y no dejarte inmovilizar por ella. Tú no tienes la culpa de nada, pero sí eres la única que puede hacer algo para mejorar tu vida. Escribe en una libreta las ventajas y desventajas de la separación; después, apunta los pasos que quieres dar para mejorar tu vida y después llévalos a cabo. Eres una mujer valiente; confía en tus decisiones: tus experiencias anteriores te ayudarán.

Pronto, n.º 1.163 (texto adaptado).

Tengo 37 años y llevo casada 17. Mi matrimonio va muy bien, pero desde hace 12 años mantengo relaciones con mi cuñado una vez por semana. Yo quiero dejarlo, pero es muy fuerte lo que siento por él. Lo hemos hablado muchas veces, pero no tengo voluntad para romper. Le pido que me ayude a decidirme.

Respuesta: A veces es muy difícil ponerse metas del tipo "todo o nada". Hasta el momento tú te has dejado llevar por la relación sin tener ningún control sobre ella. Yo que tú pensaría muy seriamente si quieres o no seguir con esa relación. Si realmente deseas acabar, ponte pequeñas metas. Podrías empezar por distanciar los encuentros, aumentando cada vez más el tiempo de separación. De esta forma te sentirás más segura de tu decisión. Por otro lado, deberías evitar hablarlo con él. Aprende a hacerte responsable de tus decisiones y tu vida cambiará para mejor.

Pronto, n.º 1.163 (texto adaptado).

1. Señala todas las formas que se utilizan para dar un consejo y observa que no son igual de directas y tajantes. ¿Sabrías establecer una escala? Discútelo con tus compañeros y con el profesor.

+

–

2. Dar buenos consejos no es tarea fácil. Hay que analizar bien el problema y los sentimientos de cada persona, y sugerirle los pasos que ha de dar para mejorar su vida. En parejas, intentadlo con esta joven.

Hace mucho tiempo que estoy enamorado de una vieja y buena amiga mía. No me atrevo a decirle nada por miedo a que deje de tratarme como hasta ahora. No me la puedo quitar de la cabeza y, aunque no quiero perderla como amiga, tampoco me ilusiona conocer a otras chicas. Un amigo común me ha dicho que siempre se ha llevado bien con los chicos, que se encuentra como pez en el agua con ellos, pero nada más. ¿Qué hago?

3. Escribe una carta planteando un problema inventado y fírmala con un seudónimo. El profesor recogerá vuestras cartas y después las repartirá para que cada uno responda con los consejos que se le ocurran. Elaborad entre todos la sección de "El psicólogo responde".

29 ADIVINA, ADIVINANZA

El profesor tiene un sobre lleno de adjetivos negativos, tales como *tacaño, antipático* o *vago*. Tendrás que adivinar el defecto o rasgo negativo que te haya tocado por los consejos que te van a dar los demás compañeros para que cambies tu forma de ser.

30 CUANDO HABLAR ES UN ARTE

En parejas. Cada uno hará durante un minuto una defensa razonada y apasionada de uno de los elementos de la oposición que os asigne el profesor. El resto de la clase votará la mejor intervención.

⇨ ¿Comida italiana o comida francesa?

⇨ ¿Lápiz o bolígrafo?

⇨ ¿Perros o gatos?

⇨ ¿Carta o correo electrónico?

⇨ ¿Clases por la mañana o clases por la tarde?

⇨ ¿Español o tu lengua materna?

⇨ ¿Cama de matrimonio o camas separadas?

⇨ ¿Frío o calor?

⇨ ¿Maquillarse / arreglarse o no?

⇨ ¿Alimentos normales o alimentos *light*?

Si lo preferís, podéis proponer vosotros los temas.

31 LA VIDA EN PAREJA

El profesor os asignará a cada uno un papel distinto, que tendréis que asumir en un debate televisivo cuyo tema es "La vida en pareja". Los puntos sobre los que tenéis que argumentar son estos:

▶ Vivir en pareja / vivir solo.

▶ Significado del matrimonio.

▶ Vivir en pareja / matrimonio.

▶ El divorcio.

▶ Causas de divorcio y de su aumento en los últimos años.

▶ Problemática de las mujeres separadas o divorciadas.

▶ Problemática de los hombres divorciados.

▶ Problemática de los hijos.

▶ Problemática de los homosexuales (derecho al matrimonio y a tener o adoptar niños).

▶ Evolución de la mentalidad en los últimos años.

Primero, cada uno tendrá que exponer su caso, y después, defender su postura con los mejores argumentos contrastándolos con los de los demás.

VARIEDADES DEL ESPAÑOL I: EL ESPAÑOL DE ESPAÑA

Ya sabes que en España existen, además del español o castellano, oficial en todo el territorio, otras tres lenguas: el gallego, el catalán y el vasco (que no procede del latín). Pero hay también diversas variedades que no alcanzan el estatus de lengua.

32 **Veamos dos variedades meridionales procedentes del castellano que comparten muchos rasgos: el andaluz y el canario, así como las características del español de los hablantes catalanes, vascos y gallegos, y las influencias en el español de dos antiguos dialectos del latín: el aragonés y el asturleonés.**

HABLANTES ASTURLEONESES
- Tendencia a cerrar las vocales finales (ej., fem. pl. -es).
- Pérdida de -e tras n, l, r, z (sobre todo en la 3.ª pers. sing.).
- Eliminación de la /-k / ante otra consonante.
- Las formas breves de los posesivos son tónicas, y a veces se utiliza artículo + posesivo + sustantivo.
- Diminutivo -ín, -ina.
- Uso del pretérito indefinido por el perfecto.
- Verbos pronominales usados sin pronombre.
- Posposición de los pronombres al verbo.

HABLANTES VASCOS
- Lo más distinguible es su entonación.
- Mayor tensión articulatoria.
- Seseo (evitado por los hablantes cultos).
- Uso del condicional por el imperfecto de subjuntivo.
- Leísmo femenino.
- Alteraciones del orden normal de palabras.
- Empleo frecuente de pues al final de frase.

HABLANTES GALLEGOS
- Elevación del tono al comienzo de la frase.
- Articulación lenta de las vocales que preceden al acento.
- Articulación rápida de las vocales que siguen al acento.
- Cierre de las vocales finales.
- Seseo (evitado por los hablantes más cultos).
- Velarización de la -n final.
- Eliminación de la /-k/ ante otra consonante.
- Uso del pretérito indefinido en lugar del perfecto.

HABLANTES CATALANES
- Vocales velares ante -l.
- Velarización de -l.
- Abertura de las vocales tónicas.
- Paso de -d final a -t.
- Sonorización de -s- intervocálica.
- Seseo.
- Realización labiodental de v.
- Distinción ll / y.

HABLANTES ARAGONESES
- Entonación ascendente.
- Alargamiento de vocal final.
- Las esdrújulas se convierten en llanas (evitado por los hablantes cultos).
- Diminutivo -ico.
- Empleo frecuente de pues al final de frase.

HABLANTES CANARIOS
- Seseo (con /s/ predorsal).
- Aspiración de -s.
- Asimilación de la -s a la consonante sonora siguiente.
- Aspiración de /x/.
- ch retrasada.
- Empleo de ustedes en lugar de vosotros.
- Uso del pretérito indefinido por el perfecto.

HABLANTES ANDALUCES
- Distinción /s/ - /θ/ en el norte.
- Seseo en parte de Sevilla y Córdoba, en Huelva y en Málaga.
- Ceceo en el resto (evitado por los hablantes cultos).
- Aspiración de la -s, que puede provocar:
    - abertura de la vocal final del plural en el andaluz oriental.
    - asimilaciones de la -s a la consonante siguiente.
- Aspiración de /x/.
- Tendencia a la pérdida de -l, -r y -n finales.
- Confusión -l y -r (evitado por los hablantes cultos).
- Pérdida de -d-.
- En algunas zonas, ch se realiza /š/.
- Empleo de ustedes en lugar de vosotros.

33 Escucha el siguiente texto leído por un castellano, un andaluz, un canario, un aragonés, un asturiano, un catalán, un gallego y un vasco. Fíjate en los rasgos de cada uno y anota algunos ejemplos de las diferencias que aprecies.

CD1: 19

> Vosotros presumís mucho, pero la verdad es que la mejor cocina de España es la de mi tierra, os lo digo yo; aunque ya no es lo de antes, cuando nuestras abuelas se encargaban de los pucheros y las cacerolas: esas patatitas, esas verduritas, esos postres... Ahora los muchachos jóvenes creen que se han vuelto muy prácticos por ir a almorzar a esos sitios de comida rápida o tomar cualquier cosa precocinada. ¡Ay, si supieran lo que es comer como Dios manda!

Repetimos tres de las ocho audiciones anteriores. ¿Sabrías identificarlas?

CD1: 20

34 Escucha esta conversación en la que varias personas de diversa procedencia hablan de sus viajes por Hispanoamérica. Completa el cuadro.

CD1: 21

	origen	país visitado	motivo	qué es lo que no pudieron hacer o visitar	incidentes
Carmen y Manolo					
Carlos					
Alberto					

35 Fíjate en los elementos que sirven para regular nuestro discurso. Vuelve a oír la conversación y señala quiénes realizan las siguientes funciones y con qué palabras lo hacen.

	Carmen	Manolo	Carlos	Alberto
iniciar conversación, introducir tema				
añadir información, enumerar				
cambiar de tema, hacer una digresión				
volver sobre el tema				
precisar, matizar o corregirse				
resumir o concluir				

CE 25, 26 FIESTAS DE HISPANOAMÉRICA

En toda Hispanoamérica se celebra como fiesta más importante el día de la Independencia, que varía según los distintos países. El otro día común a todos es el día 12 de octubre, en el que se conmemora el encuentro de los distintos pueblos y culturas, por lo que recibe diversos nombres, como Día de la Hispanidad o de Colón.

Colombia, por ejemplo, festeja el 20 de julio la Declaración de la Independencia con un desfile militar, y el 7 de agosto la batalla de Boyaza, que clausuró la guerra de Independencia. Las fiestas religiosas tienen enorme popularidad, tal y como sucede también en España. La principal es el día del Sagrado Corazón, en el mes de junio, y, por supuesto, la Semana Santa; la más famosa es la de Popayan, ciudad que conserva mucho arte religioso colonial.

Hay ferias en Navizales y Barranquilla. Mención especial merece el Reinado de la Belleza, el 11 de noviembre, en Cartagena, que sirve para conmemorar la independencia de la ciudad.

La Casa Rosada en la Plaza de Mayo (Buenos Aires)

El toreo en Hispanoamérica goza de mucha popularidad, aunque no tanta como en España. Hay, no obstante, temporadas en las grandes ciudades y, por supuesto, en las ferias. Además, Bogotá tiene una gran vida social, con festivales de cine, teatro, ópera, musicales, etc.

Buenos Aires posee igualmente una intensa vida social y cultural. Los teatros, las conferencias, los conciertos y los cines están siempre llenos. Argentina es el país que manifiesta una clara vocación europeísta. El 9 de julio, día de la Declaración de la Independencia, se celebra como los cumpleaños argentinos a la antigua usanza: con chocolate y pasteles. La Semana Santa tiene cierta importancia en el país, así como el 8 de diciembre, día de la Inmaculada, con especial repercusión en los colegios católicos.

El 23 de abril, día de Cervantes, se conmemora el día del idioma; en junio, por Belgrano, el día de la bandera, y en septiembre, el día de Sarmiento se celebra la fiesta del maestro.

El día de la Independencia en Chile se festeja el 18 de septiembre. La gente acude a las *ramadas,* casetas donde se bebe vino, se toma empanada y se baila la cueca. El 19, también festivo, es el día de las Glorias Patrias.

El espectáculo taurino de Chile son los rodeos, en los que se compite a ver quién es capaz de conducir la vaquilla hasta el lugar de su encierro, y está prohibido matar al animal.

En la zona en que confluían los antiguos Chile, Perú y Bolivia se celebra una fiesta religiosa en la que las cofradías se disfrazan de dragones chinos en recuerdo de la inmigración que de este país hubo en épocas pasadas.

En México se mantiene el culto mesoamericano a la muerte, entendida como el paso ineludible para renacer a una nueva vida, ritos que coinciden con las fechas de las cosechas: el maíz, símbolo de la divinidad, nace de la semilla enterrada. Es el día de los Muertos, que en su forma actual es una mezcla de los rituales paganos y de la religiosidad católica.

En esta fiesta se comen pan de muerto, calaveras y ataúdes de dulce y tamales de muerto, se cantan las "calaveras", en las que se critica y ridiculiza a los políticos, y se presentan ofrendas a los desaparecidos más queridos. No todos reciben los mismos presentes ni son venerados de la misma manera, pues se distingue entre los que murieron de niños, de muerte violenta, etc.

Característicos de estas fechas son los altares en forma de pirámide invertida, en cuya preparación participan todos los miembros de la familia. Las flores amarillas de cempasúchil, el copal, el agua y las velas son los elementos ornamentales imprescindibles de estos altares.

Cartagena de Indias (Colombia)

El viaje por los Andes

Esteban ha recorrido ya los primeros mil kilómetros. Ha sufrido diversos percances, pero ha conseguido salir sano y salvo. Sin embargo, ahora se encuentra en una encrucijada: le han dado un mapa que, según cuenta la leyenda, dibujó de su puño y letra el propio Totenaca para llegar al poblado donde estuvo viviendo 20 años y en el que todavía quedan descendientes suyos, porque se casó con la hija del cacique. El camino es muy difícil y está lleno de peligros; por eso, en el mapa aparecen unos consejos para hacer frente a las adversidades, pero están en clave. El indio no ha sido capaz de descifrarlos y confía en que Esteban pueda hacerlo para seguirlo y llegar al ansiado lugar.

▶ En el mapa se dan algunos buenos consejos para hacer frente a las adversidades del camino, pero Esteban no sabe cómo descifrarlos. ¿Podrías ayudarlo?

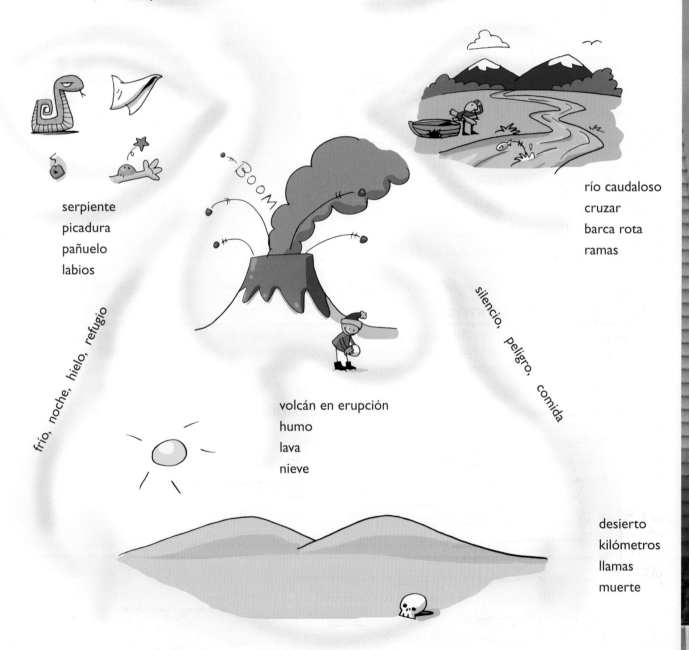

serpiente
picadura
pañuelo
labios

frío, noche, hielo, refugio

volcán en erupción
humo
lava
nieve

río caudaloso
cruzar
barca rota
ramas

silencio, peligro, comida

desierto
kilómetros
llamas
muerte

Gracias a los consejos que le habéis dado, Esteban ha podido llegar sano y salvo a Quiabaya.

(Continúa en la próxima recapitulación.)

ANÉCDOTAS

En una ocasión estaba en un bar comiendo y vi a tres hombres que casi se pegan porque todos querían pagar. Al principio, mantenían un tono normal: "Quita, quita, que pago yo"; "Que no, he dicho que invito yo e invito". Pero al final, se gritaban unos a otros e intentaban meter el dinero de los otros en sus respectivos bolsillos, lo que les obligaba a agarrarse, empujarse. Finalmente, uno se impuso a los demás y ahí quedó todo. Luego continuaron como si nada hubiera ocurrido.

Tomoki Fujimori.

Cuando asistí por primera vez a clase me dejó perplejo ver cómo los estudiantes abrían sus latas de refrescos, sus botellas de agua, alguna que otra bolsita de aperitivos o dulces y comían y bebían ante el profesor, que permanecía impasible y ajeno a la "comilona" típica de un cine. Pensé que se lo hacían a ese profesor para molestarlo intencionadamente, para vengarse de él por algún examen imprevisto, en fin, se me ocurrieron muchas explicaciones. Rápidamente me di cuenta de que se trataba de una práctica habitual sin mayor importancia.

José Luis del Real.

Era la primera vez que estaba en España y apenas conocía nada de este país. Cuando bajé del autobús la familia española con la que iba a vivir me estaba esperando: el padre, la madre, el abuelo, una hija y dos hijos. Lo primero que pensé fue que la casa sería muy grande o que los hijos estarían de visita (ya eran mayores). Pero lo peor fue cuando todos y cada uno de los miembros se avalanzaron hacia a mí para besarme, incluso el abuelo. Cuando llegamos a la casa me encerré en mi habitación aterrada. No pude dormir en toda la noche: si nada más conocerme me besaban así, ¿qué libertades se tomarían cuando hubiera confianza?

Young Sun Kang.

CE 1.2 ¿Con qué adjetivo calificarías a una persona que…

✔ utiliza la violencia de forma gratuita?

✔ intenta molestar a los demás con sus acciones?

✔ se toma más confianza de la que se le da?

ORACIONES DE RELATIVO

▶ INDICATIVO / SUBJUNTIVO

- **Indicativo:** el antecedente es específico o el hablante afirma que existe.	- **Subjuntivo:** el antecedente es no específico o no existe.
Tenemos un apartamento que tiene dos habitaciones.	*Queremos un apartamento que tenga dos habitaciones.*

CE 3 **1** **Hay elementos que favorecen el carácter inespecífico del antecedente, como:**

▶ Verbos de voluntad o necesidad *(querer, desear, buscar).*
  Ej.: Busco un libro que <u>explique</u> bien el subjuntivo. *Indic.*

▶ *Poder, deber, tener que, es necesario, es posible.*
  Puedes utilizar el teléfono que <u>esté</u> libre. *Indic - one free phone available, rest busy.*

▶ Oraciones interrogativas.
  ¿Tenéis abrigos que no <u>sean</u> de piel? *cant really use Indic - not make v good sense*

▶ Oraciones condicionales.
  Si echan alguna película en la que <u>actúe</u> ese actor, ve a verla.

▶ Contextos discursivos de futuro (futuro, condicional, *ir a* + infinitivo, *pensar* + infinitivo).
  Informaron de que elegirían al candidato que <u>tuviese</u> más experiencia. *I - know candidate. - egread CVS.*

▶ Elementos negativos *(no, nadie, ningún(o), nada).*
  No acepto nada que no me <u>convenga</u> económicamente. *Indic - know smth in partic - eg answer q.*
  metaphor g lyfe

1. De los ejemplos anteriores, ¿en qué casos se podría poner indicativo? Explica los cambios de significado que se producen en estas oraciones al sustituir el subjuntivo por el indicativo.

2. Busca un contexto adecuado para los siguientes enunciados.

not remember name of thing

1. Quiero una cosa que <u>sirve</u> para hacer agujeros.

2. Puede que <u>haya</u> conocido a una persona que trabaja en esa empresa. *indic*

3. Busco a una persona que <u>habla</u> alemán. *Know someone does*

4. Si me pagan lo que me deben, me compraré un piso que tiene *jacuzzi*.

not remember exactly but think know.
know characteristics of person etc.
seen one that does, know exists.

3. Completa.

S 1. No conozco a nadie que *viva en* ...

S/I 2. No conozco a la persona que *me robó*
I = know person exists
S = not know exists

3. No hemos conseguido hallar ninguna prueba que _____ I/S

4. No hemos hallado ninguna de las pruebas que _____ S

Ahora, explica el uso del indicativo o subjuntivo en cada caso. ¿Hay algún ejemplo que acepte ambos?

2 Lee con atención estas oraciones y completa la ficha.

1.

▶ Eso lo sabe cualquiera que haya estudiado historia.

▶ Eso lo sabe cualquiera de los que han estudiado historia.

▶ Eso lo sabe cualquiera de los que hayan estudiado historia.

2.

▶ –¿Buscas alguna gramática?
–Sí, quiero alguna que <u>explique</u> el subjuntivo.

▶ –¿Buscas alguna gramática?
–Sí, quiero alguna de las que <u>explican</u> el subjuntivo.

1.- *cualquiera* + *que*	**2.**- *cualquiera de* + artículo + *que*
- *cualquier* + sustantivo + *que*	- *cualquiera de* + artículo + sustantivo + *que*
- *alguno(a)(os)(as)* + *que*	- *alguno(a)(os)(as) de* + artículo + *que*
- *algún(a)(os)(as)* + sustantivo + *que*	- *alguno(a)(os)(as) de* + artículo + sustantivo + *que*
se construyen con ..*subjuntivo*.	se construyen con ..*indicativo o subjuntivo*.

3 Pon el verbo en la forma adecuada.

hayan sido pisados

Cuando sea mayor viajaré por países exóticos. Visitaré lugares que no *(haber sido pisados)* ...V.... por persona alguna, al menos <u>por cualquiera que</u> *(pertenecer)* pertenezca al llamado "mundo civilizado". Mis amigos dicen que vendrán conmigo, aunque me parece que <u>algunos de los que ahora</u> *(ser)* son amigos ya no lo serán en el futuro. Desde ahora me prepararé para estos viajes. Voy a comprar utensilios y cachivaches que me *(servir)* .... para sobrevivir en la selva, sí, de esos que *(llevar)* lleva Indiana Jones en sus aventuras. Buscaré por librerías y bibliotecas <u>libros que</u> *(explicar)* expliquen cosas curiosas de estos lugares y me compraré <u>alguno que</u> *(tener)* tenga fotografías. Llevaré también muchos <u>mapas, que</u> *(conseguir)* conseguiré gracias a las muchas <u>visitas que</u> *(hacer)* .... a las embajadas. También buscaré por rastros y rastrillos, donde espero conseguir <u>alguno de los que</u> *(explicar)* expliquen cómo llegar a un tesoro, aunque sea falso. Puede que descubra algún <u>lugar que nadie</u> *(conocer)* conozca y hable con personas de las que <u>no se</u> *(saber)* sabe nada. Entonces mi nombre será el que, para siempre, *(aparecer)* aparezca unido a esas tierras, que yo defenderé incluso con mi vida.

word 'que' refer to (handwritten)

> ► **EL / UN / Ø + ANTECEDENTE**
>
> **- UN + antecedente**
> - En los contextos que favorecen el carácter inespecífico del referente los dos modos son posibles; con indicativo, el antecedente existe
>   (el hablante lo afirma o lo cree) o es específico, y con subjuntivo, no existe o es inespecífico.
> - En los demás contextos, solo es posible el indicativo.
>   *Busca un libro que trata / trate de física nuclear en una librería que está / esté especializada en esos temas.*
>   *Tengo un libro que trata de física nuclear.*
>
> **- EL + antecedente**
> - Lo más frecuente es el indicativo, pero es posible el subjuntivo. En este caso, el antecedente se entiende como único.
>   *Quiero el libro que tenga más ejercicios.*
>
> **- Ø + antecedente**
> - Los dos modos son posibles. La diferencia está, según la regla general, en el carácter existencial o no existencial del antecedente.
>   *He estudiado finés y ya traduzco libros que están / estén escritos en esa lengua.*

4 **Elige la opción más adecuada:**

1. ¿Ya has decidido qué te vas a comprar?
   a) No, así que mañana iré a cualquier tienda y me compraré el pantalón que más me gusta.
   b) No, así que mañana iré a cualquier tienda y me compraré el pantalón que más me guste.

2. ¿Cómo vas a hacer la traducción? ¿Has elegido ya un diccionario?
   a) No, voy a comprar el diccionario que tenga mejores definiciones.
   b) No, voy a comprar el diccionario que tiene mejores definiciones.

   I know exist but don't know which one want. (handwritten)

3. Pero ¿qué es lo que usted quiere en concreto? ¿No tiene más datos?
   a) No, solo puedo decirle que necesito unos libros que tienen fotografías de Madrid.
   b) No, solo puedo decirle que necesito los libros que tengan fotografías de Madrid.

   más específico / all the books. (handwritten)

4. Señora Álvarez, ¿qué tengo que hacer mañana?
   a) Mañana empieza la Feria. Hay que ir a recibir a los empresarios que llegan mañana.
   b) Mañana empieza la Feria. Hay que ir a recibir a unos empresarios que llegan mañana.
   c) Mañana empieza la Feria. Hay que ir a recibir a unos empresarios que lleguen mañana.

   context (handwritten)

5. ¡Qué tienda más rara! ¿Por qué venimos aquí?
   a) Porque aquí venden productos que importan de otros países.
   b) Aquí venden los productos que importan de otros países.

   know products. Other places not have them. (handwritten)
   not answer q. say they sell products from other place (handwritten)

6. Estoy muy preocupado por mi futuro. No sé qué hacer. Ayúdame.
   a) Lo siento. Yo no tengo las respuestas que tú necesitas.
   b) Lo siento. Yo no tengo unas respuestas que tú necesites.
   c) Lo siento. Yo no tengo las respuestas que tú necesites.

   know thinking about it, but don't know answers. (handwritten)

¿Pueden las otras opciones ser correctas en alguna situación? Busca ejemplos.

Relaciona cada frase con su valor.

1. El que algo quiere, algo le cuesta.
El que quiera peces, que se moje.

2. El que no ha hecho nada malo, vive sin preocupaciones.
El que no haya hecho nada malo, que no se preocupe.

- Remite a unos hechos habituales, a unos conocimientos generales producto de la experiencia o del saber popular.
- Sitúa los eventos oracionales en el ámbito de lo posible, de la eventualidad.

A continuación, inventa oraciones para completar los pares con el valor que falta por expresar.

1. a) Quien esté libre de culpa que tire la primera piedra. b) _____

2. a) Quien calla otorga. b) _____

3. a) Los que lleguen tarde, que se busquen la vida. b) _____

Hay ocasiones en que el uso de un modo u otro implica diferencias sutiles de carácter expresivo. Se trata de oraciones de relativo que dependen o están precedidas de elementos como *poco, sólo, únicamente, exclusivamente* o superlativos relativos.

Tengo pocos amigos que sean / son de verdadera confianza.

Sólo he hablado con tres personas que lo conozcan / conocen.

Fue el concierto más divertido en el que haya estado / he estado.

- Indicativo: informamos de unos hechos.
- Subjuntivo: lo fundamental es la cantidad o la cualidad. Remarca el valor de exclusividad o escasez y acentúa el valor del superlativo.

6 **Fíjate en los dibujos y construye frases según el ejemplo.**

Ej.: *Únicamente he visitado una ciudad en la que haya más ruido que aquí.*

CE 5.6 **7** **Completa los diálogos con el verbo adecuado y descubre el enigma.**

Estaba estresada y aburrida; necesitaba descansar y pensé en hacer uno de esos viajes que (relajar) .... y (distraer) ....

Fui a unas agencias que me (recomendar) .... y me decidí por una isla de la Polinesia

En el avión me encontré con un antiguo novio. Al principio, ninguno reconoció al otro, pero empezamos a hablar.

¿Puedo preguntar cuál es su destino?

Voy a la Polinesia, al archipiélago Tuamotu, en concreto a la isla que (estar) .... más al sur.

Desde hace años estoy buscando un tipo de insecto que todavía nadie ha estudiado; su descubrimiento será crucial para entender la evolución de las especies. Algunos científicos aseguran que no existe el animal que (describir).......... Yo quiero demostrar que sí.

En aquel momento supe quién era mi compañero de vuelo; sólo hay una persona en el mundo que (tener) .... esa obsesión por los insectos; Óscar Martín de Soto, un antiguo novio.

Sí, seguro que todos piensan que cualquiera que (hacer) .... esto está un poco loco.

¡Vaya, vaya! ¿Quién me lo iba a decir? Después de tantos años. Eres la última persona a la que (esperar) .... encontrar aquí. Claro que, en realidad, conozco a pocos que (elegir) .... un lugar como éste para pasar sus vacaciones.

VIVÍA EN UNA CASA MODESTA PERO ELEGANTE. SU JARDÍN, SIN EMBARGO, ERA EXTRAORDINARIO. LA VEGETACIÓN LO INUNDABA TODO, INCLUSO EL INTERIOR DE LA CASA. NO HABÍA RINCÓN EN EL QUE NO (HABER) .... ALGUNA PLANTA EXÓTICA.

No estábamos en la misma isla, por lo que me invitó a pasar un fin de semana en su casa. Acepté gustosa su invitación.

Bueno, y ¿qué tal va todo? ¿Has encontrado ya el insecto que (inmortalizar) .... tu nombre?

Es muy difícil, pues es la especie más huidiza que (estudiar) .... nunca. Apenas se sabe nada de ella; sólo conozco dos libros que (hablar) .... de ella, y sé que uno de ellos, además, aporta fotografías que (demostrar) ...... su existencia.

La semana pasada estuve a punto de conseguir un ejemplar. Pero al final lo perdí.

¿Y qué fue lo que pasó?

Pues la verdad, no lo sé. Entró al salón por la ventana. Sin duda era uno de ellos. Cerré las ventanas y la puerta; no había lugar que le (permitir) ...... escapar; se dirigió hacia aquellas plantas que (estar) ...... tras las columnas y se posó en una de ellas. Cuando fui a cogerlo había desaparecido. He buscado durante días sin éxito. Su desaparición es un misterio. ¿Formará parte de su naturaleza?

El caso me extrañó muchísimo; no podía dejar de pensar en ello. Tras algunas reflexiones y algunas comprobaciones descubrí la causa del misterio.

Y tú, ¿ya has descubierto el enigma?

▶ RELATIVOS

que	- Con antecedente.	*Devuelve el dinero que te ha dado.*
el que	- Sin antecedente.	*El que tenga algo que decir, que lo diga ahora.*
	- Tras preposición.	*La chica con la que vino era su prima.*
	- Doble especificación.	*Prefiero el otro, el que te enseñó primero.*
	- En las estructuras enfáticas con el verbo *ser*.	*Yo fui la que lo vio primero.*
el cual	- Siempre lleva antecedente.	
	- En explicativas, con o sin preposición.	*Llamó a sus abogados, los cuales le recomendaron que callara.*
	- En especificativas, tras preposición.	*He visto al chico con el cual bailé el otro día.*
	- Es obligatorio:	
	• si en su oración no hay verbo conjugado o el relativo equivale a un pronombre o demostrativo;	*Conoció a Sofía, gracias a la cual lo superó.* *Asistimos a la conferencia, terminada la cual nos fuimos a casa.*
	• en las explicativas, tras cuantificador + *de*.	*Llegaron los familiares, algunos de los cuales ya imaginaban la noticia.*
quien	- Se refiere a persona, pero no a colectivos.	*Es el Gobierno quien tiene que decidirlo (mejor el que).*
	- Equivale a *el que* (ver uso de *el que*).	
	- Es obligatorio tras *haber* y *tener*.	*A este hombre no hay quien lo aguante.*
cuyo	- Expresa posesión. Siempre lleva antecedente y va seguido de sustantivo, con el que concuerda.	*El vasco es una lengua cuyo origen aún se ignora.*
donde, como, cuando	- Expresan, respectivamente, lugar, modo y tiempo. *Como* y *cuando* apenas se usan con antecedente (de *como* sólo pueden serlo *modo*, *manera* y *forma* o el adverbio *así*).	
	En las especificativas con antecedente sustantivo equivalen a *en el que*, que se prefiere.	*Alcalá de Henares es la ciudad donde (= en la que) nació Cervantes.*
	- Obligatorios en las explicativas o con antecedente adverbial.	*Lo dejé en la caja, donde me dijiste. Lo dejé allí donde me dijiste.*
	- Obligatorios en las oraciones enfáticas con *ser*.	*Es en Alcalá de Henares donde nació Cervantes.*
cuanto	- Expresa cantidad. No lleva antecedente, pero puede ir modificando a un sustantivo.	*Vinieron cuantos niños quisieron.* *Invita a cuantos quieras (invitar).*

CE 9 **8** Completa con *que* o artículo + *que*. ¿De qué crees que están hablando estas personas?

I.

A: ¿Entiendes algo de _lo que_ pone?

B: ¿Yo? Nada.

A: Bueno, es igual. ¿Pasamos y nos arriesgamos?

B: A mí me da un poco de miedo, la verdad; no puedo olvidar _lo que_ le ocurrió a Curro.

A: Nadie se muere por esto, ¿no? Yo creo que hay que probarlo todo. Yo ya estuve una vez y me gustó.

(Pasan al local y se sientan en una mesa.)

A: Como ves, hay muchos tipos diferentes. Mira a tu alrededor a ver si ves <u>alguna cosa</u> _que_ te resulte apetitosa.

B: ¡Hombre! <u>Aconséjame tú</u>, _el que_ eres el experto, _el que_ tiene experiencia. ¿Qué fue _lo que_ pediste la otra vez?

A: ¿Bromeas? ¿Crees que puedo acordarme de cuál fue _lo que_ pedí? Solo sé que <u>era uno de</u> _los que_ llevan esa cosa blanca por encima.

B: ¿Y no podrías preguntar y que nos explicaran en _qué_ consiste cada uno?

A: Sí, claro, ¿y en qué lengua les hablo?

B: En el lenguaje de <u>los gestos</u>, _que_ es universal.

2.

A: Mira, ¿qué te parece ese _que_ está rascándose la cabeza?

B: ¿Ese _el que_ no está haciendo nada, _el que_ parece ausente?

A: Sí; ¿no te gusta? Es muy <u>mono</u>. cute

B: No sé…; yo prefiero uno de <u>los que</u> están tocando instrumentos, _el que_ toca el violín, por ejemplo.

A: O ese otro _que_ está enseñando el culete. Es encantador, con esa mirada tan dulce…

B: Pues también… Bueno, venga, elige _el que_ quieras.

A: Oye, ¿y si me quedo con varios? Mi habitación es bastante grande.

9 **Haz lo mismo en este diálogo en el que se utiliza el verbo *ser*.**

ser = emphasis

Alfredo: ¿Nos tomamos un café aquí?

Bea: Vale. ¡Anda!, está Raquel, y creo que nos ha visto.

Alfredo: ¿Y quién es Raquel?

Bea: Es la señora *que* tiene la zapatería en nuestra calle. Pues tendrás que invitarla.

Alfredo: Es la persona *que* llega primero *la que* tiene que invitar.

Bea: Bueno, eso será en el caso de que sean *dos hombres que* se encuentran en esta situación.

Alfredo: No sé por qué <u>somos siempre</u> los hombres *las que* tenemos que pagar.

Bea: Los hombres *que* son, además, caballeros. *gentlemen*

Alfredo: ¿Ves? Sois las mujeres *las que* cuando os interesa, defendéis el machismo.

Bea: *Lo que* pasa es que tú eres un tacaño, nada más.

10 **Sustituye *el cual* por *que* siempre que sea posible.**

Recientemente apareció un artículo en la prensa según <u>el cual</u> la seguridad de nuestras prisiones más viejas no es muy buena y, por otra parte, son muchos los reclusos que piensan en fugarse de la cárcel, hasta el punto de que algunos de <u>los cuales</u> no tienen otra distracción que la de planificar su huida. De hecho, muchos de los que intentan escapar son reincidentes, de <u>lo cual</u> se desprende que la política penitenciaria no es la más adecuada.

El interés por el tema surgió a raíz de la fuga de un preso de la cárcel de Tirapalante. El método utilizado fue el clásico del túnel subterráneo; el agujero por <u>el cual</u> huyó J. F. C, el cual fue detenido a pocos metros de la salida, no tenía más de 50 cm de diámetro, pero hubo de costarle meses y meses de trabajo meticuloso. El responsable de la institución, <u>el cual</u> se ha negado a hacer declaraciones a la opinión pública, tendrá que dar cuentas ante el Ministerio, por <u>lo cual</u> no se descarta que se abra una investigación sobre las posibles negligencias <u>en las cuales</u> incurrió el personal de la penitenciaría para no percatarse de los hechos, todo <u>lo cual</u> deja en entredicho la seguridad de algunas de nuestras cárceles.

que *que* *preposición*

▶ SUPRESIÓN DE LA PREPOSICIÓN ANTE RELATIVO

En las oraciones especificativas, la preposición que precede al relativo puede suprimirse en los siguientes casos:

- **a,** cuando el relativo es CD de persona; se prefiere sin *a* cuando no hay antecedente y la oración de relativo va delante y cumple la función de sujeto.	*El ladrón (al) que detuvieron el otro día ha confesado.* *Al / El que detuvieron ha confesado.*
- **en,** cuando el antecedente y el relativo poseen valor temporal y el antecedente no la necesita.	*El día (en el) que todo ocurrió yo estaba con él.*

---

 11 **Corrige los errores que encuentres.**

valor temporal

1. En el <u>momento que</u> explotó la bomba Carlos estaba en la cocina.

2. El momento que explotó la bomba fue terrorífico. ✓

3. Nunca olvidaré el día en que se casó Pepe. *+ el* ✓

4. Nunca olvidaré el día que se casó Pepe. ✓

5. La mujer que he saludado es la madre de Raquel. ✓

6. Fuimos a una discoteca *en la* que tenían la música altísima. ✓

7. (A) los que conocimos en el cumpleaños de Luis ya están aquí.

8. Los que conocimos en el cumpleaños de Luis ya están aquí. ✓

12 **Completa con un relativo. Piensa en todas las posibilidades.**

1. Algo de *lo que* ha dicho es cierto, pero no todo.

2. Hay una línea invisible, traspasada *la cual* ya no hay vuelta atrás.

3. Lo mejor fue el momento *que* se encontraron. *en el que*

4. Es un fenómeno de *cuyo* descubrimiento hablaremos la próxima semana.

5. Y esa es la razón por *la que* según creo, cometió aquella torpeza. *cual*

6. Come *lo que* quieras, que hay de sobra.

7. Me conmovió ese instante, *en que* se echó a llorar.

8. No me agradó la forma *en la que* se dirigió a Fernando.

9. La nueva ministra, *que* había jurado el cargo pocos días antes, tuvo que tomar una drástica decisión.

10. Nunca olvidaré la tarde *que* te conocí. *en la que*

11. Había una pequeña ventana a través de *la que* vigilaba los movimientos de la vecina. *cual*

12. ¿Tienes *quien* te ayude o necesitas que te acompañe?

ACENTUACIÓN II

- Todos los **pronombres interrogativos** llevan tilde, tanto si están en enunciados interrogativos directos como indirectos: *qué, quién, quiénes, cuál, cuáles, cómo, cuándo, cuánto, cuánta, cuántos, cuántas, dónde.*

> *¿Quién ha venido?*
>
> *No sé quién ha venido.*

- Los **enunciados directos** se reconocen porque aparecen siempre enmarcados por los signos de interrogación (¿?) y no se responden con *sí / no.*

- Los **enunciados indirectos** se encuentran siempre dentro de otra oración mayor, de la que dependen. La oración interrogativa indirecta puede sustituirse por *lo* o *esto.*

13 **La tilde de los pronombres interrogativos sirve para distinguirlos de otras palabras que se escriben igual. La presencia o ausencia de este elemento conlleva un cambio de significado. Lee estas oraciones y explica la diferencia de significado que hay entre ellas.**

1. No te preocupes. Él ya sabrá que estás pensando.
No te preocupes. Él ya sabrá qué estás pensando.

2. ¿Que no sabes escribir en inglés?
¿Qué no sabes escribir en inglés?

3. ¿Quien lo dijo se disculpó?
¿Quién lo dijo?

4. ¿A qué vamos todos a esa casa tan misteriosa y extraña?
¿A que vamos todos a esa casa tan misteriosa y extraña?

5. ¿Cuándo has llegado a la ciudad?
¿Cuando has llegado a la ciudad lo sabías?

CE 17 **14** **Lee el siguiente texto y acentúa los pronombres interrogativos.**

A: Todavía no he conseguido saber que pasó exactamente aquel fatídico día. Yo estaba en el puerto contemplando los grandes transatlánticos cuando de repente una marea humana me arrastró hacia el interior de uno de ellos, a mí y a otros que, como yo, estaban husmeando.

B: Pero yo lo que necesito saber es cuando ocurrió exactamente, a que hora.

A: Alguien se me acercó y me preguntó quien era y por que estaba allí. Él ya imaginaba que contestaría con vagas mentiras, pero no imaginaba que le diría. El miedo me impedía pensar; no recuerdo que fue lo que dije, solo que de repente el hombre empezó a gritar y se echaron sobre mí una decena de militares. Cuando desperté, lo ignoro; solo sé que estaba en un lugar sombrío y oscuro.

B: ¿Donde lo encontramos?

A: No, este era otro. Tenía mucho frío y estaba muy asustado. Una desconocida se acercó a mí en la oscuridad y me cogió la mano. No sé cual es la razón, pero empecé a pensar en Flor María.

B: ¿Que empezó a pensar en como huiría?

A: No, hombre, en Flor María.

B: ¿Y que pensó?

A: Quien era realmente ella, hasta que punto estaba relacionada con lo que me estaba ocurriendo.

B: ¿Y ya ha descubierto cuanto quería saber?

A: No, porque quien me podría informar murió durante mi secuestro.

B: Bueno, dígame cuanto tiempo cree que pasó en ese lugar; cuantas personas más había; con quien habló: acláreme como sucedieron los hechos.

A: Ya está bien. Le he contado cuanto recuerdo y como lo recuerdo. En mi cabeza todo está confuso.

LA INSTANCIA

La **instancia** es un escrito dirigido a organismos oficiales o entidades cuya finalidad es la de **formular una petición.** Su destinatario es siempre el máximo responsable en relación con el asunto.

Se redacta en tercera persona y presenta siempre un esquema fijo, que es el que sigue:

- **Encabezamiento:** datos personales de la persona o entidad que presenta la instancia.
- **Cuerpo:**
  - explicación de los hechos;
  - petición;
  - lugar y fecha;
  - firma.
- **Pie:** autoridad, organismo o entidad a quien se dirige la instancia.

15 Fíjate en este ejemplo de instancia y señala las partes que la componen.

Don Óscar Jiménez Blanco, nacido en Valladolid el 4 de septiembre de 1960 y con domicilio en Madrid, en la C/ Ibiza, 34, 2.º B, con D.N.I. 8976345

EXPONE

- Que ha adquirido un local comercial en la C/ Montera, número 69, que va a dedicar a la venta de productos de fiesta y entretenimiento.

- Que cuenta ya con todos los permisos necesarios y ha realizado los trámites exigidos.

- Que ha decidido colocar en la fachada principal un cartel luminoso de 5 x 2 m en rojo, rosa y amarillo, que llevará incorporadas luces de neón, y en el que aparecerá el retrato de dos señoritas sonrientes junto con el nombre del negocio *(Secretitos)*.

SOLICITA

Que le sean concedidos los permisos necesarios para poder colocar el cartel mencionado.

Madrid, 25 de mayo de 2007

ILMO. SR. CONCEJAL DE URBANISMO DEL AYUNTAMIENTO DE MADRID

16 ¿A qué destinatarios crees que deben dirigirse estas instancias?

- ► Solicitud de visado.
- ► Reclamación por accidente en la vía urbana.
- ► Permiso de residencia.
- ► Solicitud de beca de estudios.
- ► Solicitud de convalidación de estudios universitarios.
- ► Reclamación por multa de tráfico injustificada.
- ► Reclamación por error en la asignación de la cuota del Impuesto de Actividades Económicas.
- ► Solicitud para participar en el concurso de adjudicación de las obras de rehabilitación del Palacio Real.
- ► Permiso para realizar obras en un local.
- ► Anulación de matrimonio.

17 ¿Sabes qué tratamientos reciben estas personas? Busca la forma abreviada correspondiente.

- ► El Rey de España
- ► El Rector de la Universidad
- ► El Alcalde
- ► El Presidente del Gobierno
- ► El Ministro de Hacienda
- ► El Vicerrector
- ► El Concejal de Urbanismo

- ► El Papa
- ► El Director General de Tráfico
- ► El Obispo de Madrid
- ► El Príncipe de Asturias
- ► El Administrador del Centro de Salud
- ► El Director de Formación del INEM
- ► El Cardenal

- ► Alteza Real
- ► Eminencia
- ► Excelentísimo
- ► Ilustrísimo
- ► Magnífico
- ► Santidad
- ► Majestad

CE 18 CD1: 22 **18** **Escucha las siguientes conversaciones, elige una y redacta o cumplimenta la instancia correspondiente.**

Don/doña ...., con residencia habitual en
.... provincia de ...., en la calle/plaza ....
..............................., n.º ...., mayor de edad, con D.N.I. ....

EXPONE
....
....
....
...., y por todo ello

SOLICITA
....
....

En ...., a .... de .... de ....

ILMO. SR. ....

19 **Lee y sigue las instrucciones.**

ALUMNO A

1.
Has recibido una notificación de Tráfico según la cual, el pasado sábado, día 5 de febrero, cometiste una infracción (exceso de velocidad) mientras conducías por la Nacional II, dirección Barcelona. La multa asciende a la cantidad de 1.200 euros. Es evidente que se trata de un error porque tú, ese día y a esa hora, estabas cenando en casa de unos amigos en Coslada, donde permaneciste toda la noche. El número de la matrícula, el modelo, el color del coche…, todo coincide excepto el conductor. Tú dejaste el coche aparcado en la puerta de la casa de estos amigos y cuando saliste, por la mañana, ahí estaba. Te han dicho que para poder llevar a cabo esta reclamación y abrir una investigación debes, primero, pagar la multa, pues de lo contrario procederán al embargo de tu cuenta, tus bienes, etc. Lo que sucede es que tú eres estudiante, son tus últimos días en España y no tienes el dinero que te piden.

2.
Explícale a tu compañero la situación y pídele que te redacte la instancia. Inventa una razón que justifique el que no lo hagas tú mismo.

ALUMNO B

1.
Hace seis meses solicitaste una beca al Ministerio de Asuntos Exteriores para realizar un máster de dirección de empresas en el Instituto de Negocios y Finanzas de Barcelona. Te fue concedida la beca pero en aquellos momentos, por razones personales, no te parecía posible venir, por lo que les escribiste rechazándola. Poco tiempo después tus problemas se solucionaron y cambiaste de idea con respecto al máster. Te pusiste en contacto telefónico con los responsables del Ministerio para comentarles todo lo ocurrido y te dijeron que todavía estabas a tiempo de aceptar la beca, cosa que hiciste. Has venido a España (el viaje te ha costado muy caro; además, has dejado tu trabajo), has pagado la cantidad no becada por el curso y ahora te dicen que no estás ni inscrito ni matriculado y que perdiste el derecho a la beca. En tu lugar, hay otro estudiante. En el Instituto de Negocios y Finanzas te dicen que el cupo de participantes está lleno y no pueden aceptar más, aunque harían una excepción si pagas la matrícula entera; en el Ministerio te dicen que lo único de lo que tienen constancia es de tu rechazo (está por escrito), pero tú tienes un justificante bancario que acredita que has pagado una cantidad por el curso.

2.
Explícale a tu compañero la situación y pídele que te redacte la instancia. Inventa una razón que justifique el que no lo hagas tú mismo.

LOS REFRANES

20 Completa los refranes con los meses del año, que aparecen desordenados.

▶ .... ventoso y .... lluvioso, hacen a .... florido y hermoso.

▶ En ...., busca la sombra el perro.

▶ Luna de ...., frío en el rostro.

▶ En ...., se hiela el agua en el puchero.

▶ En ...., la hoz en el puño.

▶ En ...., la hoja el campo pudre.

▶ .... caliente, quema al más valiente.

▶ En ...., haz la matanza y llena la panza.

▶ .... se lleva los puentes o seca las fuentes.

▶ En ...., sale el sol con tardura y poco dura.

21 Lee el siguiente fragmento de la obra de teatro *Eloísa está debajo de un almendro,* de Enrique Jardiel Poncela.

Señora: Es lo que yo digo: que hay gente muy mala por el mundo...

Amigo: Muy mala, señora Gregoria.

Señora: Y que a perro flaco, *to* son pulgas.

Amigo: También.

Marido: Pero, al fin y al cabo, no hay mal que cien años dure, ¿no cree *usté?*

Amigo: Eso, desde luego. Como que después de un día viene otro, y Dios aprieta, pero no ahoga.

Marido: ¡Ahí le duele! Claro que agua *pasá* no mueve molino; pero yo me asocié con el Melecio por aquello de que más ven cuatro ojos que dos, y porque lo que uno no piensa al otro se le ocurre. Pero de casta le viene al galgo el ser rabilargo: el padre de Melecio siempre ha sido de los de quítate tú para ponerme yo, y de tal palo tal astilla, y genio y figura hasta la sepultura... Total; que el tal Melecio empezó a asomar la oreja y yo a darme cuenta, porque por el humo se sabe dónde está el fuego.

Amigo: Que lo que *ca* uno vale a la cara le sale.

Señora: Y que antes se pilla a un embustero que a un cojo.

Marido: Eso es. Y como no hay que olvidar que de fuera ven-drá quien de casa te echará, yo me dije digo: "Hasta aquí hemos *llegao;* se acabó lo que se daba; tanto va el cántaro a la fuente que al final se rompe; *ca* uno en su casa y Dios en la de *tos;* y al mal tiempo buena cara, y *pa* luego es tarde, que reirá mejor el que ría el último".

Señora: Y los malos ratos pasarlos pronto.

Marido: ¡Cabal! Conque le abordé al Melecio, porque los hombres hablando se entienden, y le dije: "Las cosas claras y el chocolate espeso; esto pasa de castaño oscuro, así que cruz y raya, y tú por un *lao* y yo por el otro; ahí te quedas, mundo amargo, y si te he visto no me acuerdo". ¿Y qué le parece que hizo él?

Amigo: ¿El qué?

Marido: Pues contestarme con un refrán.

Amigo: ¿Que le contestó a usted con un refrán?

Marido: (Indignado) ¡Con un refrán!

Señora: (Más indignada aún) ¡Con un refrán, señor Eloy!

Amigo: ¡Ay qué tío más cínico!

Marido: ¿Será sinvergüenza?

Amigo: Hombre, ese tío es un canalla capaz de *to.*

Explica con tus palabras el significado de los refranes y expresiones populares que aparecen en el texto.

22 Completa con el refrán correspondiente.

▶ Dios aprieta pero no ahoga.

▶ Más ven cuatro ojos que dos.

▶ De tal palo tal astilla.

▶ A la vejez viruelas.

▶ A perro flaco todo son pulgas.

▶ Tanto va el cántaro a la fuente que al final se rompe.

▶ Las cosas claras y el chocolate espeso.

1. —Con lo mal que andan ahora de dinero y encima se les estropea el coche; si es que ....

   —No te preocupes, porque .... Verás como salen de esta.

2. Cuenta los chistes igual de mal que su padre; si es que ....

3. No, no, si tienes algo que reprocharme, algo que no te guste, dímelo; a mí me gustan ....

4. Mira que le digo todos los días que no salga con esa gente, que cambie de com-pañías, ... Siempre me dice: "no, mamá, si yo no bebo, no te preocupes, como conduzco yo, ..." . Y así un día, y otro. No, si ...., y luego ya no hay remedio.

5. Ya tienen el traje arreglado, me han llamado para que vaya a probármelo. ¿Por qué no vienes conmigo? Ya sabes que ....

6. El mismo día que cumplió 65 años se apuntó a un gimnasio y todos le dijimos: "Pero, hombre, ...".

23 En parejas. Escribid pequeños diálogos donde tengáis que usar estos refranes y expresiones.

> *Por el humo se sabe dónde está el fuego*

> De fuera vendrá quien de casa te echará

> AL MAL TIEMPO BUENA CARA

> **Cada uno en su casa y Dios en la de todos**

> Esto pasa de castaño oscuro

> Quien ríe el último, ríe mejor

24 Relaciona las columnas y forma refranes.

Ande yo caliente,	se entiende la gente
A falta de pan,	va la vencida
Dios los cría	ríase la gente
A la tercera	y ellos se juntan
A caballo regalado	no le mires el diente
Hablando	buenas son tortas
A Dios rogando	y con el mazo dando

Une el refrán o expresión con su significado.

1. A cuentas viejas, barajas nuevas.
2. A rey muerto, rey puesto.
3. Por San Blas la cigüeña verás.
4. Ande yo caliente, ríase la gente.
5. A la ocasión la pintan calva.
6. Quien a buen árbol se arrima, buena sombra le cobija.
7. Ver la paja en el ojo ajeno, y no la viga en el propio.
8. Quien calla, otorga.
9. Quien bien te quiere te hará llorar.
10. El hábito no hace al monje.

▶ Recomienda aprovechar las oportunidades.

▶ Informa de que en la festividad de San Blas (3 de febrero) ya han vuelto las cigüeñas a nuestros tejados.

▶ Contra los que reparan en los defectos ajenos y no en los propios, aunque sean mayores.

▶ Enseña que el verdadero cariño consiste en advertir y corregir al ser querido en lo que está confundido.

▶ Recomienda no retrasar el ajuste de cuentas, a fin de evitar disputas.

▶ Expresa que quien no contradice, da a entender que aprueba.

▶ Expresa que las apariencias no siempre reflejan con sinceridad el interior de las personas.

▶ Sobre las ventajas de que goza el que tiene buenos protectores e influencias.

▶ Expresa lo pronto que queda ocupado el puesto o el vacío afectivo dejado por una persona.

▶ Se aplica a quien prefiere encontrarse cómodo sin importarle lo que piensen los demás.

¿SOMOS DIFERENTES?

Si estuvieras en tu país y te vieras antes estas situaciones, ¿cómo reaccionarías?, ¿qué pensarías? Puedes marcar dos opciones.

1. Vas en el tren y tu compañero de asiento decide descalzarse y poner los pies sobre el asiento de enfrente, tras colocar un periódico sobre el mismo.

    a) Le dices que es un guarro.

    b) Lo miras con mala cara.

    c) Te cambias de sitio.

    d) No te inmutas.

    e) Haces lo mismo.

2. Has invitado a comer en casa a unos compañeros del trabajo / de clase. Cuando terminan el plato, se sirven ellos mismos más comida.

    a) Te parece bien, pues la comida es para ellos.

    b) Crees que deberían esperar a que tú se la ofrecieras.

    c) Es un signo de buena educación, pues demuestran que les ha gustado la comida.

    d) Son unos egoístas, pues no han preguntado a otras personas si quieren comer más.

    e) Dan la impresión de estar muertos de hambre.

3. Después de esa copiosa comida, un comensal emite un eructo.

    a) Te ríes.

    b) Te tapas disimuladamente la cara para evitar respirar los gases.

    c) Intentas eructar más fuerte que él.

    d) Le dices "salud", "buen provecho" o una expresión similar.

    e) Haces ver que no te has dado cuenta.

4. Ves cómo dos jóvenes se saludan desde lejos gritándose insultos.

    a) Piensas que se van a pelear.

    b) Crees que pertenecen a algún grupo o pandilla marginal.

    c) Te parece divertido.

    d) Lo consideras lo más normal del mundo.

    e) Te asustas y cambias de acera.

5. Son las 10 de la noche, los coches están parados en la calle y todos tocan el claxon.

    a) Puede ser una manifestación de alegría porque ha ganado su equipo de fútbol.

    b) Te parece normal tocar la bocina siempre que haya un atasco.

    c) Por el día no te importa, pero deberían pensar que hay niños y personas mayores durmiendo a esas horas.

    d) Te parece propio de gente incivilizada.

    e) Deberían ponerles una multa.

6. En un restaurante, la pareja de al lado se está riendo estrepitosamente.

    a) Se te pega la risa.

    b) Los miras con cara de desaprobación.

    c) Les sonríes.

    d) Pides al camarero que les llame la atención.

    e) Comentas la situación con tus acompañantes y hacéis hipótesis sobre el motivo de la risa.

7. En el banco de al lado, en un parque público, una pareja se está besando apasionadamente.

    a) Los observas con disimulo.

    b) No te molesta en absoluto.

    c) Cualquier expresión de amor te parece bien.

    d) Te levantas y te vas.

    e) Piensas que deberían ponerles una multa.

8. Estás hablando con una persona que padece un fuerte resfriado. Saca un pañuelo, se suena la nariz y vuelve a guardárselo en el bolsillo del pantalón.

    a) No ves nada extraño en ello.

    b) Te parece una guarrería.

    c) Dejas de hablar con él / ella para no contagiarte.

    d) Le preguntas por su estado de salud.

    e) Le ofreces un pañuelo de papel.

9. Vives en una habitación alquilada y la dueña del piso te ha limpiado y ordenado la habitación mientras tú estabas de viaje.

    a) Se lo agradeces infinitamente.

    b) Le dices que puede hacerlo siempre que quiera.

    c) Sospechas que es una cotilla.

    d) Crees que ha violado tu intimidad.

    e) Decides abandonar esa casa.

10. Un desconocido le grita a una chica un piropo de exaltación de las curvas de su cuerpo. Si fueras ella…

    a) Le partirías la cara.

    b) Le contestarías con una grosería.

    c) Seguirías sin hacerle ni caso.

    d) Le darías las gracias e iniciarías una conversación.

    e) Valorarías sus cualidades físicas y le corresponderías con otro piropo.

26 EL CUMPLIDO O EL ARTE DE LA MENTIRA PIADOSA

Lee el siguiente texto.

A los niños se les enseña que no se debe mentir, que eso está muy feo o incluso que es pecado. Pero el día que en cumplimento de lo aprendido el niño diga, por ejemplo, que el regalo que acaba de recibir no le gusta nada, y vea la expresión del rostro de quien le hace el regalo, oiga a su madre regañarle y a su padre disculparlo porque "es un niño", algo le dirá que los conceptos de verdad y mentira no son lo que él pensaba. Y si alguna vez el niño le dice a la vecinita que le parece fea, que jamás jugaría con ella o que su madre está gorda, entonces aprenderá que la sinceridad ha de limitarse a los defectos o errores propios, nunca a los ajenos. Mentir es pecado, a no ser que la mentira sea piadosa, esto es, misericordiosa, fruto de la compasión cristiana.

Y el individuo no solo aprende a callar sus verdaderos pensamientos cuando estos puedan resultar dolorosos para el otro, sino que aprende a mentir para ganarse la aprobación de su comunidad, pues quien sepa halagar con naturalidad y soltura será considerado educado, cortés, amable y de muy grata compañía.

¿Qué se puede pensar de una persona que no hace alusión alguna al cambio de modelo de gafas, de color de pelo o a la elegancia de un traje nuevo (por muy hortera que nos parezca) de una conocida? Hay que estar siempre atento a las transformaciones voluntarias de los que nos rodean y obviar las involuntarias, como el engorde, la caída del pelo o el surcamiento de las arrugas.

De esta forma, el cumplido se convierte en un arte, arte que no todos llegan a dominar con maestría. Los más aventajados sabrán hallar siempre el más mínimo elemento sobre el que construir su halago. Porque la mentira no encubierta no tiene el mismo efecto que la burla descarnada.

Lo importante es elegir bien el objeto del cumplido y parecer absolutamente sincero. Si el hijo de la vecina tiene la cara llena de granos y el pelo grasiento, evitaremos referencia a la belleza física del adolescente, pero es muy posible, por ejemplo, que su crecimiento prometa una futura estatura superior a la de sus progenitores; si una compañera de trabajo ha conseguido reducir en dos centímetros su oronda cintura, el reconocimiento de este logro por parte de los demás será suficiente motivo de dicha; si un conocido se ha hecho un corte de pelo que le hace asemejarse a un pájaro carpintero, seguro que tendrá una nota de modernidad u originalidad que compense el desafortunado parecido.

⇨ ¿Estás de acuerdo con lo que dice el texto?

⇨ ¿Es igual en tu país?

⇨ ¿Se te da bien hacer cumplidos?

⇨ ¿Y recibirlos?

 ## 27 Tan importante como saber hacer cumplidos es saber responder a ellos. Escucha y clasifica las respuestas de Laura, mujer de unos 40 años, al cumplido que recibe de Luis, conocido suyo de la misma edad al que no veía desde hacía tiempo.

CD1: 23

Así, ante un cumplido como: *Laura, estás estupenda. Por ti no pasan los años.*

Laura puede:

1. Agradecer el cumplido:

2. Devolver el cumplido (él la iguala o supera en esa cualidad):

3. Hacer un cumplido en el que se elogie precisamente la cortesía o amabilidad del otro:

4. No desmentir el cumplido, pero manifestar el esfuerzo que supone la consecución de ese aspecto físico (de esta forma, la belleza no se considera algo inherente, sino costoso):

5. No desmentir el cumplido, pero añadir una explicación (ese aspecto no es el habitual o natural en ella):

6. Desmentir el cumplido o quitarle importancia:

7. Sacarse defectos:

8. Expresar sorpresa y alegría:

9. Exagerar (para quitar importancia):

10. Mostrar vergüenza y regañar al interlocutor:

11. Decir que sabe que su interlocutor no es sincero:

28 En parejas, haced combinaciones con estos personajes para que entre ellos se dediquen cumplidos o piropos y respondan a los mismos. Después pueden votarse los más ocurrentes y divertidos.

▶ anciano de 85 años

▶ ligón de discoteca

▶ madre de familia numerosa

▶ jovencita minifaldera

▶ culturista

▶ institutriz

▶ motero cuarentón

PARALENGUAJE

Muchas veces hacemos uso de signos no verbales para comunicar lo que las palabras no pueden expresar o para reforzar lo dicho por estas. Las funciones conscientes o inconscientes en la interacción entre personas son muy variadas, algunas universales y otras exclusivas de determinadas culturas.

29 En pequeños grupos, relacionad los elementos paralingüísticos con sus posibles funciones o valores. Describid las distintas manifestaciones de estos signos y buscad situaciones que los ilustren.

▶ aburrimiento o desinterés

▶ adulación

▶ advertencia de peligro

▶ alivio

▶ amenaza e intimidación

▶ angustia

▶ anunciarse

▶ atraer la atención

▶ burla

▶ búsqueda de alianza

▶ cansancio y sueño

▶ compasión y duelo

▶ cortesía

▶ desprecio

▶ duda o incertidumbre

▶ enfado

▶ felicidad y satisfacción

▶ gozo

▶ flirteo o galanteo

▶ frustración, impotencia y resignación

▶ hacer tiempo

▶ humillación

▶ impedir que alguien diga o haga algo

▶ inquietud

▶ ira

▶ miedo

▶ nerviosismo

▶ nostalgia

▶ relajación física

▶ solidaridad

▶ sorpresa

▶ ternura, afecto y amor

▶ triunfo

▶ vergüenza

risa y sonrisa	llanto	grito	suspiro	tos y carraspeo

ENTONACIÓN I: ESQUEMAS TONALES FUNDAMENTALES

Es tan importante aprender bien la entonación de una oración como la pronunciación correcta de cada sonido, pues la mala entonación desvirtúa casi por completo la pronunciación. Por otra parte, si bien es verdad que una pronunciación incorrecta puede hacer incomprensible el mensaje, una entonación poco clara puede llevar a confusiones importantes. Por ejemplo, no es lo mismo responder a la pregunta *¿Puedo pasar?* de esta manera:

¡Cómo no! Pase, usted es querido aquí, que de esta otra: *¡Cómo! No pase usted. Es que… herido, aquí.*

Para poder mejorar la entonación es necesario practicar intensamente. Tu profesor te ayudará a corregir los errores, pero tú también puedes intentar llevar a cabo una labor de autocorrección. Para ello, es necesario:

1.º aprender a identificar cuál es la línea tonal de una frase; 2.º detectar tus errores; 3.º realizar ejercicios específicos y practicar.

La línea tonal

La entonación de cualquier oración se representa con una línea que muestra la elevación o descenso del tono de nuestra voz. La parte final de esta línea o curva entonativa es la que en español aporta la información y la que determina el tipo de frase. Se denomina tonema, y puede ser básicamente de tres tipos: ascendente, descendente u horizontal.

Debes intentar identificar en cada frase qué tipo de tonema aparece para que después tú puedas reproducirlo. Para ello, te serán de utilidad las siguientes representaciones:

• **Curvas generales**

– enunciados declarativos: descendente.
– enunciados interrogativos absolutos: ascendente.
– enunciados interrogativos pronominales: descendente .
– enunciados exclamativos: descenso brusco.

30 **Escucha y señala las frases que oigas. Indica qué tonema aparece.**

CD1: 24

1. a) No saldrás esta noche.
   b) No, saldrás esta noche.
   c) ¿No saldrás esta noche?

2. a) ¿Has sacado buenas notas?
   b) Has sacado buenas notas.
   c) ¡Has sacado buenas notas!

3. a) No está enferma.
   b) No, está enferma.
   c) No, ¿está enferma?
   d) ¿No está enferma?

4. a) Que compró en el supermercado.
   b) ¿Qué compró en el supermercado?
   c) ¿Qué? ¿Compró en el supermercado?

5. a) Porque tiene prisa.
   b) ¿Por qué? Tiene prisa.
   c) ¿Por qué tiene prisa?

6. a) ¿Dónde? ¿Estará Carmen?
   b) ¿Dónde estará Carmen?
   c) Donde estará Carmen.

7. a) Sí, le gusta salir por la noche.
   b) Si le gusta salir por la noche…
   c) ¿Sí le gusta salir por la noche?

8. a) ¡Pero Lola permanecía callada!
   b) Pero Lola permanecía callada…
   c) Pero Lola, ¿permanecía callada?
   d) Pero Lola permanecía callada.

9. a) ¡No! ¡Llegó tarde!
   b) No llegó tarde
   c) No, ¡llegó tarde?

10. a) ¿Qué? ¿Escuchas?
   b) ¿Qué escuchas?
   c) ¡Qué escuchas!

- **Algunos casos concretos de curvas tonales**

    – enunciados explicativos: *Los acusados, que se negaron a declarar, fueron otra vez encarcelados.*

    – enunciados especificativos: *Los acusados que se negaron a declarar fueron otra vez encarcelados.*

    – enunciados en estilo directo: *El encargado pregunta:"¿quién está interesado por el trabajo?".*

    – enunciados en estilo indirecto: *El encargado pregunta quién está interesado por el trabajo.*

    – preguntas disyuntivas (descendente): *¿Va a pagar con tarjeta o en metálico?*

    – enunciados interrogativos con y (ascendente): *¿Va a pagar con tarjeta y en metálico?*

    – enumeración completa final de frase: *Allí había abogados, profesores y médicos.*

    – enumeración incompleta final de frase: *Allí había abogados, profesores, médicos.*

    – enumeración completa no final de frase, precediendo al verbo:

    Sindicato, patronal y Gobierno se han reunido para buscar una solución.

    – enumeración incompleta no final de frase, precediendo al verbo:

    Maestros, padres, asociaciones, se han unido para protestar.

    – enunciados coordinados con y: *Tiraban piedras y después disimulaban.*

    – enunciados disyuntivos: *No quería comer ni hablar con nadie.*

    – enunciados adversativos: *Aunque tenía buen carácter, a veces se enfadaba.*

    Tenía muchos problemas, pero no se los contaba a nadie.

31 **Escucha y repite las frases anteriores.**
CD1: 25

32 **Escucha y marca la opción que oigas.**
CD1: 26

1. ¿Por qué no me cuentas solo lo que ha pasado?

   ¿Por qué no? Me cuentas solo lo que ha pasado.

2. Las lluvias cayeron intensamente y los locales, que eran viejos, se inundaron.

   Las lluvias cayeron intensamente y los locales que eran viejos se inundaron.

3. Eva pregunta dónde vamos a ir.

   Eva pregunta: "¿Dónde vamos a ir?"

   Eva, pregunta dónde vamos a ir.

4. Le gustaba mucho su trabajo en La Salvadora; todas las mañanas se levantaba temprano y con su compañero Carlos, iba a trabajar.

   Le gustaba mucho su trabajo en La Salvadora; todas las mañanas se levantaba temprano y con su compañero, Carlos iba a trabajar.

5. Mi jefe, me comenta este amigo, es muy sensato.

   Mi jefe me comenta: "Este amigo es muy sensato".

6. El suceso fue escalofriante; alzó la cabeza y dijo con voz entrecortada: "Yo no quiero morir, joven".

   El suceso fue escalofriante; alzó la cabeza y dijo con voz entrecortada: "Yo no quiero morir joven".

7. Quienquiera que venga, ¡a trabajar toda la tarde!

   Quien quiera que venga a trabajar toda la tarde.

GASTRONOMÍA

Fíjate en el siguiente dibujo en el que se reflejan las aportaciones del Nuevo al Viejo Mundo.

En grupos. Pensad en platos que hayáis probado en los que se utilice alguno de estos alimentos originarios de América. Haced una lista.

✓ pimienta	✓ tomates	✓ pacana	✓ cacahuetes
✓ cacao	✓ girasol	✓ guayaba	✓ batatas
✓ pimientos	✓ judías	✓ almendra	✓ patatas
✓ chile	✓ vainilla	✓ calabaza	✓ maíz
✓ aguacates	✓ mandioca	✓ piña	

Típico de Cuba y de Colombia es el ajiaco, salsa hecha con ají.

En México tenemos las famosas enchiladas o torta de maíz aderezada con chile y rellena de carne u otros manjares. El chile es uno de los elementos más típicos de la cocina mexicana. Es una voz náhuatl que se usa para denominar al ají o pimiento. Se emplea como condimento y sirve de base para muchos platos solo o mezclado con otros alimentos: salsas como el chilmote (pasta de chile con carne y legumbres trituradas), o licores como el chiloctli (chile unido al pulque), además de las enchiladas.

En Perú es típico el cebiche, plato de pescado o marisco crudo, cortado en trozos pequeños, y preparado con un adobo de jugo de limón, cebolla picada, sal y ají.

Pero es necesario mencionar el chocolate, que ya consumían los aztecas. Es oriundo de México y les gusta mezclarlo con nueces de acajú o anacardos. La palabra *chocolate* procede de la voz azteca *xocoalt*: polvo de cacao con pimentón y pimienta. Nosotros hemos sustituido la pimienta por el azúcar y el pimentón por la vainilla.

EL PUEBLO DE TOTENACA

Esteban D'Oneón se encuentra ya en Quiabaya. Los indios del lugar, una tribu andina muy pacífica, dedican su tiempo a los juegos y entretenimientos. Ellos pueden orientar a Esteban sobre el camino que debe seguir en su búsqueda de Totenaca, pero antes ha de superar una prueba: tendrá que descifrar los consejos que le dan a partir de la correcta interpretación de los refranes aparentemente contradictorios que le presentan. ¿Podrías ayudar a Esteban a descifrarlos?

1. ¿En qué momento debe emprender el viaje?
   A quien madruga Dios lo ayuda / No por mucho madrugar amanece más temprano.

2. ¿Qué debe hacer con las personas que se vaya encontrando en su camino?
   Haz el bien y no mires a quién / Cría cuervos y te sacarán los ojos.

3. ¿Cómo debe enfrentarse a las adversidades?
   Al mal tiempo, buena cara / A perro flaco todo son pulgas.

4. ¿Cómo sabrá que va por el camino correcto?
   Todos los caminos conducen a Roma / Buena es la tardanza que hace el camino seguro.

5. ¿Cómo puede conseguir el éxito en su empresa?
   No te fíes de la fortuna, que es mudable como la luna / A Dios rogando y con el mazo dando.

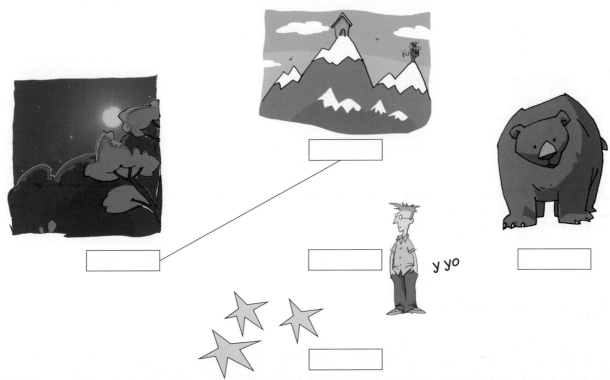

Ahora ya puedes darle una pista a Esteban acerca de la dirección que ha de seguir. Completa las definiciones de los elementos que aparecen en el dibujo, une los puntos siguiendo este mismo orden y dibuja la flecha.

Espacio .... que ....12 horas aproximadamente

Animal .... que .... en Yellowstone

Lugar .... que .... para protegerse en las montañas

Ser .... que .... conmigo en cualquier momento o lugar

Astros .... que .... en el cielo

Esteban ya sabe cuál es la dirección que debe seguir y cómo debe hacerlo. Su jefe está encantado y le manda el equipo necesario para que pueda seguir su viaje. Tarda cuatro días en prepararlo todo y sale para encontrar el lugar donde tenía su casa Totenaca. Allí se va a encontrar con una nueva sorpresa.

(Continúa en la recapitulación siguiente.)

Si el hombre pudiera decir lo que ama,
Si el hombre pudiera levantar su amor por el cielo
Como una nube en la luz;
Si como muros que se derrumban,
Para saludar la verdad erguida en medio,
Pudiera derrumbar su cuerpo, dejando sólo
La verdad de su amor,
La verdad de sí mismo,
Que no se llama gloria, fortuna o ambición,
Sino amor o deseo,
Yo sería aquel que imaginaba;
Aquel que con su lengua, sus ojos y sus manos
Proclama ante los hombres la verdad ignorada,
La verdad de su amor verdadero.
Libertad no conozco sino la libertad de estar preso
en alguien

Cuyo nombre no puedo oír sin escalofrío;
Alguien por quien me olvido de esta existencia
mezquina,
Por quien el día y la noche son para mí lo que quiera.
Y mi cuerpo y espíritu flotan en su cuerpo y espíritu
Como leños perdidos que el mar anega o levanta
Libremente, con la libertad del amor,
La única libertad que me exalta,
Que no se llama gloria, fortuna o ambición,
La única libertad por que muero.

Tú justificas mi existencia:
Si no te conozco, no he vivido;
Si muero sin conocerte, no muero, porque no he
vivido.

Luis Cernuda, Los placeres prohibidos.

⇨ ¿Qué crees que contaría Luis Cernuda al mundo si pudiera hablar libremente?

⇨ Y tú, ¿qué harías si pudieras?

ORACIONES CONDICIONALES

▶ **si** + indicativo + indicativo	lo probable
Si encuentro trabajo, me compraré un coche nuevo.	
▶ **si** + subjuntivo (imp. o plusc.) + condicional	lo improbable o lo imposible
Si encontrara trabajo, me compraría un coche nuevo.	
▶ **si** + subjuntivo (imp. o plusc.) + indicativo	determinación, pese a la improbabilidad o imposibilidad
Si encontrara trabajo, me compraba un coche nuevo.	

CE 1,2 **1** **Completa el siguiente texto.**

Hoy he visto a Enriqueta después de diez años. Estaba tan bonita como siempre –y sigue soltera–. Yo quería mucho a Enriqueta, pero nunca se lo dije. Si hubiera tenido valor, (decírselo) .... y (proponerle) .... que saliéramos juntos. Ella (negarse) .... al principio, pero si yo (insistir) ...., finalmente (aceptar) .... Si nuestra relación hubiera funcionado, (casarnos) ...., como muchos de nuestros amigos.

Tal vez esta noche surja la oportunidad de recuperar el tiempo perdido. Si ella muestra interés por mí, le (pedir) .... que me acompañe en mi viaje por Granada. Si (venir) ...., no (desaprovechar) .... la oportunidad de conquistar su amor. Estoy totalmente decidido: si me llamara ahora mismo, (decírselo) .... ¡Qué bonito sería compartir mi vida con ella! Si viviéramos juntos, siempre (haber) .... alguien esperando mi llegada; claro que si (llegar) .... tarde, seguro que (preocuparse) .... e incluso (enfadarse) .... Bueno, no importa. Ella (preparar) .... cenas maravillosas y yo (fregar)

.... los platos –aunque si no recuerdo mal, era vegetariana–. ¡Vaya problema! Los domingos (quedarnos) .... en la cama hasta muy tarde, claro que si ella (querer) .... madrugar, tendría que levantarme temprano (es una de las cosas que más odio). Si nos levantáramos temprano me (obligar) .... a hacer deporte con ella, y después (querer) .... que limpiásemos, planchásemos (¡Uf, qué horror!). Si (vivir) .... en Madrid, (tener) .... que ir todos los sábados a comer con sus padres, que, si mal no recuerdo, eran pesadísimos. Su madre (contarme) .... los mismos cotilleos de siempre, mientras que su padre me (intentar convencer) .... de que trabajara con él en su negocio familiar –una churrería. Si (convertirse) .... en un churrero, acabaría con una gran depresión en un hospital psiquiátrico.

La verdad es que, pensándolo bien, voy a llamar a Enriqueta y decirle que no puedo ir a cenar porque he de viajar urgentemente a Venezuela. Espero que allí no me encuentre.

2 Lee con atención las siguientes oraciones y explica las diferencias que hay entre ellas.

▶ Siempre que vas a Madrid te acompaño.

▶ Siempre que vayas a Madrid, te acompaño.

▶ A Sebastián no le importa trabajar, mientras todo vaya bien.

▶ A Sebastián no le importa trabajar mientras todo va bien.

Ahora fíjate en este ejemplo: *No te abandonará mientras tengas dinero.*

¿Qué valor o valores tiene? Imagina una situación en la que esta frase sea adecuada.

3 Compara estos pares de oraciones. ¿Tienen el mismo significado? ¿Tienen los mismos valores?

❏ Si llegas tarde otra vez, me enfado / Como llegues tarde otra vez, me enfadaré.

❏ Si suspendes los exámenes, te quedas sin vacaciones / Suspende los exámenes y te quedarás sin vacaciones.

❏ Si me acompañas a comprar, te invito a un café / Te invito a un café a condición de que me acompañes a comprar.

Todos estos conectores introducen oraciones condicionales. ¿Sabes qué modo exigen? Además de condición, ¿qué otros valores expresan?

▶ **CONECTORES**

conector	ejemplo	conector	ejemplo
que ... que (no) si ... que (no) que ... si (no)	*Que tienes dinero, te lo compras, que no, esperas al mes que viene.*	imperativo + y	*Dile algo y se enfadará.*
		a cambio de que	*Te doy el libro a cambio de que estudies un poco más.*
de ø + gerundio	*Siempre dijeron que de superar / superando esta fase, habría muchas esperanzas.*	a condición de que	*Iré contigo de compras a condición de que me compres algo que me guste.*
siempre que siempre y cuando	*Os daremos nuestro apoyo siempre que aceptéis nuestras condiciones.*	(en) (el) caso de que	*En caso de que vaya al Rastro, te compraré lo que me has pedido.*
mientras		si	*Si tuviese fiebre iría al médico.*
como	*Como llegues tarde otra vez, no vuelvo a quedar contigo.*	salvo si excepto si	*Iremos a pasar el fin de semana a las montañas, excepto si empeora el tiempo.*
a no ser que a menos que excepto que salvo que	*Los camioneros irán a la huelga, salvo que se solucione antes el problema.*	menos si	
		con	*Con tener salud me conformo.*
		con que	*Con que traigas una botella de vino, me conformo.*

CE 3.4 **4** Completa las oraciones con los conectores que creas más apropiados y escribe el verbo en la forma adecuada.

1. Me dijo que .... (comer) .... tantos dulces (acabar) .... con problemas de caries.
2. .... tienes ganas, te vienes al cine, ... no te apetece, (quedarse) .... en casa.
3. Puedes ir donde quieras .... (realizar) .... primero tus tareas.
4. Te tratarán muy bien .... tú (ser) .... amable con ellos.
5. .... no (limpiar) .... tu habitación, no saldrás de paseo.
6. Hoy prepararé la comida .... vosotros (ir) .... al mercado y (hacer) .... la compra.
7. Habríamos ido a El Escorial .... (disponer) .... de más tiempo libre.
8. Es muy triste lo que le ha pasado a Javier. .... yo (ser) .... él, me (coger) .... unas vacaciones y me (ir) .... un tiempo fuera de aquí.
9. Pues mira, preferimos quedarnos en casa esta noche, ... tú nos (invitar) .... a cenar.
10. .... (estudiar) .... los temas principales, será suficiente para este examen.
11. (Contar) .... este secreto a alguien .... (perder) .... un amigo.
12. Sólo saldré contigo .... (portarse) .... bien y no (beber) .... demasiado.
13. Me gustaría ir esta tarde a Madrid, ... tú (querer) .... ir a algún otro sitio.
14. .... no (dejar) .... de fumar, te pondrás todavía peor.
15. Vete donde quieras .... no (enterarse) .... tu madre de lo que haces.

ORACIONES TEMPORALES

INFINITIVO (mismo o diferente sujeto)	**al, nada más, hasta, antes de, después de**
SUBJUNTIVO (diferente sujeto)	**antes de que, después de que**
INDICATIVO (presente, pasado o atemporal) / SUBJUNTIVO (futuro)	todas las demás: **cuando, hasta que, desde que, mientras, en cuanto, cada vez que...**

Conectores temporales que pueden introducir una oración de este tipo

conforme, desde que, cuando, nada más, después de, a medida que, cada vez que, hasta, siempre que, al, antes de, hasta que, antes de que, después de que, tan pronto como, según, mientras, en cuanto, apenas, todas las veces que, no bien (literario), ahora que, en el (mismo) momento / instante en que.

5 Clasifica los conectores temporales según el momento que expresen en relación con la acción del verbo principal.

COMIENZO DE LA ACCIÓN	
LÍMITE DE LA ACCIÓN	
ANTERIORIDAD	
POSTERIORIDAD	
POSTERIORIDAD INMEDIATA	
SIMULTANEIDAD	
REPETICIÓN	
PROGRESIÓN PARALELA	

6 Esto es lo que le sucedió a Pepe Gáfez el pasado día 13. Escoge los momentos que quieras y relaciónalos mediante los conectores temporales estudiados empleando el tiempo pasado.

15:00. Pepe sale de la oficina.

15:10-16:00. Se ve en mitad de un gran atasco pero al final llega a su casa.

16:11. Entra en el portal.

16:11. Se encuentra con su nueva vecina del 5.º, Eva.

16:11. Inmediatamente se da cuenta de que se ha enamorado.

16:11-16:15. El ascensor está ocupado.

16:11-16:15. Pepe habla del tiempo.

16:11-16:15. Eva recoge el correo.

16:16. El ascensor se vacía y suben ellos.

16:17. El ascensor llega al 5.º y Eva se baja.

16:17-16:30. Pepe piensa en cómo ver otra vez a Eva.

16:30. Se le ocurre una brillante idea: decide ir a pedirle sal.

16:30-16:35. Se cambia de camiseta y se peina.

16:30-16:35. Ensaya lo que le va a decir a Eva.

16:36. Baja al 5.º y llama al timbre.

16:36. Eva está desvistiéndose para echarse una siestecita.

16:37. Eva abre la puerta y mira a Pepe fijamente a los ojos.

16:37. Pepe se queda sin habla.

16:38. Eva pregunta: "¿Qué quieres?". Él despierta y le pide papel higiénico. "¿Papel higiénico?" "Sí, papel higiénico, por favor."

16:38-16:39. Eva va al cuarto de baño, coge un rollo de papel higiénico y vuelve para entregárselo a Pepe.

16:38-16:39. Pepe piensa qué le va a decir a Eva.

16:39. Pepe sólo dice: "Gracias. Adiós".

7 **Fíjate en los siguientes ejemplos y deduce el valor o valores de los conectores**
hasta **y** *hasta que (no).*

▶ Trabajó y trabajó hasta caer enfermo.
▶ No pararé hasta conseguir lo que quiero.

▶ Espéralo hasta que venga.
▶ No pararé hasta que consiga lo que quiero.

Relaciona.

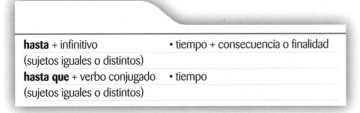

hasta + infinitivo (sujetos iguales o distintos)	• tiempo + consecuencia o finalidad
hasta que + verbo conjugado (sujetos iguales o distintos)	• tiempo

Hay conectores que, además de expresar tiempo, indican otros matices circunstanciales (por ejemplo, mientras y siempre que: tiempo y condición).

8 **Lee con atención el diálogo entre Ramón y Claudia y elige una o varias opciones.**

Claudia: Bueno, y ¿qué tal anoche? Cuéntame.
Ramón: Empezamos muy bien pero acabamos fatal.
Claudia: ¿Y eso? ¿Qué sucedió?
Ramón: Jaime bebió más de la cuenta y se puso pesadísimo. Después de cenar fuimos al bar de Toni y allí se puso a cantar, a dar gritos; si le decían algo, los insultaba… en fin, que hasta que no nos echaron del bar no dejó de dar la lata. Tuvo que irse solo a casa porque ya estábamos hartos de que nos causara problemas…

1. ¿Echaron del bar a Ramón y a sus amigos?
   Sí   No   Casi
2. ¿Dejó Jaime de molestar?
   Sí   No

¿Qué valor crees que tiene aquí el conector *hasta que no?*

9 **Expresa las siguientes oraciones en forma afirmativa utilizando otros conectores temporales.**

1. Hasta que no nos echaron del bar, no dejó de dar la lata.
2. No dejaré de trabajar hasta que no lo vea todo terminado.
3. Hasta que no me devuelva el dinero que le presté, no volveré a hablarle.
4. No darán la orden de arresto hasta no tener todas las pruebas.
5. Creía estar terriblemente enfermo; hasta que no lo ingresaron, no paró de insistir.
6. Cuando la dejó por otra juró vengarse, y no cesó de idear planes hasta que no lo vio solo y abandonado como ella lo había estado.

7. ¡No volveré a esta casa hasta que no me hayáis pedido todos perdón! –gritó indignado.
8. Hasta que no tuvo un accidente con el coche, no dejó de correr. Ahora es muy prudente.
9. Hasta que no lo nombren director de departamento, no dejará de mostrarse solícito y trabajador.
10. Es muy testarudo: hasta que no consiga la bicicleta, no dejará de insistir a sus padres.

▶ **USOS Y VALORES DE *MIENTRAS***

1. Mientras + verbo: expresa duración simultánea.
   • **Mientras** + presente o pasado de indicativo + VP presente o pasado → expresa tiempo (simultaneidad en el presente o pasado).
      Los domingos, mientras yo preparo la comida, él recoge la casa.
   • **Mientras** + presente de subjuntivo + VP futuro → expresa condición (+ tiempo).
      Nadie sospechará de mí, mientras no cometa ningún error y mantenga la calma.
   • **Mientras** + presente de indicativo + VP futuro → expresa sólo tiempo (duración simultánea en el futuro).
      Pensaré en ti mientras estoy en la playa disfrutando del sol.

2. Adverbios **mientras, mientras tanto, entretanto** + presente, pasado o futuro de indicativo o imperativo (las oraciones van unidas por **y**, y el adverbio aparece en la segunda y siempre entre comas) → expresa tiempo (simultaneidad).
      Bueno, yo prepararé la comida y tú, mientras, recogerás la casa.

3. Mientras que → expresa contraste.
      Yo hago la comida, mientras que él se sienta a ver la tele.

ORACIONES CONCESIVAS

Las oraciones concesivas expresan una dificultad para que se cumpla la oración principal, pero no lo impiden.

▶ CONECTORES

INDICATIVO

- **(aun) a sabiendas de que:** significa 'aunque + saber'. Uso culto.

  El general atacó al amanecer, aun a sabiendas de que arriesgaba la vida.

- **si bien:** restringe una afirmación general. Registro formal.

  Al leer el comunicado se confundió, si bien nadie se dio cuenta.

- **y eso que:** destaca la acción expresada por el v. princ. Lengua hablada.

  No le dieron el trabajo, y eso que era el mejor preparado.

SUBJUNTIVO

- **por mucho (a, os, as)** (+ sust.) **+ que:** tiene valor intensivo.

  Por mucho que digas no te dejaré ir a ese lugar.

- **por (muy)** + adj. o adv. **+ que:** tiene valor intensivo.

  Siempre acaban engañándote, por muy listo que te creas.

- **aun a riesgo de (que):** introduce una acción que el hablante considera negativa, perjudicial, temeraria. Uso culto.

  No fue al médico, aun a riesgo de que se le infectara la herida.

- **así:** *Irás a la escuela, así tenga que llevarte en brazos.*

GERUNDIO

- **aun:** *Se entretuvo a hablar con sus amigos aun sabiendo que sus padres lo estaban esperando.*

INDICATIVO/SUBJUNTIVO/INFINITIVO

- **aunque:** conector de uso más general.

  Tienes que comer aunque no tengas ganas.

- **a pesar de (que):** alterna con *aunque.*

  Siempre está de buen humor, a pesar de haber sufrido mucho.

- **pese a (que):** alterna con *aunque.*

  Asistió a la reunión, pese a estar enfermo.

- **por más** (+ sust.) **+ que:** tiene valor intensivo.

  No te daré la clave de la caja fuerte por más que insistas.

Uso de los modos en los casos de alternancia

INDICATIVO: Sé que es verdad e informo del hecho (información nueva para el oyente).

SUBJUNTIVO:
- No sé si es verdad o sé que es falso.
- El oyente y yo sabemos que es verdad (información compartida).

CE 11 ⑩ Escribe el verbo en la forma adecuada.

1. Invirtió todo su dinero aun a sabiendas de que el negocio (ser) .... muy arriesgado.

2. Se comporta como un cretino, por mucha educación que (recibir) ....

3. Atravesó la frontera durante la noche, aun a riesgo de (perderse) .... y (morir) .... de frío.

4. Escucharás todo lo que he venido a decirte, así (tener) .... que atarte a la silla.

5. Hay cosas que jamás cambiarán, por mil años que (pasar) ....

6. Elvira acudió con puntualidad a la cita, y eso que sus padres le (prohibir) .... esa misma mañana que volviera a verlo.

7. Estaba muy preocupado por la tardanza de Gema, si bien no le (decir) .... nada a su madre para no preocuparla.

8. Vivía en una casucha de alquiler, aun (tener) .... dinero para vivir como un rey.

9. Mercedes se ha ido de vacaciones a Egipto, y eso que (decir) .... que no tiene dinero ni para comprarse unos zapatos.

10. Enrique no ha asistido hoy al trabajo, aun a riesgo de que el jefe (enterarse) .... y lo (despedir) ....

CE 12, 13, 14 ⑪ La historia de Elvira es una más entre tantas, por más que ella se empeñe en considerarla "digna de ser llevada al cine".

Elvira pertenecía a una familia de clase alta venida a menos, de esas que intentaban ocultar por encima de todo su caída económica, aunque siempre lo negaran. Fue a los mejores colegios, se vestía en las tiendas más selectas, frecuentaba reuniones de la aristocracia; lo tenía todo. No obstante, aunque nada le faltaba, no era feliz, deseaba algo más: quería emociones, aventuras, riesgo. Por eso, en cuanto conoció a Felipe se dio cuenta de que con él podría obtener todo aquello que no tenía, pese a que lo había buscado constantemente. Felipe era minero, hijo y nieto de mineros, contestatario y con ganas de hacer la revolución. Se conocieron en un bar, durante unas fiestas patronales que sus padres odiaban y a las que asistía cada año, a pesar de que a ellos no les pareciera lo más adecuado para una joven de su clase. A ella no le importaba la opinión de su familia, y aunque se lo hubieran prohibido habría ido. Una semana después se casaron, y su padre, a pesar del disgusto que le dio, no la desheredó. Su madre, sin embargo, lo aceptó peor, y decía constantemente: "aunque seas mi hija, jamás te perdonaré lo que me has hecho". Fue así como Elvira empezó en el mundo de la política, en el que se mantuvo gracias a las constantes intervenciones de su padre, por más que ella no lo quiera admitir. Su matrimonio duró sólo dos años, según ella porque su marido jamás entendió que la revolución tenía que hacerse desde arriba, aunque se hiciera para los de abajo. Actualmente es eurodiputada, y, a pesar de que su vida haya estado llena de renuncias, no se arrepiente. Ahora que se aproximan las elecciones asegura que, aunque algún día la echen, seguirá trabajando por sus ideales, y, por más que su familia se lo pidiera, no renunciaría a ello.

Clasifica las oraciones concesivas del texto según lleven indicativo o subjuntivo. A continuación, anota el valor temporal de cada una.

VALORES TEMPORALES			
INDICATIVO		SUBJUNTIVO	
ejemplo	valor temporal	ejemplo	valor temporal

12 Pon el verbo en la forma correcta.

A: ¿Has visto a Raúl? Espero que no le hayas dicho nada de lo de su despido.

B: No, no lo he visto, pero aunque lo *(ver)* ...., no le habría dicho nada. No soy tan cruel.

A: Mira lo que dice el periódico.

B: ¿Qué dice?

A: Anuncia lluvias para el fin de semana. ¡Qué fastidio!

B: Pues yo me voy a la playa, aunque *(llover)* .... y *(tronar)* ....

A: ¿Qué pasó con Rosa? ¿Se casó con Paco?

B: Sí, en el verano del 75, a pesar de que toda la familia le *(decir)* .... que ese matrimonio estaba condenado al fracaso.

A: Yo jamás me casaría con un hombre como él, por mucho que me *(jurar)* .... que piensa cambiar.

A: Mi tío es un hombre testarudo. Fuma y fuma a pesar de que el médico se lo *(prohibir)* ....

B: Yo no entiendo a los fumadores; siguen con el vicio aunque *(saber)* .... que es peligroso para la salud.

A: Dicen que es millonario, aunque no lo *(parecer)* .... Vive en una gran mansión a las afueras.

B: Pues aunque *(tener)* .... mucho dinero se comporta de una manera mezquina y ruin. Desconoce las normas mínimas de comportamiento.

A: El dinero no está ligado a la buena educación, por más que algunos *(creer)* .... lo contrario.

13 Completa las oraciones con los conectores que te proponemos.

por más… que, aun a riesgo de (que), así, por muy… que, aun a sabiendas de (que), y eso que, aun, si bien, a pesar de (que), pese a (que)

1. El doctor llevó a cabo el experimento en su propio cuerpo, ... podía fracasar y morir víctima de la infección.
2. A la mañana siguiente volvió a llegar tarde, ... le habían avisado de que el jefe estaría esperándolo.
3. .... queriéndola con todo su corazón, la hacía sufrir con sus celos infundados.
4. Las plantas se han secado, ... agua .... les he echado.
5. Salieron en defensa de los presos, ... ser ellos también acusados de traición.
6. El juez Garrido no mostraba jamás condescendencia, ... le imploraran perdón de rodillas.
7. Esta sustancia no perjudica el medio ambiente, ... puede resultar tóxica en determinadas circunstancias, por lo que se aconseja extremar la precaución.
8. ".......... lejos .... te vayas te encontraré", fueron sus palabras mientras el tren se alejaba.
9. No consigue salir de la depresión en la que se encuentra, ... intentarlo con fuerza.
10. No consiguió la plaza de notario que tanto ansiaba, ... se preparó durante años para ello.

14 ¿Qué es lo que jamás harías? Relaciona y forma oraciones.

▶ *aunque*
▶ *por mucho, a, os, as + sustantivo + que*
▶ *a pesar de que*
▶ *por más que*
▶ *aun a riesgo de que*

▶ prometer la luna
▶ asegurar una experiencia inolvidable
▶ regalar diamantes
▶ vivir siempre solo
▶ aumentar el sueldo

ORACIONES FINALES

Conectores	Uso de los modos
- para (que): de uso general. **- a fin de (que), con el fin de (que), con el propósito de (que), con la intención de (que), con (el) objeto de (que):** preferentemente en la lengua formal. Se utilizan cuando nos referimos a acciones, frente a *para (que)*, que puede referirse a personas, acciones, cosas. *La cuchara sirve para comer.* *He venido con el propósito de conocer toda la verdad.* **- a (que):** sólo cuando el v. princ. es de movimiento, aunque no todos los verbos de movimiento admiten la construcción con *a (que)* (*caminar, andar, pasear, saltar, viajar*). Se construyen con este conector los verbos que implican dirección: *venir, ir, entrar, salir, subir, bajar.* *Aquel día, todos subieron a la azotea a ver el eclipse.*	• Sujeto del v. princ. = sujeto v. subor. → INFINITIVO *Tenemos que vernos pronto para hablar sobre el asunto de María.* • Sujeto del v. princ. ≠ sujeto v. subor. → SUBJUNTIVO *Tenemos que vernos pronto para que me hables del asunto de María.* Hay verbos que pueden construirse con infinitivo aunque su sujeto sea distinto al del v. princ. Por su significado se sobreentiende la existencia de dos sujetos: *designar, elegir, escoger, llamar, llevar, nombrar, proponer, reelegir, seleccionar, traer.* *Propusieron a Tomás para presentar el acto.*

15 Completa las siguientes oraciones con un conector final y con la forma adecuada del verbo.

1. Ha puesto por escrito las instrucciones .... nadie *(cometer)* .... errores.

2. Van a abrir un nuevo carril de circulación .... *(evitar)* .... las aglomeraciones de vehículos en la entrada de la ciudad.

3. Vamos todos a su oficina .... nos *(explicar)* .... la razón de la bajada de sueldo.

4. Hay algunos deportes que se practican .... *(jugarse)* .... la vida.

5. Escogieron al General Rimando .... *(pacificar)* .... la zona, pues él tenía mucha experiencia en labores similares.

6. La familia Rossi se dirigió hacia tierras desconocidas .... alguien les *(dar)* .... la oportunidad de trabajar.

7. Han abierto una oficina de asesoramiento .... los consumidores *(poder)* .... informarse bien de sus derechos.

8. Viene todos los días a estas horas .... le *(dar)* .... algo de comida. Es un perro listo.

9. Una sopera es un recipiente profundo que sirve .... *(echar)* .... la sopa, y un tenedor es un instrumento con un mango y varias puntas iguales en uno de sus extremos que se utiliza .... *(pinchar)* .... los alimentos.

10. Entre todos eligieron a este cantante .... *(representar)* .... a España en el festival de Eurovisión.

16 En equipos, el profesor proporcionará a cada uno nueve palabras (una por cada casilla); un miembro de cada grupo adivinará de qué palabra se trata con la ayuda de sus compañeros, que le explicarán para qué sirve utilizando el conector que aparece en la casilla seleccionada.

EQUIPO A

1	2	3
para que	para	para que
para	con el fin de	con la intención de que
con el objeto de	con el fin de que	para

EQUIPO B

1	2	3
con el fin de	para que	con el fin de que
con el objeto de que	con la intención de que	para que
para	para	con la intención de

EQUIPO C

1	2	3
con el objeto de	con el fin de que	para
con el objeto de que	con la intención de que	para que
para	para que	con el propósito de

17 Completa los siguientes titulares de prensa.

EL PRÓXIMO JUEVES SE CELEBRARÁ UNA REUNIÓN DE PROFESORES CON EL OBJETO DE QUE _____

LA FAMILIA DEL FUTBOLISTA HA CONVOCADO UNA RUEDA DE PRENSA CON LA INTENCIÓN DE _____

EL ALCALDE DE LA CIUDAD HA DECIDIDO CONSTRUIR UN NUEVO PARQUE CON EL FIN DE QUE _____

LA CANTANTE VISITARÁ NUESTRO PAÍS CON EL PROPÓSITO DE QUE _____

EL MINISTRO DE TRABAJO HA PROMETIDO QUE MANTENDRÁ UNA REUNIÓN CON LOS SINDICATOS A FIN DE _____

▶ **OTROS CONECTORES QUE INTRODUCEN ORACIONES FINALES**

VALORES	- **de forma que, de manera que, de modo que:** expresan finalidad con
- **que:** propio de la lengua hablada. Normalmente en la oración principal se expresa una orden, ruego o consejo.	matiz modal (explica el motivo por el que algo se hace de determinada manera).
Vamos rápidamente, que no perdamos el tren.	*Salieron de la sala en silencio y lentamente de manera que nadie se*
- **por(que):** expresa finalidad con un matiz causal.	*fijara en ellos.*
Quería montar en globo por saber qué se sentía.	
Te traigo este libro porque veas cómo se hace el ejercicio.	**USO DE LOS MODOS**
- **no sea/fuera que, no vaya/fuera a ser que:** conector de uso en lengua oral de gran expresividad; significa 'para que no'. Tiene también	Todos estos conectores se construyen con subjuntivo; algunos pueden ir con indicativo, pero tienen otro valor:
valor causal + probabilidad = *por si acaso* ('porque quizás').	• *que, porque* + indicativo: causa.
Baja de ahí, no sea que te vayas a caer.	• *de forma que…* + indicativo: consecuencia.

18 Forma frases uniendo elementos de cada columna.

▶ Ponemos en su conocimiento estos datos	no vaya a ser que	todos los jóvenes estén bien informados.
▶ Consulta a un médico,	de modo que	abra una investigación al respecto.
▶ Sal de casa temprano	a que	nos explique el porqué de la bajada del salario.
▶ Marina volvió a la casa de sus padres solo	a fin de que	vieran lo feliz que estaba.
▶ Se puso gafas oscuras y peluca	por que	vea él qué es lo mejor para ti.
▶ Van a abrir una nueva oficina de asesoramiento	con objeto de que	llegues tarde a la entrevista.
▶ Señor director, hemos venido todos	que	nadie la pudiera reconocer.

CE 17, 18, 19 **19** ¿Cuáles de las siguientes oraciones expresan finalidad?

1. Bueno, mucha suerte en el examen. Y que no sea difícil.

2. Llena el depósito de gasolina, que esta noche suben nuevamente los precios.

3. Construyeron la casa de manera que soportara huracanes de baja intensidad y pequeños temblores de tierra.

4. Todos fueron a su casa por ver cómo era el recién nacido y a quién se parecía.

5. Ve con tus hermanos, que todos vean que sois una familia unida.

6. Estudia, no sea que mañana el profesor os ponga un examen "sorpresa".

7. Anduvo durante dos días seguidos, de forma que cuando llegó no podía apenas ni hablar.

8. Fue detenido y encarcelado por cometer varios delitos contra la salud pública.

LA CARTA COMERCIAL

Ramón Sirera Martín
Avenida de los Mártires, 8, 3.º A
Tel.: 305 444 796
19001 Guadalajara

Guadalajara, 10 de mayo de 2007

Decoraciones TERRA

C/ Gran Vía, 15

28013 Madrid

Asunto: Oferta de empleo

Ref.: 145 / LE

Estimados señores:

Me pongo en contacto con ustedes en relación con su anuncio aparecido en *EL PAÍS* con fecha 9 de mayo de 2007, en el que solicitaban, entre otros, un decorador de interiores. Soy arquitecto técnico y tengo cinco años de experiencia en trabajos de decoración, labores que he realizado para diferentes empresas. Les adjunto mi currículum vítae debidamente detallado, que confío sea de su interés.

En espera de sus noticias y agradeciendo por anticipado su segura atención, se despide atentamente,

Ramón Sirera

Fdo.: Ramón Sirera Martín

P.D.: Durante la próxima semana estaré fuera. Si lo desean, pueden dejar recado en el contestador.

Anexo: *Currículum Vítae.*

20 Identifica en la carta anterior las siguientes partes: membrete, dirección interior, fecha, referencia, asunto, saludos, introducción, cuerpo, cierre, despedida, firma, posdata, anexo.

FÓRMULAS Y CONVENCIONALISMOS

Saludos

- Estimado señor / Estimada señora / Estimados señores / Estimado señor Pérez
- Estimado cliente / Estimado accionista / Estimada candidata

Introducción

Solicitar. Ofrecer servicios, productos.

- Me dirijo a Ud. para ofrecerle / indicarle / con referencia a…
- Tengo el gusto de ponerme en contacto con Uds. para…
- Por la presente queremos informarles de que…
- Nos es grato comunicarle que / poner en su conocimiento que / dirigirnos a Ud. para…
- Nos complace comunicarle que…

Contestar.

- Con esta fecha acusamos recibo de su carta…
- Hemos recibido su escrito, fechado el día…
- En contestación a su carta de fecha / del día…

Presentar una queja / reclamación.

- Nos vemos obligados a / en la obligación de…
- Nos vemos en la necesidad de solicitar una aclaración de…
- Lamentamos informarles que devolveremos la mercancía…

Cierre

- Agradeciendo de antemano su colaboración…
- Agradeciendo su amabilidad…
- En espera de sus gratas noticias…
- Esperando tener la ocasión de saludarlo pronto…
- Sin otro particular…

Despedida

- Atentamente / Lo saluda atentamente
- Le envía un cordial saludo / Reciba un cordial saludo / Cordialmente

CE 20 **21** Completa la carta con las expresiones que te damos, conjugando los verbos según corresponda.

- ▶ rogar disculpar
- ▶ acusar recibo
- ▶ haberse efectuado
- ▶ lamentar comunicar
- ▶ saludar atentamente
- ▶ anular pedido
- ▶ suponer el menor perjuicio posible
- ▶ ser archivada
- ▶ ser posible subsanar

COMERCIAL SALGADO
Serrano, 76
28019 MADRID

19 de noviembre de 2007

José Luis Estévez Arosa
Quintana, 43
33600 La Toja (Pontevedra)

Estimado cliente:

.... de su carta del 11 del actual, en la que nos comunica la .... fechado en agosto.

Hemos efectuado las pertinentes comprobaciones y .... que la orden confiada a nuestro representante .... entre las expedidas sin que en su caso, por un error accidental, ... el envío de las mercancías.

Comprendemos que en fechas tan avanzadas no .... esta omisión –que en futuras ocasiones sabremos evitar– y consideramos el pedido como no formulado.

Le .... este incidente inhabitual, el cual deseamos que le .... y nos reiteramos a su servicio para cuanto tenga a bien disponer en lo sucesivo.

Aprovechamos gustosos la ocasión para ....,

COMERCIAL SALGADO

Equipo de Economistas DVE, *El gran libro de la moderna correspondencia comercial* (texto adaptado).

22 Lee las siguientes ofertas, elige una y escribe una carta pidiendo información (horarios, precios, cualificación del profesorado, titulación, duración, asistencia, etc.).

ESCUELA DE CRIMINOLOGÍA

Centro autorizado

Enseñanza a distancia

Diploma superior en Criminología
3 cursos - 1.800 horas lectivas
Diploma equivalente a título de diplomado universitario para miembros de las Fuerzas y Cuerpos de Seguridad

Información: tel. 930 300 237

CURSO DE DIRECCIÓN DE CINE, VÍDEO Y TELEVISÓN

Teórico-práctico a distancia

- Tecnología de vídeo y televisión
- Técnicas operativas (vídeo y TV)
- Dirección de fotografía
- Técnicas de iluminación
- Diseño y organización de la producción audiovisual
- Lenguaje y narrativa audiovisual
- Técnicas de realización

Solicitar información a: tel. 930 300 236

CE 21 **23** Dividid la clase en cuatro grupos. Cada equipo recibirá una tarjeta con la descripción de una situación determinada a partir de la cual debe escribir una carta. Esa carta será recibida por otro grupo, que tiene que contestar dando algún tipo de explicación y disculpándose.

24 Vamos a comprobar si tenéis buenas dotes para la persuasión. Para ello, en grupos de tres o en parejas, vais a escribir una carta publicitaria donde se describan las cualidades, propiedades, ventajas, etc., de uno de estos productos.

▶ Programa informático de traducción automática, capaz de traducir al español textos (escritos y orales) en más de 50 lenguas, entre ellas, latín y griego clásicos, swahili…

▶ Cliente: un pequeño pueblo gallego

▶ Aire acondicionado

▶ Cliente: población de Alaska

▶ Colección de 50 compactos de música lúdico-festiva (samba, sevillanas, canciones del verano…)

▶ Cliente: un convento de clausura

▶ Coche de segunda mano

▶ Cliente: el presidente de una empresa automovilística

25 ¿Qué saludos y fórmulas de introducción utilizarías en las siguientes situaciones?

1. Carta a Iberia para ofrecer tus servicios como piloto de vuelo experimentado.
2. Carta a un distribuidor de productos de la empresa en la que trabajas con el que hace tiempo que mantenéis relaciones comerciales.
3. Carta a amas de casa con el fin de ofrecer un nuevo producto para la limpieza del hogar.
4. Carta a uno de vuestros proveedores para informarle de que habéis recibido el último pedido.
5. Carta al presidente de la entidad bancaria en la que trabajabas para quejarte por la reciente fusión con otra entidad y los despidos subsiguientes.

26 **Escucha y relaciona.**

CD2: 1

- ► Horario laboral
- ► Puesto
- ► Plantilla
- ► Sueldo
- ► Comité de empresa
- ► Pagas extraordinarias
- ► Contrato por cuenta ajena
- ► Autónomo
- ► Desempleo
- ► Retenciones

► Órgano compuesto por los representantes elegidos por los trabajadores de una empresa para defender sus intereses.

► Remuneraciones dobles que se perciben dos o tres veces al año.

► Falta de empleo o trabajo.

► Tiempo de inicio, desarrollo y finalización de la jornada de trabajo.

► Acuerdo por el que una persona se compromete a trabajar para otra a cambio de una remuneración.

► Salario; retribución de un empleado.

► Función o posición que ocupa una persona en una organización.

► Descuento de dinero en un pago o en un cobro.

► Conjunto de empleados de una empresa o centro.

► Persona que trabaja por su cuenta, sin depender de otra.

  27 **Busca los siguientes términos en la sopa de letras y explica su significado.**

- ► salario
- ► retribución
- ► empleo
- ► jornada
- ► cotizar
- ► cargo
- ► funcionario
- ► contratar
- ► comisión
- ► experiencia
- ► promoción

A	X	D	V	Y	F	R	E	B	N	H	T	J	K
G	N	G	T	M	M	E	N	A	S	X	C	D	G
F	Q	E	S	E	D	T	O	C	A	D	F	H	Ñ
U	E	S	A	L	A	R	I	O	A	D	B	N	M
N	E	Z	Z	X	C	I	S	T	I	Q	W	J	K
C	A	M	B	D	C	B	I	I	C	T	W	V	R
I	T	R	P	E	W	U	M	Z	N	Q	D	A	B
O	Y	U	I	L	O	C	O	A	E	P	T	A	S
N	C	J	H	G	E	I	C	R	I	A	G	F	D
A	A	D	A	N	R	O	J	Z	R	X	C	V	B
R	R	S	D	F	G	N	H	T	E	K	Ñ	M	N
I	G	A	Q	W	E	R	N	T	P	Y	U	I	O
O	O	S	S	D	F	O	G	H	X	J	L	Ñ	P
P	R	O	M	O	C	I	O	N	E	A	S	D	V

¿POR QUÉ NO SE VAN DE CASA?
Lee este texto y responde.

"¿Por qué no se va mi hijo a vivir solo?" Esta es una pregunta que se hacen cada vez más padres españoles. En los últimos años ha aumentado sensiblemente la cantidad de tiempo que los hijos permanecen en el hogar familiar. Parece ser que la vieja idea de que los jóvenes ansían abandonar el nido y volar libres e independientes por otros parajes ha dejado de ser verdad, por lo menos, en nuestro país. Psicólogos, sociólogos, etc. estudian el fenómeno y buscan explicaciones a esta tendencia. Todos coinciden en señalar que la situación económica es la causa principal; no hay que olvidar que el paro entre los jóvenes alcanza al 55% y que muchos de los que disfrutan de un trabajo lo hacen en situaciones no muy favorables (inestabilidad, sueldos bajos, etc.). La precariedad económica impide que los jóvenes se decidan a comprar un piso e irse del domicilio paterno. En la actualidad el precio del suelo ha alcanzado valores desorbitantes, por lo que la adquisición de un piso se ha convertido casi en un sueño inalcanzable. Por otra parte, los bancos exigen cada vez más a la hora de conceder un crédito; no quieren correr riesgos, a pesar de que, pase lo que pase, ellos jamás pierden. Vivir de alquiler tampoco es fácil debido a los altos precios que impone el mercado inmobiliario.

Pero existen otras razones que no son de índole económica aunque están relacionadas con ella: son muchos los jóvenes que cursan estudios universitarios y que, por consiguiente, no disponen de dinero propio; la edad para contraer matrimonio se ha retrasado bastante; hay un mayor acercamiento entre padres e hijos y, por tanto, una mejor convivencia. Algunos creen que se trata sencillamente de una cuestión de comodidad y egoísmo: mientras están en casa tienen todos los problemas resueltos (compras, comidas, limpieza, pagos…); bien es cierto que carecen de intimidad, deben aceptar ciertas reglas, las discusiones con los padres son inevitables, etc. Sin embargo, a juzgar por los hechos, parece ser que las ventajas son mayores que los inconvenientes. Dicen algunos sociólogos que hoy día la juventud española es apática, inmadura, no quiere asumir responsabilidades y carece de objetivos. Pero ¿no se deberá esto a que los padres son excesivamente protectores, tratan a sus hijos como a niños sin permitirles madurar, no les enseñan a enfrentarse a los problemas y no aceptan que el futuro de su descendencia pueda estar lejos o al margen del suyo?

1. Según psicólogos, sociólogos, etc., ¿cuáles son las causas por las que los jóvenes permanecen en el domicilio paterno hasta edad avanzada?
2. ¿Por qué la tasa de desempleo está tan relacionada con esta cuestión?
3. ¿De qué manera influye la forma de entender actualmente las relaciones entre padres e hijos?
4. ¿En qué medida es responsabilidad de los padres que los hijos no abandonen el hogar?
5. ¿Cómo es, en opinión de algunos sociólogos, la juventud española? ¿Qué significa esto?

 Fíjate en el siguiente anuncio.

Relaciona cada una de las palabras que aparecen en negrita con las siguientes definiciones.

AGENCIA INMOBILIARIA *HOGAR, DULCE HOGAR*

¿Quieres comprarte un piso? No te preocupes: nosotros gestionamos tu **préstamo** sin necesidad de **aval** con el **interés** más bajo del mercado. Con una simple **hipoteca** es suficiente para lograrlo. Nosotros te **financiamos**, además, los **gastos notariales**, de **tasación**, etc. Deja ya de **ahorrar** mes a mes y olvídate de la vieja **cartilla**. Ven y buscaremos el mejor crédito-vivienda para ti.

También disponemos de pisos en **alquiler** a precios increíbles. Si tu **poder adquisitivo** no es muy alto, nosotros tenemos lo que necesitas.

▸ Remuneración que se paga o se recibe por el uso temporal del dinero.
▸ Contrato por el que una parte concede a otra el uso temporal de una cierta cantidad de dinero a cambio del pago de intereses.
▸ Cosa o persona que responde o garantiza el pago de una obligación financiera.
▸ Contrato por el que se garantiza el pago de un crédito mediante un bien inmueble, títulos, valores, etc.
▸ Precio o valor que se pone a algo.
▸ Pequeño cuaderno en el que se registran los movimientos de dinero que una persona tiene en un banco.

▸ Uso que se hace de algo por un tiempo determinado a cambio de una cantidad de dinero acordada y bajo ciertas condiciones. Dinero que se paga por ello.
▸ Poner el dinero necesario para pagar los gastos de una actividad o de una obra.
▸ Cantidad de dinero que se paga a una persona autorizada para asegurar que un documento es verdadero y legal.
▸ Guardar dinero para el futuro; gastar menos de lo previsto.
▸ Capacidad económica.

30 En el ámbito de las finanzas encontramos muchos términos y expresiones que se han creado a partir de la unión de dos o más palabras. ¿Cuántos eres capaz de formar?

- pagar
- cuenta
- caja
- talón
- plazo
- corto
- orden
- renta
- letra
- tarjeta
- rentabilidad
- cheque
- efecto
- seguro
- libreta
- balanza

de

en

ø

- ahorros
- comercial
- variable
- efectivo
- fijo
- viaje
- cruzado
- corriente
- financiera
- plazo
- pagos
- crédito
- pago
- vida
- cambio
- ahorro

CE 23, 24, 25 **31** En parejas.

ALUMNO A

1. Pide a tu compañero que te defina los siguientes términos y anota sus respuestas. A continuación, comprueba con el diccionario los resultados.

- pago aplazado: _____
- cheque de viaje: _____
- préstamo: _____
- hipotecar: _____
- vencimiento: _____

2. Ahora, define tú los términos que te diga tu compañero. Piensa antes de contestar, porque sólo tienes una oportunidad.

ALUMNO B

1. Define los términos que te diga tu compañero. Piensa antes de contestar, porque sólo tienes una oportunidad.

2. Ahora, pídele tú a tu compañero que te defina los siguientes términos y anota sus respuestas. A continuación, comprueba con el diccionario los resultados.

- pago al contado: _____
- financiar: _____
- interés: _____
- sucursal: _____
- saldo: _____

32 La redacción del periódico *El Universo* te ha pedido que escribas un artículo de opinión sobre por qué los jóvenes no se van de casa, y a la vez que expliques cuál es la situación en tu país.

El Universo

¿Por qué no se van los jóvenes de casa? ¿Han dejado de anhelar la independencia? ¿Es realmente el dinero la clave de la cuestión o se trata de una cuestión de egoísmo y de comodidad? Hemos hablado con ....
.... para saber su opinión y conocer la situación en su país y esto es lo que nos ha contado:

_____ _____
_____ _____
_____ _____
_____ _____
_____ _____
_____ _____

33 **Lee este texto.**

LA ENTREVISTA DE TRABAJO

La entrevista de trabajo es un acto que debe prepararse con detenimiento, pues hay que evitar en la medida de lo posible la improvisación. La primera cuestión que tendremos en cuenta es el de nuestro aspecto y, así, intentaremos ir elegantes pero discretos. Llegar con puntualidad es esencial: presentarse mucho antes daría la impresión de una terrible ansiedad, mientras que, si llegamos tarde, inspiraríamos poca confianza. Durante la entrevista hay que lograr un equilibrio entre hablar sin parar y no decir apenas nada. En este sentido, no hay que olvidar que la entrevista es una conversación en la que debe haber fluidez, si bien uno de los participantes impone las pautas y la dirección que debe seguirse. No hay que caer en el error de pensar que si hablamos mucho conseguiremos convencer al entrevistador de lo maravillosos que somos; solo lograremos levantarle dolor de cabeza y que piense de nosotros que somos vanidosos. Si, por el contrario, nos limitamos a la mínima información posible, lo obligaremos a hacer un esfuerzo doble, por lo que acabará tan agotado que no querrá vernos en mucho tiempo. Nunca debe parecer que dudamos al contestar, y mucho menos que cambiamos de opinión ("Sí, sí. ¡Ay!, no, ahora que me acuerdo, no, no"). Por supuesto, si existiera contradicción en algunas respuestas, podríamos darlo todo por perdido. No hay mejor recurso para evitar tales problemas que la sinceridad, aunque en algunos casos nos permitamos una ligera exageración. Es también muy aconsejable conocer a la perfección nuestro historial profesional o currículum vitae, pues ello contribuirá a aumentar nuestra credibilidad. Si nos preguntan acerca de las empresas en las que hemos trabajado anteriormente evitaremos hacer crítica alguna por muy mal que nos haya ido. Así mismo, hay que tratar de no hablar de dinero, por lo que, ante una pregunta de este tipo, intentaremos desviar con elegancia la conversación hacia otro tema o diremos algo que no nos comprometa. Finalmente, sería de gran ayuda para el candidato que realizara previamente algunos ejercicios prácticos de adivinación, pues la entrevista es, por encima de todo, un complejo juego de adivinanzas: "Adivina con qué intención pregunto esto; adivina qué es lo que quiero oír".

Superar con éxito una entrevista de trabajo depende mucho de lo que hagamos y digamos, pero más aún de lo que dejemos de hacer. En parejas, estableced los diez aspectos fundamentales que debemos tener en cuenta cuando vamos a una entrevista. Después, entre todos, comparad los resultados.

1. _____
2. _____
3. _____
4. _____
5. _____

6. _____
7. _____
8. _____
9. _____
10. _____

34 **La Buena Fiesta, empresa de servicios dedicada a la organización de fiestas de todo tipo, ha seleccionado a tres candidatos para cubrir un puesto de payaso. Escuchad las entrevistas que realiza. Decidid en pequeños grupos cuál es el candidato idóneo y por qué.**

CD2: 2

LA BUENA FIESTA

Empresa líder en la organización de fiestas y eventos lúdicos
necesita PAYASO

Se requiere:
• Edad entre 25 y 35 años.
• Experiencia demostrable.
• Simpatía, buen trato y sentido del humor.
• Flexibilidad de horarios y de jornada laboral.

Se ofrece:
• Incorporación inmediata.
• Retribución en función de la valía del candidato, compuesta por una parte fija y otra variable, según los objetivos.

35 BASURA ME VOLVÍ

Una selección de los seis trabajos más infames del mercado laboral. Si eres licenciado y buscas empleo, aquí tienes una oportunidad única para colocarte. Biólogos que venden vajillas por teléfono, abogados repartiendo pizzas o psicólogos sirviendo hamburguesas. ¡Bienvenidos al mundo real!

DEPENDIENTE DE ALMACENES

SUELDO: 900 euros, más las comisiones.

HORARIO: 8 horas diarias.

REQUISITOS O CONDICIONES: Asistir a un cursillo de formación durante dos semanas, sin confirmación de admisión. Test psicotécnico. Más de ocho entrevistas personales y en grupo, con preguntas básicas, y supuestamente confidenciales, tipo: "Orientación sexual. ¿Tienes novio/a? ¿Con quién te llevas mejor, con tu padre o con tu madre?". Aseguran que las respuestas no influyen en la selección. Tras el síndrome de Estocolmo, producido por el exceso de preparación, esperas 6 meses a que te respondan. En ese tiempo puedes haber formado una familia, encontrado un trabajo más accesible o haber perdido la esperanza y la paciencia.

VENTAJAS: El sueldo base supera la media de los trabajos basura. Puedes ser contratado sólo para campañas y así compaginarlo con otras actividades.

INCONVENIENTES: Soportar a los clientes y llegar a congratularte de pertenecer a una gran familia.

BUZONEADOR

SUELDO: 21 euros diarios.

HORARIO: 7 horas, mañana o tarde.

REQUISITOS O CONDICIONES: Ninguno.

VENTAJAS: Dinero fácil y rápido, sin formación previa.

INCONVENIENTES: Cargar con una mochila llena de propaganda que nadie lee. Los buzoneadores llevan un mapa por zonas, y van tachando los números de los portales en los que ya han entrado. Pero algunos de los números son falsos, y así se comprueba si han pasado realmente por las calles asignadas. Los supervisores se encargan en algunas ocasiones de seguir al buzoneador... (ya podían echar una mano). Se trata de poco dinero para el esfuerzo que supone luchar con los porteros y recibir negativas constantes de los vecinos a la hora de abrir el portal.

BECARIO

SUELDO: 460 euros mensuales.

HORARIO: Mínimo, 5 horas; máximo, más de 12 al día.

REQUISITOS O CONDICIONES: Estar haciendo un máster o estudiando la carrera.

VENTAJAS: Son los más *afortunados* entre los trabajadores basura. Por lo menos, se trata de algo cercano a la profesión que quieren ejercer.

INCONVENIENTES: Trabajan con entusiasmo muchas horas, cobran poco o casi nada y se les exigen las mismas responsabilidades que al resto de los empleados. Las condiciones laborales y el trato *humano* suelen ser lamentables. Con suerte, puede que les renueven el contrato, aunque lo habitual es encontrarse en la calle, con dos duros y una experiencia que ya se encargarán de convertirla en *irrepetible*.

REPARTIDOR DE TELEPIZZA

SUELDO: 800 euros, más incentivos.

HORARIO: 47 horas semanales.

REQUISITOS O CONDICIONES: Ellos, para variar, deben ir afeitados.

VENTAJAS: Compatible con los estudios u otro trabajo. Incentivos altos.

INCONVENIENTES: Trabajan a la intemperie, llueva, hiele o nieve. Es al que le caen las broncas si la pizza llega equivocada o tarde; el que se expone a sufrir un accidente con la moto o a ser atracado (la empresa solo se hace responsable de los dos últimos pedidos asignados). Pero es uno de los puestos más solicitados por los jóvenes.

CANGURO

SUELDO: 3,01 euros la hora.

HORARIO: 4 horas, 5 días a la semana.

REQUISITOS O CONDICIONES: Suelen buscar sólo mujeres, preferentemente responsables y de confianza.

VENTAJAS: No debería ser una ocupación estresante; todo depende, claro, de la/s fiera/s a la/s que te toque cuidar. Así que, en principio, puedes leer un libro tranquilamente mientras el niño se come las macetas o se embrutece viendo (por enésima vez) el vídeo de Pocahontas.

INCONVENIENTES: Requiere muchísima responsabilidad y el horario depende de la formalidad de los padres, de la que carecen en la mayoría de las ocasiones. Olvídate de llevar el novio a casa (eso solamente pasa en las películas) y de darte el gran atracón asaltando la nevera. Y si al final acabas detenida por infanticidio, no digas que no te hemos avisado.

CAMARERO EN RESTAURANTE

SUELDO: 550 euros.

HORARIO: 20 horas, los fines de semana.

REQUISITOS O CONDICIONES: Ellos, afeitados; ellas, sin pendientes grandes, zapatos abiertos, esmalte o anillos.

VENTAJAS: Puedes trabajar o estudiar durante el resto de la semana. El sueldo no está mal comparado con lo que ofrecen en otros empleos.

INCONVENIENTES: En algunas ocasiones, y dependiendo de la empresa, los *pluses* de los trabajadores se suprimen si no se ha recaudado lo previsto. Si hay que escatimar gastos, mejor quitárselo a los que menos cobran, que ya están acostumbrados.

36 **Lee este texto.**

"¡Oye, niño! Y tú, ¿qué quieres ser de mayor?" Esta es una pregunta que se hace constantemente a los niños durante su infancia y parte de su adolescencia (la crueldad de la sociedad no tiene límites). En un pasado no muy lejano era habitual que los niños quisieran ser bomberos, policías, astronautas, camioneros e, incluso, sacerdotes, y que las niñas se inclinaran por la enseñanza, la enfermería, la peluquería y, cómo no, vestir los hábitos. En la actualidad parece que las preferencias han variado un poco, y así, frente a profesiones un tanto vocacionales, se eligen otras más lucrativas y rentables: futbolista, modelo, famoso, cantante, banquero, ministro…

Y a vosotros, ¿qué os gustaría ser "de mayores"? ¿A qué actividad nunca os dedicaríais? Elaborad entre todos una lista con las cinco mejores profesiones y las cinco peores.

LAS MEJORES PROFESIONES	LAS PEORES PROFESIONES

37 **EL ÉXITO DE LA CONVERSACIÓN**

En toda conversación existe una serie de elementos que indican el inicio y el fin, los cambios de turno de palabra, el mantenimiento de la atención del oyente, el grado de interés o desinterés, etc.

1. Escucha con atención y completa el cuadro.

CD2: 3

iniciar la conversación	pedir el turno de palabra	robar el turno de palabra	demostrar el mantenimiento de la atención	mostrar desinterés
ganar tiempo para pensar	ceder el turno de palabra	llamar la atención del oyente	mostrar interés	concluir la conversación

2. Lee la siguiente conversación.

A: ¡Hola!
B: ¡Hola!
C: ¡Buenos días!
A: El próximo mes me voy de vacaciones.
B: ¿Dónde vas?
A: Voy a la India, porque nunca he estado y tengo ganas de conocerla.
....
C: Yo estuve en una ocasión.
....
C: Me gustó mucho, pero tuve mala suerte en el viaje.
B: ¿Por qué?
C: Perdí la cartera con toda la documentación y, además, me caí y me torcí un tobillo.
....
B: Dicen que el mes que viene habrá huelga de pilotos.
A: No he oído nada.
....

A: ¿Tú sabes algo? Como trabajas en la radio…
C: No.
....
B: Hay un programa en la radio con música las 24 horas.
....
B: Ponen música de todos los estilos.
....
B: A veces, cuentan anécdotas e historias interesantes… Otros días lo que hacen es dedicar algunas horas a un cantante o grupo y cuentan su vida y su trayectoria musical… Es muy interesante.
....
A: Me gustan el jazz y el blues.
C: Prefiero el pop.
....
A: Son las 10. Me voy. Adiós.
B: Adiós.
C: Adiós.

3. Como puedes comprobar es poco natural, ya que carece de los recursos conversacionales que estamos estudiando. En parejas, añadidle los elementos necesarios.

ENTONACIÓN II: AUTOCORRECIÓN FONÉTICA

En esta lección vamos a intentar analizar cuáles son tus principales dificultades con la entonación del español. Deberéis grabaros, como en lecciones anteriores, y examinar vuestros errores.

38 Copia las frases que te va a dictar tu profesor. ¿Tienes algún problema para identificar alguna de las curvas básicas?

1. Lee y graba las oraciones del ejercicio 30 de la lección 5. A continuación, escucha y compara la lectura de la audición con la tuya. ¿Eres capaz de reproducir para cada una de ellas los tres esquemas básicos?
CD2: 4

2. Lee y graba estas otras oraciones.
CD2: 5

1. ¡Vamos al teatro esta noche!
   Vamos al teatro esta noche.
   ¿Vamos al teatro esta noche?

2. ¿Me esperáis donde siempre?
   ¿Dónde me esperáis?

3. ¡No habla inglés!
   ¡Qué listo que es este niño!
   ¡Qué sorpresa tan maravillosa!

4. Trabajaba tanto que acabó poniéndose enfermo.
   Fueron todos a la fiesta, hasta Enrique.
   Yo sólo pido un día de descanso, uno sólo.

5. Compró regalos para todos: camisetas, bolígrafos, libros.
   Compró regalos para todos: camisetas, bolígrafos y libros.
   Camisetas, bolígrafos y libros era lo que regalaba.

6. Pedro I el Cruel fue rey de Castilla.
   Tenía tres hijos. Paco, el mayor, trabajaba en la mina.

Mi vecino, el de la librería, ha comprado una casa nueva.
Los niños, abandonados, fueron llevados a orfanatos.
Las casas afectadas fueron desalojadas rápidamente.
Cinco días después huyeron los generales, que conocían el complot.
Al atardecer llegaron todos los estudiantes que tenían interés en realizar el curso.

7. Mientras yo preparaba las maletas ellos se divertían viendo la tele.
   Yo preparaba las maletas y, mientras, ellos se divertían.
   Se divertían viendo la tele mientras yo preparaba las maletas.
   A pesar de que conocía el riesgo se operó.
   Se operó a pesar de que conocía el riesgo.
   Ya que nadie quería acompañarlo se fue solo.
   Se fue solo, ya que nadie quería acompañarlo.
   Si tuviera dinero me compraría este coche.
   Me compraría este coche si tuviera dinero.

Compara tu pronunciación con la de la grabación y señala en el cuadro los errores que has cometido o los que normalmente cometes.

- Confusión entre enunciativas, interrogativas, exclamativas: Comprensión / Expresión
- Confusión de los diferentes tipos de interrogativas: Comprensión / Expresión
- Exclamativas: Comprensión / Expresión
- Tonema final absoluto poco marcado.
- Tonemas interiores de grupos fónicos muy marcados y con esquemas repetitivos.
- Suspensión tonal.

- Enfatización de elementos ("normales" / estructura en sí enfatizada).
- Consecutivas (con intensificador).
- Enumeraciones (indistinción entre la enumeración completa y la incompleta).
- Elementos explicativos (oraciones de relativo, adjetivos, aposiciones).
- Anteposición de las subordinadas.
- Otros.

39 Lee y graba este texto. Sigue las indicaciones: ↑ (ascendente), ↓ (descendente), — (suspensión), ↔ (elemento enfatizado).

Esto no puede seguir así↓. Hemos llegado a una situación insostenible↓: discusiones, insultos, reproches, mentiras. ¡Quién fuera aire↑, para desvanecerse y desaparecer↓! Quisiera borrar de mi memoria estos últimos diez años de mi vida↓, como si no los hubiera vivido↓. ¿Qué nos habrá pasado↓? ¿Por qué hemos acabado así↓? Cuando intento razonar con él↑, me repite siempre la misma tontería↓: "Como tú nunca me has querido". Y no es verdad↓; yo lo quería↓, pero a mi manera↓. Él↔ es el que jamás ha querido a nadie, solo a sí mismo↓. Qué razón tenía cuando decía↑: "Mi lema es: yo↔, ante todo"↓. Mi madre↓, que tuvo siempre un don especial para visionar el futuro↓, me lo decía una y otra vez↓: "Cásate con él↑ y te hará la mujer más desgraciada del mundo"↓. Le he propuesto en más de una ocasión que nos separemos↓, pero ¡no quiere! ↓, y no entiendo por qué↑, si él tampoco es feliz↓.

ARTE HISPANOAMERICANO

Uno de los máximos exponentes del arte hispanoamericano actual es el pintor y escultor colombiano Fernando Botero, en cuyo arte destaca el deseo de encontrar una ingenuidad aparentemente infantil. En 1960 ganó el premio Guggenheim.

El colombiano E. Ramírez Villamizar edificó unas colosales torres en las cercanías de Bogotá para que sirvieran de contraste simbólico con las desgracias que agobian al ser humano.

La pintura moderna hispanoamericana se ha caracterizado por tratar dos temas: el indigenismo y la denuncia social.

Con el muralismo comienza en México la renovación en la plástica hispanoamericana. Destacan los llamados "Tres Grandes": José G. Orozco, Diego Rivera y David A. Siqueiros. Crean obras colosales en los espacios públicos con gran contenido indigenista.

La Escuela Nacional de Artes Plásticas de Cubanacán (1962-65), construida por Ricardo Porro (nacido en 1925), es un conjunto arquitectónico considerado como la máxima expresión de la revolución cubana. Es una especie de ciudad de las artes que acoge a gran cantidad de artistas.

El pintor ecuatoriano Camilo Egas manifiesta en sus obras la denuncia social y, concretamente en *La calle 14,* considerada como una de sus obras maestras, refleja la impresión que le causó Nueva York.

La casa de Totenaca

Esteban D'Oneón ha encontrado la casa de Totenaca, pero es un lugar pequeño y absolutamente vacío. Sin embargo, resulta curioso ver lo limpio que está. Parece que alguien viniera todos los días a cuidar las hierbas que crecen en pequeños guacales en un huerto cercano. De todas formas, el lugar desprende soledad y nostalgia. Detrás de la casa se encuentra el volcán, ya extinguido, en el que se ven extraños bancales preparados para cultivar. Esteban comenzó la subida del volcán por un sendero perfectamente delineado. Daba la impresión de que estaba muy cuidado, como si todos los días marcaran el camino. Por otra parte, Esteban percibía que alguien (que no veía por ningún lado) lo observaba. Sintió miedo y decidió volver a la choza de Totenaca. Cuando entró en la única habitación que tenía, una de las tablas del suelo se partió. Entonces descubrió este dibujo. ¿Podrías ayudar a Esteban?

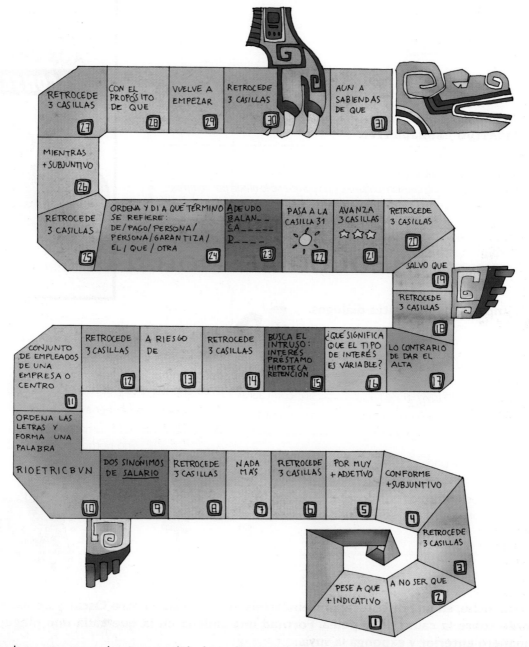

Esteban ha vuelto a encontrar la pista perdida. Inmediatamente llama a su jefe y se lo cuenta todo. Por supuesto, Mateo Helman D'On decide seguir financiando la investigación de Esteban. Cree que ya está muy cerca de conseguir su sueño más querido: ser eternamente jefe de los "medios de comunicación" que dirige en la actualidad.

(Continúa en la recapitulación siguiente.)

⇨ ¿En qué consiste el juego de palabras que da lugar al nombre del producto que se anuncia?

⇨ ¿En qué crees que consiste el plan *ACONSEJALÓ*?

⇨ Hemos eliminado a las personas del anuncio. Son estas:

- ▶ un psiquiatra
- ▶ un químico
- ▶ un matemático
- ▶ un idealista
- ▶ tú
- ▶ un economista

¿A quién corresponde cada bocadillo?

⇨ Inventa algún otro ejemplo.

ORACIONES CAUSALES

PORQUE TODO EL MUNDO DEBE MAXIMIZAR SU BENEFICIO

PORQUE ES LA MEJOR FÓRMULA PARA AHORRAR.

PORQUE QUIERES QUE ALGUIEN PAGUE TU FACTURA

RAZONES PARA ACONSEJAR ALÓ A UN EMPRESARIO... ACONSEJ ALÓ

PORQUE LA MITAD ES UNA PROPORCIÓN QUE MULTIPLICA SU FELICIDAD Y DIVIDE SUS GASTOS.

PORQUE TODO SER HUMANO TIENE DERECHO A PAGAR EL PRECIO JUSTO DE LAS COSAS.

PORQUE SU "YO" LE DIRÁ QUE ES LA MEJOR, Y SU "EGO" LE IMPEDIRÁ CONTRATAR OTRA.

▶ INDICATIVO / SUBJUNTIVO

porque, es que + indicativo

no porque, no es que + subjuntivo

> *Faltó a la cita, no porque estuviera enfermo, sino porque se le olvidó por completo.*
>
> *No es que estuviera enfermo, es que se le olvidó.*

Solo *por, porque* y *es que* admiten la negación, por lo que los demás siempre van seguidos de indicativo.

CE 1

① Completa los siguientes diálogos.

A: No es que me *(importar)* ...., pero ¿con quién fue Carlos a la fiesta?

B: Con Ana.

A: ¡Cómo!, ¿es que no *(querer)* .... salir con Laura?

B: No, no es que no *(querer)* .... salir con Laura, lo que pasa es que Laura ya *(tener)* .... pareja.

A: El otro día no vi a Linda en clase de literatura, y como se había estado quejando de dolor de estómago...

B: ¡No, qué va! Se fue, no porque le *(doler)* .... nada, sino porque *(quedar)* .... con unos amigos.

A: ¿Por qué no has venido a comer a casa? Habías dicho que ibas a venir y yo, como una boba, esperándote.

B: Lo siento, es que *(encontrarme)* .... con un atasco enorme al salir del trabajo y llegué muy tarde.

A: Pues me podías haber avisado, ¿no?

B: ¡Hombre! No te he llamado, no porque no *(querer)* ...., sino porque no *(poder)* ....

② La otra noche, en una discoteca, presenciasteis una discusión entre Óscar y Sonia. No os ponéis de acuerdo sobre la causa de la pelea. Formad una cadena en la que cada uno niegue la versión del compañero anterior y exponga la suya.

Se pelearon porque Sonia quería irse ya a casa y Óscar quería seguir de marcha.

→ *No, se pelearon, no porque…, sino porque…*

→ *No, no es que…, es que…*

3 **Lee lo que dice Laura y fíjate en la frase en cursiva.**

Que conste que *no lo digo porque él sea amigo mío*. Alberto es la persona más cualificada para un trabajo de esas características. Tiene mucha experiencia en esto; estoy segura de que no os arrepentiréis.

¿Qué es lo que se niega, la causa o el verbo principal?

> ▶ **POSICIÓN DE LA NEGACIÓN**
>
> La negación de la causa puede colocarse delante del verbo principal. Cuando se niegan tanto la causa como la oración principal, puede ser suficiente poner la negación solo ante el verbo principal.

CD2: 6

4 **Fíjate en cuántas cosas se pueden decir sin decirlas realmente.**

No te lo pregunto porque a mí me interese lo más mínimo, ¡imagínate!, pero la gente empieza a decir que andas un poco distraída últimamente, que él no está aquí precisamente por sus méritos, que es una coincidencia que lleguéis tarde los mismos días…, en fin, ese tipo de cosas. Y como la empresa tiene prohibidas las relaciones entre sus empleados… Tú sabes que la gente no hace las cosas por perjudicar a los demás, vamos, que nadie se lo contaría al jefe por celos o por rabia, pero a veces se comentan las cosas en la cafetería y no te das cuenta de quién está sentado a tu lado.

1. ¿Quién crees que está hablando y con quién? ¿Qué actitud e intenciones tiene la persona que habla?

2. Señala en qué ocasiones la negación de la causa aparece delante del verbo principal.

3. ¿Cuáles de ellas podrían resultar ambiguas? Imagina situaciones en las que esas frases no estén negando la causa, sino el verbo principal.

▶ **CONECTORES CAUSALES**

porque: hace hincapié en la relación causa-efecto y aparece pospuesta (a no ser que se retome una información ya dada para enfatizarla); también puede explicar el hecho de enunciar la oración principal (necesariamente pospuesta y separada por una coma).

A: Carol está enfadada contigo porque trabajas demasiado.

B: Sí, claro, pero porque me paso el día trabajando ella puede disfrutar de la casa que siempre había soñado.

Ha dejado de llover, porque la gente ya no lleva paraguas.

pues: generalmente explica la causa por la que se enuncia la oración principal. Va pospuesta y es más culta.

Ha dejado de llover, pues la gente ya no lleva paraguas.

ya que, puesto que, dado que: existe una ligera gradación de menos a más culta. Explican la causa por la que se enuncia la oración principal o la situación previa que explica lo expresado por esta. Pueden aparecer antepuestas o pospuestas (antepuestas introducen necesariamente una información ya conocida).

Ya que tú no quieres venir, deja a Carlos que venga.

que: se usa para justificar la causa de la enunciación de la principal cuando esta expresa una decisión personal, una orden, ruego o consejo, o la respuesta negativa a un mensaje de este tipo.

Me voy, que llego tarde.

Entra, que tengo que hablar muy seriamente contigo.

Ahora no puedo, que tengo que terminar el trabajo.

es que: es propia del registro coloquial. La oración principal se sobreentiende. Se utiliza para presentar una explicación como pretexto, para justificarse o para excusarse por el rechazo de una propuesta.

A: ¿Cómo le has contestado de esa manera?

B: Es que ya me tiene harta.

C: ¿Nos vemos a la salida?

D: Es que hoy tengo demasiado trabajo.

como: presenta la situación previa que sirve de explicación a lo dicho por la principal. Aparece antepuesta, pero puede posponerse si se hace una fuerte pausa tras la principal.

Como no me llamaste creí que no vendrías.

Creí que no vendrías; como no me llamaste…

por: va seguida de infinitivo y hace hincapié en la relación causa-efecto.

Eso te pasa por meterte en lo que no te importa.

gracias a (que): expresa la razón positiva de un hecho.

Se salvó gracias a que había hecho ese curso de supervivencia.

a fuerza de, de tanto: llevan infinitivo y tienen valor intensivo, de insistencia. La primera expresa la causa de algo positivo, algo por lo que la persona ha luchado y se ha esforzado.

De tanto oír esa canción en la radio ahora no puedo quitármela de la cabeza.

A fuerza de agasajarla con regalos consiguió salir con ella.

CE 3 **5** **¿Qué forma te parece la más adecuada?**

1. ¡Qué bonito! ¡Tú aquí dentro y yo esperándote fuera!

a) ¡Hombre! Porque habíamos quedado a menos diez y eran ya las seis pensé que te habías rajado.

b) ¡Hombre! Como habíamos quedado a menos diez y eran ya las seis, pensé que te habías rajado.

2. Ayer hice yo la comida, así que hoy te toca a ti.

a) Pues ya que hoy vienen tus amigos, podías al menos echarme una mano.

b) Pues como hoy vienen tus amigos, podías al menos echarme una mano.

3. ¿Te apetece venir este fin de semana a esquiar?

a) Ya me gustaría, pero no puedo porque no tengo ni un duro.

b) Ya me gustaría, pero no puedo es que no tengo ni un duro.

4. a) No sigas por ahí, que te conozco.

b) No sigas por ahí, es que te conozco.

5. ¿Cómo has podido comprarte este piso tan fabuloso?

a) Pues de tanto trabajar.

b) Pues a fuerza de trabajar.

6. De Jorge no te puedes fiar.

a) Pues debes mantener la boca cerrada precisamente porque no te puedes fiar de él.

b) Pues precisamente porque no te puedes fiar de él debes mantener la boca cerrada.

7. a) Puesto que no ponen nada interesante en la tele, podríamos ir al cine.

b) Podríamos ir al cine porque no ponen nada interesante en la tele.

8. a) Como marca las 4 y ya ha oscurecido, se ha debido de parar el reloj.

b) Se ha debido de parar el reloj, pues marca las 4 y ya ha oscurecido.

9. a) Pues todo el mundo lo dice, será verdad.

b) Puesto que todo el mundo lo dice, será verdad.

10. a) No lo hice porque me diera miedo, ¿sabes?

b) No lo hice pues me diera miedo, ¿sabes?

6 **Completa con el conector apropiado sin repetir ninguno.**

▶ puesto que

▶ porque

▶ a fuerza de

▶ de tanto

▶ como

▶ ya que

▶ que

1. Creo que le han subido el sueldo, ... esta mañana estaba contentísimo.

2. .... estaba muy cansada, me acosté temprano.

3. .... todos sabéis la noticia, no es necesario que siga disimulando.

4. Por favor, ve tú a buscar al niño, ... hoy tengo reunión con el jefe.

5. .... quejarse y quejarse, consiguió que lo despidieran.

6. .... no queréis contar conmigo para nada, abandono el grupo.

7. Consiguió su ascenso .... mucho sacrificio y tenacidad.

7 **Sustituye *porque* por otro conector y haz los cambios necesarios sin que varíe el significado.**

1. Está disgustado, porque ni siquiera se ha interesado por Claudia.

2. Sabes que haría cualquier cosa porque fueras feliz, ¿verdad?

3. Dará marcha atrás porque esté convencido, no porque tú se lo pidas.

4. Porque tú no quieras ir, nosotros no vamos a quedarnos en casa.

5. Seguro que se dieron cuenta, porque todos me miraban.

6. La ayudaré porque me lo pida, así que ya puede tragarse el orgullo.

7. Porque te enfades no te van a dar la razón.

8. Se calló porque Carlos no quedara como un mentiroso, pero no volverá a cubrirle las espaldas.

ORACIONES CONSECUTIVAS

▶ INDICATIVO / SUBJUNTIVO

Con intensificación	El verbo subordinado siempre aparece introducido por *que*.
tan + adjetivo o adverbio	Verbo subordinado en subjuntivo si el verbo principal es:
tanto(a)(os)(as) + sustantivo	– negativo: *No hacía tanto frío (como para) que necesitáramos*
tal(es) + sustantivo	*abrigo.*
un(a)(os)(as) + sustantivo *(tan* + adjetivo)	– subjuntivo: *Quizá haga tanto frío que necesitemos abrigo.*
cada + sustantivo; equivale a *unos(as)*	– imperativo: *Muéstrate tan seguro de lo que dices que él tampoco*
de tal modo / forma / manera	*tenga dudas.*
de un modo / forma / manera (tan + adjetivo)	
Para confirmar o reafirmar lo dicho	Verbo subordinado en indicativo:
si + futuro o condicional	*–¿Tiene mucho dinero?*
cómo, qué, cuánto, cuándo + futuro o condicional	*–Si tendrá dinero que es el más rico de la ciudad.*
Sin intensificación	Verbo subordinado en indicativo o subjuntivo como en las oracio-
así que	nes independientes:
por (lo) tanto, por consiguiente (van entre comas)	*Él no tenía las llaves, así que estuvo esperándome en la calle.*
(y) por eso	*Él no tiene las llaves, así que probablemente esté esperándome*
luego	*en la calle.*
y	
conque	
de modo / manera / forma	
de ahí que	Verbo subordinado en subjuntivo:
	Él no tenía llaves, de ahí que estuviera esperándome en la calle.

CE 4 **8** **Escribe el verbo en la forma correcta.**

1. No corras tanto que *(agotarte)* .... enseguida y no puedas seguir.
2. Quizá algún día tenga tanto dinero que no *(necesitar)* .... pedirte nada.
3. Hace un calor espantoso, así que *(preferir)* .... quedarme en casa.
4. Tenía tanto sueño que *(dormirme)* .... en clase.
5. Su padre es abogado, de ahí que *(decidir, él)* .... estudiar Derecho.
6. Deseo que tengas tal éxito que todo el mundo te *(admirar)* ....
7. Ha contado siempre tantas mentiras que ya nadie lo *(creer)* ....

8. Yo no estaba allí, luego no *(poder)* .... hacerlo yo.
9. Ojalá llueva tanto que todos los embalses *(llenarse)* ....
10. Estudió en Alemania, de ahí que *(hablar)* .... perfectamente alemán.
11. Tiene tanto trabajo que puede que no *(volver)* .... a comer.
12. Tú no sabes de lo que estamos hablando, conque es mejor que *(callarte)* ....
13. No creo que pueda hacerlo tan bien que no *(tener)* .... que repetirlo.
14. Te he dicho mil veces que no quiero salir contigo, así que no *(insistir)* ....

CE 5 **9** **Reafirma estos comentarios y preguntas haciendo uso de *si* o un interrogativo + futuro o condicional y añadiendo una consecuencia. Fíjate en el ejemplo.**

Ej.: *Me han dicho que le gritó y todo.* → *Si le gritaría que lo oyeron desde la calle. Cómo le gritaría que lo oyeron desde la calle.*

1. ¿Le ha hecho mucho daño el dentista?
2. Estaban muy contentos, ¿no?
3. ¿Es cierto que le dijo cosas horribles?
4. Parece que tu perro come mucho.
5. Se puso a andar y se alejó una barbaridad, ¿no?
6. Creo que se había hecho muchas ilusiones de conseguir ese empleo.
7. A mí me parece un ingenuo.

10 Relaciona y construye frases consecutivas con intensificador. No puedes usar *tan*.

- ▶ Habla sin parar y de lo que no sabe.
- ▶ Prepara muy mal la comida, con mucha grasa.
- ▶ Los halagos y los piropos son su fuerte.
- ▶ Se inventa cosas totalmente increíbles.
- ▶ Come muchísimos dulces.
- ▶ Se cree inteligente, ocurrente...
- ▶ Organiza fiestas increíbles.

- ▶ Está gordo.
- ▶ Tiene mucho éxito con las mujeres mayores.
- ▶ No hay quien se las trague.
- ▶ Difícilmente se olvidan.
- ▶ No hay quien lo trague.
- ▶ Inevitablemente cae gordo.
- ▶ Nadie quiere aceptar sus invitaciones.

> **CONECTORES CONSECUTIVOS**
> **Intensificación de la cantidad**
> *tan; tanto(a)(os)(as); tal cantidad / tal número de*
> **Intensificación de la calidad**
> *tal(es); un(a)(os)(as); cada*
> **Intensificación del modo**
> *de tal / un(a) modo / forma / manera*

▶ **CONECTORES CONSECUTIVOS**

así que: es la de uso más común y neutro. *Mira, estoy cansada, así que lo dejo por hoy.*	**de ahí que:** se utiliza para retomar una información que los dos interlocutores ya conocen y que se presenta como consecuencia de lo expresado en la oración principal. *–Miguel se fue a China el mes pasado y ahora al Nepal.* *–Sus padres están forrados, de ahí que pueda vivir como vive.*
por (lo) tanto, (y) por eso, por consiguiente: son también de uso común, pero hacen más hincapié en la relación causa - efecto. *Por consiguiente* es de carácter culto. *Llevo todo el día trabajando, y por eso estoy muerta de cansancio.*	**de modo / manera / forma que:** con indicativo tienen valor consecutivo equivalente a *así que*; con subjuntivo tienen a la vez valor final (intención de provocar una consecuencia). *Rompió el papel en trozos, de manera que no pudimos leerlo.* *Rompió el papel en trozos, de manera que no pudiéramos leerlo.*
y: une necesariamente dos formas verbales iguales. *Oyó pasos en la entrada y fue a ver quién era.*	
conque: coloquial. Generalmente introduce un imperativo. *Llevas todo el día dándome la lata, conque déjame ya en paz.*	
luego: expresa un razonamiento lógico. *Tú estabas en casa antes de las 7, luego no fuiste a clase.*	

11 Completa con *luego, así que, tan, conque, una, tanto, tanta, de manera que, por eso, de ahí que*.

1. Tengo .... hambre que me comería lo que fuera.
2. Tú tienes .... cara... ¿qué es lo que has hecho en todo este tiempo?
3. Llegaré tarde, ... no me esperes levantado.
4. Le pidieron al profesor que explicara la lección .... todos pudieran entenderlo.
5. Parece que aquí no nos quieren, ... vámonos.
6. Estaba vigilándonos, ... no pudiéramos hablar.
7. La conferencia fue .... aburrida que me quedé dormida.
8. Todo el mundo conoce la famosa frase de Descartes "Pienso, ... existo".
9. El perro estaba muy asustado, ... te mordió.
10. La quiere .... que haría cualquier cosa por ella.

12 Lee el texto e incluye estas frases que faltan.

- ✓ de manera que Pepe estuviera con ánimos de iniciar una nueva relación
- ✓ así que decidió sincerarse con ella
- ✓ ya que siempre se había comportado como un perfecto caballero
- ✓ como no se fiaba demasiado de la capacidad de seducción de su amigo
- ✓ así que aquello le parecía una cosa seria
- ✓ como estaba muy bajo de tono
- ✓ luego Julia debería habérselo agradecido
- ✓ porque su novia lo había dejado

Pepe Gáfez llevaba varios días deprimido. Había estado saliendo con Julia dos semanas, tres días y cinco horas. No entendía qué había pasado esta vez: dejaba que ella escogiera las películas, los restaurantes e incluso el camino para volver a casa; le hablaba de la lamentable pérdida de los valores morales en la sociedad; procuraba quedar con ella antes de que anocheciera; y tan solo le daba un beso en la mejilla para despedirse. En ningún momento se propasó con ella. Su amigo Guillermo pensó que a Pepe le vendría bien un poco de autoestima, así que decidió preparar una fiesta a la que invitaría a un montón de chicas estupendas. De todas formas, le pidió a Rosa, una compañera del trabajo, que "se dejase conquistar". Guillermo le habló a Pepe de las cualidades de Rosa, pero no fue muy explícito con Rosa al hablarle de su amigo.

Pepe en seguida se sintió cómodo con Rosa, y le contó su último fracaso amoroso. Sentados en el sofá, Pepe no percibió que los ojos de Rosa se entornaban, hasta que la cabeza se le desplomó hacia delante. Rosa se había dormido.

ORACIONES MODALES Y COMPARATIVAS

Conector	Forma del verbo	Valor	Ejemplos
como, según, confor-me tal (y) como, de acuerdo con lo que	indicativo: modo conocido	'de la manera que'	*Lo hizo según le dijeron.*
	subjuntivo: modo desconocido o ac-ción futura	'conforme a, de acuerdo a'	*Hazlo como quieras.*
como si, igual que si	imperfecto de subjuntivo	'de la misma manera que si' (compara-ción con una situación hipotética)	*Te sientes como si estuvieras flotando.*
	pluscuamperfecto de subjuntivo		
ø	gerundio	acción que expresa la manera en que se realiza la acción principal	*Lo logró esforzándose mucho.*
sin (que)	infinitivo / subjuntivo	tiene sentido negativo ('y no')	*Lo logró sin esforzarse.*
de (tal) modo / manera / forma que	indicativo	modo + consecuencia	*Lo hizo de forma que pareció un accidente.*
	subjuntivo	modo + consecuencia intencionada	*Lo hizo de forma que pareciera un accidente.*

13 **Elige la forma apropiada en cada caso.**

A: ¿Cómo te ha ido la entrevista?

B: No tengo ni idea, la verdad, porque después de dos horas de charla estoy *como / igual que si* me hubieran dado una paliza. ¡Madre mía, qué cansancio!

A: ¿Qué te han preguntado?

B: Pues de todo, desde mi currículum a cuestiones persona-les, *sin que / de manera que* no les quedara nada por saber.

A: Pero ibas preparada, ¿no?

B: Bueno, he sido natural, *de modo que / como* me indicaron, pero no sé si eso ha sido bueno o malo. A veces no sabía si decirle la verdad o exagerar algunas cosas. También me

han puesto casos prácticos, como que qué haría si mi jefe me ordenase hacer las cosas de una manera y yo creyera que había que hacerlas de otra.

A: ¡Uf! ¿Y qué has contestado?

B: Pues que intentaría exponerle mi punto de vista, pero que, por supuesto, actuaría *según / como si* me indicara.

A: A mí me parece la respuesta correcta, ¿no? ¿Y han sido amables contigo?

B: Sí, desde luego. Imagínate que se ha despedido *dándome / sin darme* un beso. Yo no me lo podía ni creer.

CE 14, 15 **14** **Algunas de estas comparaciones no son correctas. ¿Cuáles? ¿Por qué?**

1. Bom no es menos gordita que Luci.
2. Luci y Bom son menos delgadas que Pepi.
3. Luci es tan delgada como Bom.
4. Bom es igual de delgada que Luci.

5. Luci es más pecosa que Bom.
6. Luci no es tan pecosa como Pepi.
7. Bom es menos pecosa que Luci.
8. Bom no es más pecosa que Pepi.

9. Luci es más baja que Pepi y Bom.
10. Luci es menos alta que Pepi y Bom.
11. Bom es tan baja como Pepi.
12. Pepi no es más baja que Bom.

13. Pepi tiene tantos hijos como Luci.
14. Luci no tiene más hijos que Pepi.
15. Bom tiene menos hijos que Luci y Pepi.
16. Pepi y Luci no tienen tantos perros como Bom.

▶ **COMPARACIONES**

Menor	Igual	Mayor
Menos que	No menos que	
No tanto como		
No más que		Más que
	Tanto como	
	Lo mismo que	
	Igual que	

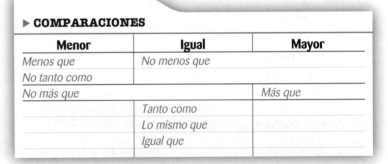

Pepi

Bom

Luci

TEXTOS PUBLICITARIOS

15 Convencer y persuadir mediante la atracción y la motivación son los principales objetivos de los textos publicitarios. Para ello juegan con la imagen y con el lenguaje en todos sus niveles.

NO COMPRE SIN TON NI SON, COMPRE UN TELEVISOR THOMPSON

imperativos

juegos con frases hechas

AGOBIANTE

paralelismo, contraste, rima

extranjerismos

CON SWIFFER, IMPRESIONANTE

1.000.000 Ptas.

A veces, interesa tener algún kilo de más.

doble sentido

términos técnicos y científicos

formación de palabras

coloquialismos

Gracias al nuevo sistema atrapapolvo Swiffer, no sufrirás nunca más. Porque sus exclusivas gamuzas secas, que podrás utilizar con su mopa o solas, atraen toda la suciedad (polvo, pelos, alérgenos domésticos) gracias a su efecto electrostático y la atrapan en su red de fibras. Swiffer te ayuda a acabar en un pispás con el polvo en toda la casa

Con Swiffer, trabajo bien hecho del suelo al techo

Swiffer

Banco Santander

construcciones causales

ausencia de verbo; repetición de sonidos; rima

UN MARTINI INVITA A VIVIR

ERISTOFF... PROVODKA CAMBIOS EN LA BEBIDA

repetición de sonidos

juegos de palabras

300 M. Obtenga información privilegiada llamando al 902 352 352

adjetivación enfatizadora

doble sentido

NUEVO CHRYSLER 300. El primero de la nueva generación de berlinas Chrysler. Y un perfecto ejemplo de la creativa ingeniería, la avanzada seguridad y el audaz diseño que han convertido a Chrysler en la compañía americana más innovadora del sector del automóvil en opinión de los expertos. Llámenos y será uno de los privilegiados que lo sabrán todo sobre el nuevo 300M antes de poder admirarlo en su concesionario Oficial. EL ESPÍRITU DE AMÉRICA.

imperativos, futuros

gradaciones

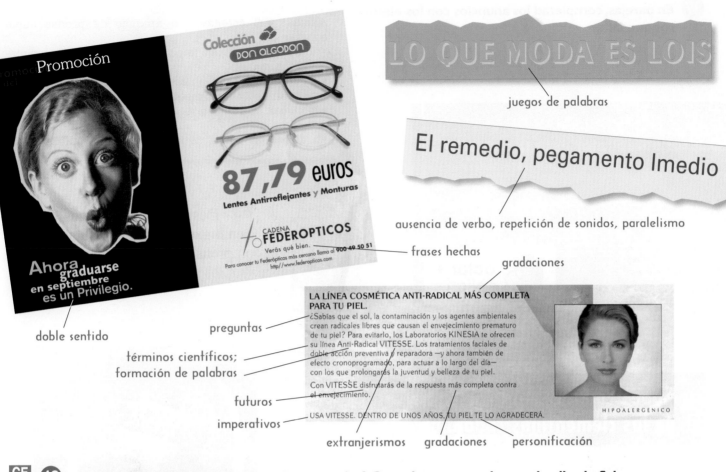

juegos de palabras

El remedio, pegamento Imedio

ausencia de verbo, repetición de sonidos, paralelismo

frases hechas

gradaciones

doble sentido

preguntas

términos científicos;
formación de palabras

futuros

imperativos

extranjerismos · gradaciones · personificación

16 Fíjate en los eslóganes. ¿Qué pueden anunciar? Completa para cada uno de ellos la ficha que tienes abajo.

Movilízate, movilízalo. Por la movilización global.

Todo un clásico desde su nacimiento.

Donde 2 x 1 = 4.

Por un lado es bueno para ti; por el otro, también.

¡Qué mano tienes!

¿Compasión o con pasión?

Sonreír no cuesta tanto.

Pequeña en tamaño, grande en prestaciones.

Arrímate la tela.

El que pega primero, pega dos veces.

El saber sí ocupa lugar.

Como a ti te gusta.

Para perderse sin perderse.

Porque hoy es hoy.

La niña de tus ojos.

El rey de la cama.

Nuestro interés es tuyo.

¿Cuánto cuesta pedir perdón? ¿Cuánto cuesta decir que sí? ¿Y decir que no?

Porque yo lo valgo.

Porque no todos somos iguales.

¡QUÉ ROLLO!

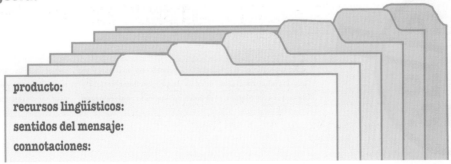

producto:
recursos lingüísticos:
sentidos del mensaje:
connotaciones:

17 **En parejas, completad los anuncios con los elementos que faltan.**

1.

¿PROBLEMAS DE VELLO?

En Doctor´s Depilator está la solución.

Fotodepilación médica: el tratamiento más avanzado y eficaz para la eliminación del vello, realizado por profesionales expertos.

1ª Consulta gratuita (precio por áreas pequeñas: 84,14 € por sesión. p. ej. bigote, mentón.)

Tel.: 91 359 37 62
Fax: 91 359 37 63

www.arconet.es/users/doctordepilator
doctordepilator@arconet.es

Doctor´s Depilator

2.

3. Después de tantos años en lugares oscuros y solitarios, es comprensible que ahora sólo frecuente los mejores restaurantes.

4.

¿ Sabes cómo te sentirás si disfrutas de las clementinas cada día ?

5.

6.

Rodilla

PRESENTA

Sandwiches Calientes

UNA EXCITANTE PROMOCIÓN CON...

7.

8.

CORTA. POR LO SANO.

9.

S e recomienda no realizar esta prueba con otro panty ya que Durabel de Dusen, además de proporcionar belleza y descanso a las piernas, es **el único** del mercado **confeccionado** con el exclusivo sistema **"Ressistant Process"**. Un sistema q le confiere una **durabilidad excepcional**, capaz de superar pruebas de resistencia más difíciles.

EL MEDIO AMBIENTE

18 **Lee el texto.**

RESIDUOS Y RECICLAJE. LO QUE TÚ PUEDES HACER

Cada persona produce al día aproximadamente 0,85-1 kg de basura, con una densidad media de 180 kg/m³, lo que significa entre 1 y 1,5 toneladas al año y un volumen de 5,5 m³ y 8 m³ por familia de cuatro personas.

La eliminación de los residuos es un problema que generalmente se intenta resolver amontonándolos en vertederos o quemándolos, lo cual tiene repercusiones ambientales. Para paliar el problema la vía más directa es reducir el consumo por un lado, y reutilizar y reciclar por otro.

La composición de los residuos en España supone un 60% de materia orgánica, un 20% de papel y cartón, un 5,5% de plástico, un 4,5% de vidrio, un 4% de metales y un 9,5% otros.

La mayoría de las casas dispone de un solo contenedor de basuras donde se mezclan todo tipo de residuos.

Miguel Ángel Romero y María del Mar Asunción (WWF/Adena), Madre Tierra. Revista de Ecología y Vida Natural (texto adaptado).

1. ¿A qué términos de los que aparecen en el texto corresponden las siguientes definiciones?

1. Transformar o aprovechar una cosa para un nuevo uso.

2. Recipiente de gran tamaño que se usa para meter la basura.

3. Acumulación de cierta cantidad de elementos o individuos en un espacio determinado.

4. Materia que está formada por células animales y vegetales, descompuestas totalmente o en parte.

5. Lugar donde se tiran las basuras en una población.

6. Conjunto de cosas que sobran y se tiran porque no son útiles. Cosa o sustancia sucia o que mancha.

7. Influencia o efecto en el ambiente.

8. Cosa o sustancia producto de la descomposición o destrucción de una cosa.

2. Escribe una oración con cada uno de los términos definidos.

3. Explica a tus compañeros cómo se vive este problema en tu país, qué podríamos hacer como consumidores y qué medidas podrían tomarse para facilitar la recogida selectiva de residuos en las viviendas españolas.

CE 19 **19** **Lee el texto.**

En España el peligro de desertización está creciendo a ritmo acelerado: hoy afecta a dos terceras partes de la superficie de la península Ibérica. Los casos más alarmantes son los de Murcia, Alicante, Almería y Granada, que tienen erosionado más del 50% de sus tierras cultivables. En general, el 25% del territorio está sometido a graves procesos de desertización, un 27,6% está afectado por erosión moderada y un 11% del suelo por una erosión leve.

Las causas son: la propia fragilidad del ecosistema mediterráneo, la deforestación sufrida por la explotación ganadera y los incendios forestales, la salinización de los suelos regados de manera deficiente, la difusión de la agricultura, la extracción abusiva de aguas con fines agrícolas y turísticos, etc.

Las primeras propuestas para salvaguardar los recursos naturales por medio de tratados internacionales se remontan a 1872, año en que Suiza apeló a sus vecinos europeos a unirse en la fundación de un organismo para la protección de lugares de anidamiento de las aves migratorias. No es hasta un siglo más tarde, ¡en 1972!, cuando los acuerdos internacionales en materia de Medio Ambiente comienzan a tomar cuerpo con la intervención de la ONU. En 1972 se celebró en Estocolmo la Primera Conferencia Internacional sobre Medio Ambiente, a raíz de la cual se estableció el día 5 de junio como jornada mundial sobre el tema y se creó, un año después, el Programa de las Naciones Unidas para el Medio Ambiente (PNUMA) para coordinar trabajos y proyectos nacionales e internacionales.

En 1992 se celebró la Conferencia de Río de Janeiro, que reunió a representantes de 160 países y muchas organizaciones no gubernamentales (grupos ecologistas, de defensa de derechos humanos, pacifistas, feministas, etc.).

1. Selecciona las palabras del texto que se refieran a actividades humanas causantes de la desertización y erosión del suelo. Escribe una oración con cada una de ellas.

2. En parejas. Escribid un pequeño texto explicando en qué medida el ser humano es responsable del deterioro del medio ambiente.

TURISMO RURAL Y CULTURAL

20 **Por grupos. Vais a organizar una excursión para el próximo fin de semana. Escoged la tarjeta con vocabulario relacionado con el tipo de turismo que queréis practicar.**

A   B   C   D   E

- albergue
- cueva
- desfiladero
- escalar
- montañismo
- parque nacional
- precipicio
- teleférico
- terreno volcánico

A   B   C   D   E

- camino
- caña
- fauna y flora
- lago
- lagunas
- ruta
- saco de dormir
- senderismo
- tienda de campaña
- zonas naturales

A   B   C   D   E

- aseo
- autocar
- baño completo
- billete
- bonos de hotel
- cama supletoria
- el Camino de la Lengua
- conferencia
- habitación simple, doble
- reservas

A   B   C   D   E

- arte medieval, clásico, moderno
- casa particular
- catedral
- exposición
- hostal
- iglesias
- monumentos
- museo
- sala de arte
- el Camino de Santiago

A   B   C   D   E

- chiringuito
- mesón
- minitarifa
- pincho
- restaurante
- tapa
- tasca
- tenedores y estrellas
- tinto de verano
- vuelo chárter

A   B   C   D   E

- áreas protegidas
- camarero
- crucero
- especies en peligro de extinción
- granjas submarinas
- puerto deportivo
- reservas zoológicas y botánicas
- submarinismo
- tenedores y estrellas
- yate

1. Elegid el texto más acorde con el contenido de vuestra tarjeta.

MONTAÑA PALENTINA. CICLO-RAÍL

La comarca de la Montaña palentina demuestra que, con imaginación y trabajo, el turismo rural puede ofrecer muchos más atractivos de los ya conocidos. Al alojamiento en casas rurales, las rutas históricas o naturales, senderismo y cicloturismo, la Montaña palentina suma las vías en desuso de la red ferroviaria para originales propuestas. El ciclo-raíl, una pequeña plataforma sobre la que se disponen dos bicicletas que funcionan como un tándem sin necesidad de recurrir al equilibrio, conduce al viajero por uno de los paisajes más interesantes del norte de Palencia. Los que no quieran pedalear pueden optar por una excursión en un minitrén. Los raíles aprovechados servían para transportar el carbón de las minas leonesas y palentinas a los altos hornos de Bilbao. El tren era popularmente conocido como La Robla. El tramo turístico abarca 69 kilómetros. Sin bajarse del ciclo-raíl pueden verse buitres leonados o escucharse la berrea de los ciervos. Se trata de ganar para el ocio, sin necesidad de costosos desmantelamientos, los raíles que el tren abandonó.

El País Semanal.

TURISMO MINERO RIOTINTO

La visita guiada, que organiza la Fundación Riotinto, dura cuatro horas. El recorrido incluye el viaje de 24 kilómetros en un ferrocarril minero del siglo pasado, que discurre paralelo al río Tinto por un impactante paraje; la entrada al museo y a la exposición de locomotoras y vagones antiguos; el barrio inglés de Bellavista y la visita a Corta Atalaya. Ahora el proyecto de la fundación es habilitar la próxima primavera una ruta subterránea de casi 2 kilómetros a varios cientos de metros de profundidad.

Información y reservas, en el teléfono (959) 59 00 25. En este teléfono también informan sobre restauración y alojamiento en la comarca. Hay un alojamiento con especial encanto y tranquilidad: Los Frailes, en una antigua estación ferroviaria.

El País Semanal.

EL REINO DEL AGUA

De Aigüestortes a Sant Maurici por el mayor glaciar ibérico.

A pocos kilómetros de los balnearios de Caldes de Boí, la naturaleza leridana sorprende con el conjunto de lagos glaciares más extenso de la península Ibérica. Sus gélidas aguas, que no superan en verano los 15 °C, contrastan con los manantiales termales del turístico valle de Boí, de hasta 55 °C. En esta comarca se sitúa el Parque de Aigüestortes. Este parque nacional catalán data de 1955. Ahora se halla sujeto a la legislación autónoma catalana, la cual en los últimos años ha reducido las dimensiones de su área periférica de protección, facilitando así la proliferación de urbanizaciones y estaciones de esquí en sus inmediaciones. Su más llamativa característica es precisamente la abundancia de lagos y *estanys* que desaguan en arroyos y torrenteras por los que circula el agua en retorcidos bucles. En ellos viven el mirlo acuático, la nutria, el desmán de los Pirineos, la trucha, el escaso tritón pirenaico y la rana bermeja.

El País Semanal.

▶ ¿Hay alguna palabra en vuestra tarjeta que no tenga relación con las demás?

▶ ¿Qué palabras están más directamente relacionadas con el viaje propuesto en el folleto?

▶ Escribid otras diez palabras para completar vuestra tarjeta.

▶ Marcad las palabras del folleto que suelen utilizarse únicamente en contextos relacionados con el turismo.

2. Redactad un plan de viaje con las visitas que vais a hacer, el recorrido, actividades, etc.

21 **Elabora un pequeño diccionario de turismo con las palabras de los textos anteriores. Organízalas por grupos temáticos.**

Naturaleza y paisaje	Tipo de turismo o actividad turística	Medios de locomoción turística
Monumentos y otros lugares de interés	Restauración y alojamiento	Otros

Completa el diccionario con otras palabras que conozcas relacionadas con el turismo.

CÍRCULOS VICIOSOS

22 **Ordena los versos y reconstruye estas estrofas de C. Sánchez Ferlosio.**

Yo quiero bailar un son y no me deja Lucía.
Yo que tú no bailaría, porque está triste Ramón.

¿Por qué está tan triste?
Porque tiene anemia.
¿Por qué está tan flaco?
Porque está mu' triste.
¿Por qué tiene anemia?
Porque está mu' flaco.
¿Por qué come poco?
Porque está malito.
¿Por qué está malito?
Porque come poco.

Eso mismo fue lo que yo le pregunté:
¿Por qué está tan triste?

Quiero formar sociedad con el vecino de abajo.
Ese no tiene trabajo, no te fíes, Sebastián.

¿Por qué no trabaja?
Porque roba mucho.
¿Por qué lo metieron?
Porque no lo cogen.
¿Por qué no lo cogen, mira?
Porque no trabaja.
¿Por qué lo ficharon, negrito?
Porque estuvo preso.
¿Por qué roba tanto?
Porque está "fichao".

Eso mismo fue lo que yo le pregunté:
¿Por qué no trabaja?

Quiero conocer a aquél, hablarle y decirle hola.
¿No le has visto la pistola? Deja esa vaina, Javier.

¿Pa' qué la pistola?
Porque no se fía.
¿Por qué no se fía?
Porque no le hablan.
¿Por qué tiene miedo?
Porque no se entera.
¿Por qué no le hablan?
Porque tiene miedo.
¿Por qué no se entera?
Por llevar pistola.

Eso mismo fue lo que yo le pregunté:
¿Pa' qué la pistola?

En parejas, inventad otro "círculo vicioso".

EL ARTE DE LA ARGUMENTACIÓN

23 **Lee con atención el siguiente texto.**

Una mujer joven estaba casada con un empresario que tenía tanto trabajo que apenas le quedaba tiempo para dedicarse a la vida familiar. Vivían en una enorme casa a orillas de un río. La joven se sentía desatendida; un día conoció a un hombre, se dejó seducir por él y tuvo una aventura. El amante vivía al otro lado del río, por lo que allí se fueron. Cuando empezaba a anochecer, ella dijo que tenía que volver a casa para que su marido no notara su ausencia. Al llegar al puente vio que al otro lado había un loco haciendo gestos amenazadores. Sintió miedo y le pidió a un barquero que se encargaba de pasar gente y mercancías de una orilla a otra que la ayudara a cruzar el río, pero como no tenía dinero, el barquero se negó. Regresó a casa del amante para pedirle dinero, pero este le dijo que no, sin darle ninguna explicación. Entonces recordó que tenía un viejo amigo de la adolescencia que vivía cerca de la casa de su amante; nunca habían sido novios, pero él sentía por ella un amor platónico. La joven le contó toda la historia al amigo y este, indignado por el comportamiento de la joven, también se negó a dejarle el dinero. Desesperada, volvió a pedirle al barquero que la llevara a la otra orilla, y como este dijo que no, se decidió a cruzar el puente. El loco la mató.

1. Ordena los personajes numerándolos del 1 al 6 según su mayor o menor responsabilidad en la muerte de la joven (el 1 será el que más tenga, y el 6 el que menos).

▶ La mujer   ▶ El loco
▶ El marido   ▶ El barquero
▶ El amante   ▶ El amigo

2. En grupos, poneos de acuerdo sobre el orden definitivo. Para convencer a tus compañeros tendrás que defender bien tus argumentos.

LOS PROTOTIPOS

24 **¿Coinciden tu cultura y la española en los prototipos? Te damos la mitad de los elementos necesarios para completar las frases. Compara tu respuesta con la de tus compañeros.**

- ► el caballo del malo
- ► el veneno
- ► un niño con zapatos nuevos
- ► el hambre
- ► el demonio
- ► un día sin pan

1. Está más alegre que _____
2. Canta (tan bien) como _____
3. Es peor que _____
4. Es más largo que _____
5. Es más bruto que _____
6. Es más inútil que _____
7. Es más lento que _____
8. Es más pesado que _____
9. Pica como _____
10. Es más listo que _____
11. Está / va más contento que _____
12. Es más peligroso que _____

LA PUBLICIDAD

25 **LOS ESTEREOTIPOS EN LA PUBLICIDAD**

La publicidad puede servirnos para conocer buena parte de los estereotipos humanos de una sociedad, pues la identificación o el deseo de identificarse con uno de ellos es el principal mecanismo para llegar al público. El tratamiento de los tipos sociales es uno de los aspectos más cuidados por los publicistas, dado que de su acierto dependerá en buena parte el éxito del anuncio.

1. Lee este texto en el que se habla de un estereotipo muy frecuente en la publicidad: el ama de casa.

El ama de casa es el público objetivo de gran parte de los anuncios por ser ella la compradora potencial de la inmensa mayoría de los productos de primera necesidad y de otros muchos que componen la oferta comercial. Su representación en la publicidad es una de las más controvertidas, con críticas de diferente sesgo. Dos son las imágenes del ama de casa que podemos encontrar: una mujer de mediana edad, más preocupada por la limpieza y el orden de la casa que por su aspecto físico, con algún que otro "michelín", vestida con ropa cómoda y zapatos bajos para ir a comprar al mercado y cargar sin demasiado sufrimiento los kilos de comida, cuidadosamente seleccionada de acuerdo con las coordenadas calidad-precio, para alimentar a su familia; o una mujer no mayor de 35, de medidas 90, 60, 90, ropa de diseño y de sorprendente parecido a una modelo o actriz de moda, que lleva un portafolios bajo el brazo.

La primera imagen es objeto de las críticas de las feministas, que ven en esa representación la intención machista de perpetuar el papel de la mujer dedicada de manera exclusiva a las tareas domésticas; la segunda no satisface a los anunciantes, que argumentan que ninguna ama de casa real puede identificarse ni remotamente con las modelos.

Una tercera representación, muy de moda en los últimos años, es la del amo de casa, el hombre casado cuya pareja vuelve tarde y cansada del trabajo, el hombre con delantal que simula hacer las enojosas tareas de la casa, ya que el producto de limpieza en cuestión tan solo necesita la actuación de un humano que lo vierta sobre la suciedad que hay que eliminar. ¿Lucha contra el machismo, o machismo encubierto y aún más perverso?

2. En pequeños grupos, describid los estereotipos siguientes.

► EL EJECUTIVO

► EL TRIUNFADOR

► LA MUJER MODERNA

► EL DEPORTISTA

► EL INTELECTUAL

► EL NIÑO

3. ¿A qué estereotipo corresponden estos dibujos? En parejas, cread un anuncio completo que tenga como referencia uno de los dibujos y justificad vuestra elección.

26 **Son muchos los aspectos discutibles de la publicidad. En grupos, debatid sobre este tema a partir de los siguientes puntos.**

✓ ¿La publicidad es necesaria para garantizar la libertad de elección por parte del consumidor?

✓ ¿En qué medida nuestras necesidades son creadas y no reales? ¿Qué es antes, la oferta o la demanda?

✓ ¿Vale todo en la publicidad?

✓ ¿Habría que tener un mayor control sobre la publicidad engañosa?

✓ ¿Está suficientemente legislada en tu país?

✓ ¿Se justifican las demandas millonarias contra algunas empresas por el carácter incompleto de la información ofrecida al consumidor?

✓ ¿Qué comparaciones puedes establecer entre la publicidad de tu país y la española?

27 **En grupos, desarrollad un plan de márketing para uno de los productos cuyos anuncios han aparecido en la lección o para otro inventado por vosotros. Para ello tendréis que seguir el esquema que os damos.**

1. Descripción del producto o servicio:
      1.1. de qué se trata;
      1.2. necesidades que satisface;
      1.3. ventajas respecto a la competencia;
      1.4. posibles derechos sobre el producto o servicio.

2. Estudio de mercado:
      2.1. Demanda o clientes (clientela potencial y características de la misma: nivel socioeconómico, edad, trabajo, hábitos de consumo, etc.).
      2.2. Oferta o competencia (importancia, características diferenciales y precios).

3. Plan de márketing:
      3.1. Estrategia de producto (atributos físicos y psicológicos del producto y servicios complementarios, como transporte, garantía, etc.).
      3.2. Estrategia de cliente (quiénes van a ser los destinatarios de las acciones de venta).
      3.3. Estrategia de precios (fijación del precio, descuentos y formas de pago).
      3.4. Estrategia de distribución (venta directa, comisionistas, detallistas, etc.).
      3.5. Estrategia de comunicación (prensa, radio o televisión local, regional o nacional, *mailing,* eventos especiales, etc.).

ENTONACIÓN III: VALORES EXPRESIVOS

Una de las funciones de la entonación es la de conferir expresividad a nuestros enunciados. No obstante, en la manifestación de contenidos emotivos intervienen otros muchos factores, como son el volumen, el tono, el timbre, la velocidad, el ritmo, la elocución y, cómo no, el propio significado de la oración.

28 **Escucha y señala qué estado afectivo predomina en cada enunciado.**

2: 7

- ► alegría
- ► enfado
- ► desprecio
- ► entusiasmo
- ► tristeza
- ► resignación
- ► euforia
- ► desánimo
- ► sorpresa
- ► preocupación
- ► ira

29 **Lee los enunciados expresando en cada caso dos estados afectivos diferentes. Tus compañeros deben averiguar cuáles son. Escucha y compara.**

2: 8

- ✓ Son ya las nueve. El tren está a punto de llegar.
- ✓ No tengo nada que hacer esta tarde.
- ✓ Han suspendido la corrida de toros.
- ✓ Enrique está hablando con el jefe. ¿Qué le estará contando?
- ✓ Por mucho que me lo supliques jamás volveré a hablarte.

- ✓ Faltan solo cinco minutos para que empiece.
- ✓ Mira cómo tienes la habitación.
- ✓ Seguro que va a suspender el examen.
- ✓ Qué haces tú aquí.
- ✓ No entiendo un comportamiento tan estúpido.

30 **Lee expresando los estados afectivos que se indican. Escucha y compara.**

2: 9

1. Otra vez habéis llegado tarde. Siempre igual (resignación / enfado).
2. Nos han puesto en la misma clase (alegría / tristeza).
3. ¿Dónde estará ahora?; ¿qué estará haciendo? (entusiasmo / preocupación).
4. Lo va a intentar, aunque sabe que no tiene posibilidades (desánimo / sorpresa).
5. Por fin tienes lo que te mereces; ya te lo dije en muchas ocasiones (desprecio / alegría).

31 **En grupos de tres. Leed cada uno el siguiente fragmento de una obra de teatro. Vuestros compañeros puntuarán entre 1 y 10 la lectura. Después, escucha y compara.**

2: 10

Max Estrella aparece en la puerta, pálido, arañado, la corbata torcida, la expresión altanera y alocada. Detrás, abotonándose los calzones, aparece EL UJIER.

EL UJIER. Deténgase usted, caballero.

MAX. No me ponga usted la mano encima.

EL UJIER. Salga usted sin hacer desacato.

MAX. Anúncieme usted al Ministro.

EL UJIER. No está visible.

MAX. ¡Ah! Es usted un gran lógico. Pero estará audible.

EL UJIER. Retírese, caballero. Estas no son horas de audiencia.

DIEGUITO. Fernández, deje usted a ese caballero que pase.

MAX. ¡Al fin doy con un indígena civilizado!

DIEGUITO. Amigo Mala-Estrella, usted perdonará que solo un momento me ponga a sus órdenes. Me habló por usted la redacción de *El Popular*. Allí le quieren a usted. A usted le quieren y le admiran en todas partes. No me olvide. Tengo la nostalgia del periodismo… Pienso hacer algo… Cuento con usted. Adiós, maestro. ¡Deploro que la ocasión de conocernos haya venido de suceso tan desagradable!

MAX. De eso vengo a protestar. ¡Tienen ustedes una policía reclutada entre la canalla más canalla!

DIEGUITO. De todo hay, maestro.

MAX. No discutamos. Quiero que el Ministro me oiga, y al mismo tiempo, darle las gracias por mi libertad.

DIEGUITO. ¡Imposible!

MAX. ¡Daré un escándalo!

DIEGUITO. ¡Está usted loco!

MAX. Loco de verme desconocido y negado. El Ministro es amigo mío, amigo de los tiempos heroicos. ¡Quiero oírle decir que no me conoce! ¡Paco! ¡Paco!

Ramón M.ª del Valle-Inclán, *Luces de Bohemia* (texto adaptado).

LUGARES TURÍSTICOS DE HISPANOAMÉRICA

Cada región de Hispanoamérica posee tantos lugares de interés turístico que sería imposible enumerarlos en esta página, así que tan solo os presentaremos cuatro destinos cuyo principal atractivo es la naturaleza. Porque en el continente americano se encuentran muchos de los parajes más hermosos de la Tierra.

En el Caribe, la República Dominicana ofrece al visitante todo un universo de colores y sabores, con playas paradisiacas de arenas blancas y palmeras como las de Luperón, Juan Dolio, Sosúa, Medina, Puerto Plata o Samaná, con sus selvas de cocoteros que llegan hasta el mar y la convierten en una de las regiones más bonitas del mundo. En la isla podrá degustar el ron más suave del mundo y una gastronomía rica y saludable cuyos ingredientes básicos son el pollo, el arroz y las judías, además de los pescados y mariscos y las frutas tropicales.

Playa en Punta Cana (República Dominicana)

Un segundo itinerario es el que nos permitirá conocer las bellezas naturales de Venezuela, como la laguna de Canaima y el espectacular Salto del Ángel, cascada de más de 1.000 m de altura. Podremos pasearnos en bote por el Delta del Orinoco para contemplar la vegetación y la fauna selvática, con monos, loros, tucanes, caimanes, etc., y conoceremos la forma de vida de los habitantes de la región, los indios warao.

Parque Nacional de Morrocoy (Venezuela)

Quizá prefiramos un crucero por alguno de los múltiples archipiélagos que salpican los mares que rodean el continente americano. El de las Galápagos, que debe su nombre a las grandes tortugas que lo habitan, está compuesto de 15 islas mayores y unas 40 menores, con su extraño paisaje de conos volcánicos. Entre ellas destaca la Isla Bartolomé, con sus campos de lava sobre los que se levanta la impresionante Roca Pináculo. En la Isla de Sullivan podremos ver los pingüinos más pequeños del mundo, leones marinos y focas, o lobos marinos y pelícanos en la Isla San Salvador. También podremos reproducir el itinerario que, hasta llegar a Puerto Egas, recorrían los piratas en otros tiempos, o navegar en panga sobre las bellas aguas del Pacífico.

Parque Nacional Islas Galápagos (Ecuador)

Nuestro cuarto escenario natural es la Patagonia argentina, con una espectacular combinación de mar, montañas, estepas y glaciares. En el Cañadón del Río Pinturas las paredes de hasta 240 m sobre el nivel del mar se tiñen de verdes y ocres; en Calafate, el Parque Nacional de los Glaciares es famoso por su blancura y por la ruptura del glaciar Perito Moreno, provocada por la presión del sector llamado Brazo Rico, fenómeno único en el mundo; frondosos bosques y hermosos lagos encierra Ushuaia, el Parque Nacional Tierra de Fuego, donde tras recorrer zonas de abundante vegetación pobladas por aves y castores llegaremos a la Bahía Lapataia, con importantes yacimientos arqueológicos.

Parque Nacional Tierra de Fuego (Argentina)

ENCUENTRO CON LA PISTA PERDIDA

Esteban sintió una emoción muy fuerte cuando encontró semienterrado este baúl. Le costó un poco abrirlo, pero al final lo consiguió. En su interior había un pergamino escrito de puño y letra por Totenaca (al menos así firmaba quien lo escribió). En él aparecía la pócima de la eterna juventud: dónde y cómo conseguirla. De todas formas, Esteban notaba que en las frases había algo raro. Algunos verbos no estaban bien usados, y en esas palabras estaba la clave. De pronto la descubrió, pero no estaba seguro. ¿Podrías ayudarlo tú?

DÓNDE

1) Puedes encontrar el lugar, no porque camines rápido, sino porque vas por el camino correcto.

2) No es que investigas la vida de Totenaca, es que te interesa la pócima secreta.

3) Has dejado de buscar porque sabrías dónde está.

4) Has dejado de buscar porque entiendes que la encontrarás.

5) No hay nadie en el camino, pues el perro no ladre.

6) Tu camino has de seguir, ya que quieres encontrarme a mí.

7) Camina deprisa, puesto que Dios te ampare.

8) La montaña debes cruzar, dado que vendrás por detrás.

9) Puesto que no tienes guía, las estrellas te guiarán.

10) Como no me debas nada, nada espero de ti.

11) No bebas agua del lago, que estuviera contaminada.

12) Por tener mucho cansancio, no debes parar la marcha.

13) Nos encontrarás gracias a que mis hermanos te acercaran.

14) Míralo bien, pues lo mires sólo una vez.

15) ¿Por qué me escondo? Es que así no me alejara de mi destino.

16) Como no remes fuerte, no navegarías por las aguas encrespadas.

17) Gracias a que trajeras manta, no pasarás frío.

18) No dejes de buscar el camino porque no te animan los aimaras; ya habrá otros que te ayuden.

19) Como todos te negaran la entrada, habrás de preguntar a tu corazón.

20) De tanto intentándolo encontrarás la entrada.

CÓMO

1) No habrá tantas islas como para que no nos localices.

2) Quizá haya tanta gente que no entras.

3) Si habrá dificultades, que a veces navegaras sin rumbo.

4) Antes no tenías el plano verdadero, de ahí que me buscabas lejos.

5) Preguntaste a tantos que al final te lo dijeron.

6) Te sientes como si ya estuvieras conmigo.

7) Lo lograrás no aminorada mucho la marcha.

8) Desaparecí de forma que pareció natural.

9) Pregunta de forma que te respondieran la verdad.

10) Navega como conocieres.

11) Mis hermanos te están esperando, de ahí que puedas conseguirlo.

12) El indio no tenía la clave, por lo que se alejara de su tierra.

Esteban acabó agotado y decidió dejar la lectura del pergamino para después de un pequeño sueño reparador.

(Continúa en la recapitulación siguiente.)

Margarita salió más pronto de lo habitual. En la puerta se encontró con Juan, el conserje, quien, como siempre, la saludó con mucha amabilidad. A continuación, se montó en su coche y se dirigió hacia la oficina. En el ascensor coincidió con la recepcionista –Lourdes–, a la que pidió que le llevase el expediente de los señores López tan pronto como pudiera. Lourdes le indicó que no podría llevárselo hasta el mediodía, porque todavía no lo había terminado. En su despacho estaba Andrés esperándola con impaciencia. Nada más entrar le recriminó que llegara tarde y le recordó que habían quedado a la siete y no a las siete y cuarto. Ella asintió tranquilamente y añadió que habría llegado con puntualidad si no hubiera tenido que trabajar tanto la noche anterior, y le recordó que su hora de entrada era a las nueve y no a las siete. Andrés la interrumpió y le informó de que el director regional los visitaría por la tarde y que para entonces tendrían que tener terminado el proyecto. Seguidamente salió a buscar el expediente y, en ese momento, entró Ricardo, el secretario de Margarita. Le preguntó qué le pasaba a Andrés, a lo que ella contestó con ironía que tendría problemas con su mujer; añadió que ya estaba harta y que, el día menos pensado, se iría a otra empresa. Ricardo puso cara de asombro y dijo que él no entendía nada, pues creía que eran "muy buenos amigos". Margarita le explicó que la noche anterior habían estado trabajando hasta muy tarde y que él ni siquiera se lo agradeció, y que había llegado diez minutos más tarde de lo que habían acordado y que se lo había echado en cara, sin tener en cuenta que ella entraba mucho más tarde y que le estaba haciendo un favor. Margarita no pudo evitar que se le saltaran las lágrimas.

TRANSFORMACIONES EN EL ESTILO INDIRECTO

PRONOMBRES: *yo → él; nosotros → ellos*, etc.
ADJETIVOS: *mi casa → su casa; este libro → ese libro*, etc.
MARCADORES TEMPORALES: *ahora → en ese momento; mañana → al día siguiente*, etc.
MARCADORES DE LUGAR: *aquí → allí; en este lugar → en ese lugar*, etc.
VERBOS: *ir → venir; traer → llevar.*
TIEMPOS Y MODOS VERBALES: *he comprado → había comprado; ve → venga*, etc.
EXPRESIONES Y ACTOS DE HABLA: *¡oh! → admiración; ¡hombre! → sorpresa*, etc.

CE 1

1 Lee con atención el texto anterior y escríbelo en estilo directo.

2 A continuación te damos un esquema con las principales transformaciones verbales; complétalo teniendo en cuenta los resultados del ejercicio anterior.

▶ TRANSFORMACIONES VERBALES

ESTILO DIRECTO → *dice / ha dicho que* ESTILO INDIRECTO

1. **Verbo en indicativo**	→
2. **Verbo en subjuntivo**	→
3. **Verbo en imperativo**	→

ESTILO DIRECTO → *dijo / decía / había dicho que* ESTILO INDIRECTO

1. **Verbo en indicativo**		2. **Verbo en subjuntivo**	
- presente	→	- presente	→
- indefinido / pluscuamperfecto	→	- imperfecto	→
- imperfecto	→	- pretérito perfecto	→
- pretérito perfecto	→	3. **Verbo en imperativo**	→
- futuro simple	→		
- futuro compuesto	→		interrogativas totales →
- condicional simple	→	PREGUNTAR	
- condicional compuesto	→		interrogativas parciales →

CE 2.3 **3** **Transforma en estilo indirecto estas frases.**

1. El portavoz del Gobierno señaló: "No habrá subida de salarios a los médicos el próximo año debido a la crisis en el sector de la sanidad".

2. E.T. dijo a los niños: "Sed buenos".

3. Ante aquellas acusaciones Ana replicó: "Yo no he venido aquí a que se me insulte".

4. Pedro informó: "Si queréis venir a la fiesta, tenéis que traer algo de comida y de bebida".

5. Ante el revuelo surgido, el alcalde entró en la sala y anunció: "Señoras y señores, me veo en la obligación de dar por terminada la sesión".

6. El niño, con gran tristeza, suplicó: "Mamá, por favor, no te vayas todavía, espérame".

7. Don Saturnino, en tono muy grave, replicó: "No quisiera marcharme sin explicar antes lo que sucedió exactamente ayer en este mismo lugar".

8. Rosa añadió con enfado: "Ahora mismo vienes y me traes los libros que te presté".

9. Los policías preguntaron a cada uno de los testigos: "¿Cuántos años cree usted que tendrían los ladrones?".

10. Cuando se enteró de que le había tocado la lotería exclamó: "¡Oh, Dios mío!, gracias por haber escuchado mis rezos".

11. Cuando Roberto vio lo que había hecho su hijo le dijo: "Subirás a tu cuarto y te quedarás allí hasta que se te ocurra alguna solución".

12. El detective le había preguntado antes: "¿Dónde estaba usted en el momento del crimen? ¿Con quién?".

13. Al enterarse de lo ocurrido comentó: "Si yo hubiera venido aquí la semana pasada nada de esto habría sucedido".

14. Nada más enterarse de lo ocurrido, comenzó a gritar: "¡Ladrones, estafadores! ¡Nos veremos en los tribunales! La justicia se encargará de daros lo que os merecéis".

15. Antes de salir, su padre volvió a insistir: "Llega tarde esta noche y te quedas sin vacaciones. Estás avisado".

CE 4 **4** *Bajarse al moro* **es el título de una conocida obra de teatro escrita por José Luis Alonso Santos. Transforma este fragmento en estilo indirecto (en pasado).**

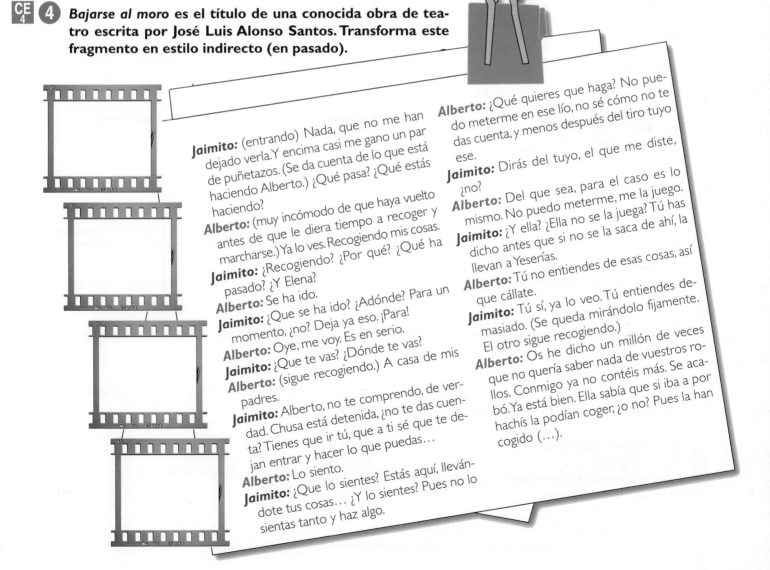

Jaimito: (entrando) Nada, que no me han dejado verla. Y encima casi me gano un par de puñetazos. (Se da cuenta de lo que está haciendo Alberto.) ¿Qué pasa? ¿Qué estás haciendo?

Alberto: (muy incómodo de que haya vuelto antes de que le diera tiempo a recoger y marcharse.) Ya lo ves. Recogiendo mis cosas.

Jaimito: ¿Recogiendo? ¿Por qué? ¿Qué ha pasado? ¿Y Elena?

Alberto: Se ha ido.

Jaimito: ¿Que se ha ido? ¿Adónde? Para un momento, ¿no? Deja ya eso. ¡Para!

Alberto: Oye, me voy. Es en serio.

Jaimito: ¿Que te vas? ¿Dónde te vas?

Alberto: (sigue recogiendo.) A casa de mis padres.

Jaimito: Alberto, no te comprendo, de verdad. Chusa está detenida, ¿no te das cuenta? Tienes que ir tú, que a ti sé que te dejan entrar y hacer lo que puedas…

Alberto: Lo siento.

Jaimito: ¿Que lo sientes? Estás aquí, llevándote tus cosas… ¿Y lo sientes? Pues no lo sientas tanto y haz algo.

Alberto: ¿Qué quieres que haga? No puedo meterme en ese lío, no sé cómo no te das cuenta, y menos después del tiro tuyo ese.

Jaimito: Dirás del tuyo, el que me diste, ¿no?

Alberto: Del que sea, para el caso es lo mismo. No puedo meterme, me la juego.

Jaimito: ¿Y ella? ¿Ella no se la juega? Tú has dicho antes que si no se la saca de ahí, la llevan a Yeserías.

Alberto: Tú no entiendes de esas cosas, así que cállate.

Jaimito: Tú sí, ya lo veo. Tú entiendes demasiado. (Se queda mirándolo fijamente.) El otro sigue recogiendo.)

Alberto: Os he dicho un millón de veces que no quería saber nada de vuestros rollos. Conmigo ya no contéis más. Se acabó. Ya está bien. Ella sabía que si iba a por hachís la podían coger, ¿o no? Pues la han cogido (…).

CASOS EN LOS QUE NO HAY TRANSFORMACIONES VERBALES

5 **Lee los siguientes diálogos.**

1

Alejandro: ¿Has estado en alguna ocasión en Fuencaliente?

Carmen: No; una vez me dijeron que **es** un lugar famoso por sus aguas y que **hay** varios balnearios.

Alejandro: Sí, es verdad. Cuando yo era pequeño, mi abuelo me explicó que esas aguas **son** muy beneficiosas para la salud y que **tienen** propiedades curativas.

2

Estrella: ¿Dónde has estado de vacaciones?

María: Me fui a Ibiza con Esther y su familia.

Estrella: ¿Y qué tal? ¿Fuisteis a muchas discotecas?

María: Muy bien, lo que pasa es que teníamos que estar pronto en casa, porque, según me comentó Esther, su padre **está** un poco anticuado y no **quiere** que sus hijas vayan solas a lugares desconocidos; por esta razón, cuando ellos no venían, no podíamos quedarnos más que un par de horas, y cuando empezaba a haber más ambiente, nos teníamos que ir.

Estrella: ¡Vaya rollo!

3

Ángel: La semana pasada entrevisté a Pepe Umbrales, el novelista.

Rosa: ¿Sí? ¿Y qué? ¿Te contó algo interesante?

Ángel: Algunas cosas sí y otras no. Le pregunté qué opinaba de las nuevas generaciones de escritores y me contestó que, salvo excepciones, **tenían** poca imaginación, **carecían** de cohesión como grupo y **eran** poco innovadores.

Rosa: ¿Y tú no le dijiste nada?

Ángel: Sí, le sugerí que leyera algunas publicaciones recientes y le di algunos nombres, seguro que así cambiaría de opinión.

Rosa: Este escritor es muy crítico. Sus opiniones son siempre muy radicales.

Ángel: Es verdad, aunque algunas veces tiene más razón que un santo. Le pregunté también si había algún político del Gobierno actual al que admirase y qué pensaba, en general, de todos ellos.

Rosa: Seguro que su respuesta no fue nada comedida.

Ángel: Pues no; me dijo que no admiraba a ninguno de ellos porque en los políticos no se puede confiar; que todos **son** unos oportunistas, **falsean** la realidad a su antojo y no **poseen** un ideario político sólido.

1. Aunque el estilo indirecto aparece aquí en contextos de pasado, hay ocasiones en que el discurso referido puede ir tanto en pasado como en presente. Anota estos casos y compáralos.

en pasado	en presente

2. Fíjate en que no todos los enunciados son iguales. Clasifícalos en estos tres grupos.

verdades absolutas	opiniones particulares	cualidades que permanecen

3. ¿Qué tiempos verbales se utilizan en cada caso? ¿Cuándo crees que hay que utilizar un tiempo y cuándo otro? Resúmelo en este cuadro.

▶ **CONSERVACIÓN / NO CONSERVACIÓN DEL PRESENTE**

• Si nos referimos a una verdad absoluta	→
• Si nos referimos a una opinión	
- que compartimos	→
- que no compartimos o sobre lo que no queremos opinar	→
• Si nos referimos a cualidades	
- que sabemos que permanecen	→
- que sabemos que no permanecen o que no sabemos si continúan	→

6 El futuro simple del estilo directo no siempre se convierte en condicional simple en indirecto. Observa estos ejemplos.

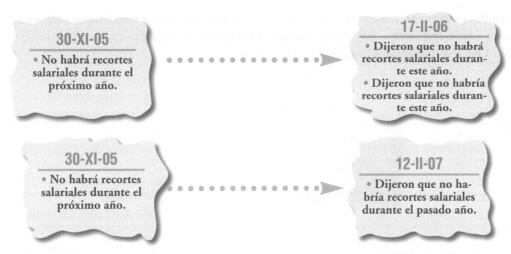

Habrás visto que unas veces se pueden utilizar los dos tiempos y otras solo el condicional. ¿Sabes por qué? Resúmelo en el esquema siguiente.

▶ **CONSERVACIÓN / NO CONSERVACIÓN DEL FUTURO**

• El hecho o los hechos que se repiten en el estilo indirecto ya han sucedido en el momento en el que se habla	→
• El hecho o los hechos que se repiten en el estilo indirecto no han sucedido todavía en el momento en el que se habla	→

7 Transforma estas frases en estilo indirecto.

1. Le preguntaron: "¿Cuál es la fórmula del agua?", y Pedrito contestó: "La fórmula del agua es H_2O".
2. Al día siguiente Carmen aseguró: "Eva no es una chica antipática; lo que pasa es que ayer estaba un poco preocupada, pero normalmente es una persona muy sociable".
3. Su madre nos contó: "No tiene miedo a nada ni a nadie, de ahí que sea tan temerario".
4. Se marchó diciendo simplemente: "Que os vaya bien. Nos vemos".
5. Y Copérnico afirmó ante el tribunal: "Sus señorías, la Tierra es redonda".
6. La presidenta de la asociación concluyó: "En el año 2100 las mujeres habremos conseguido la plena igualdad".
7. Marcos explicó a todos: "Antes del accidente mi padre era un hombre confiado y afable".
8. Ayer presenté a Eric al director. Lo primero que me preguntó fue: "¿Están casados?".
9. Eric contestó: "Me llamo Eric, tengo 28 años y soy sueco".
10. El vidente señaló: "Durante el próximo siglo tendrá lugar la última gran guerra".

8 Combina elementos de las tres columnas y construye frases.

informó de		existe
aseguró		tenía
señaló		tuvo miedo
dijo	que	había
había confesado		tendrá lugar
había afirmado		habrá regresado
contaba		se ocuparía
explicó		habría llegado

EXPRESIONES DE LA LENGUA HABLADA

CE 6.8 **9** **Hay muchas palabras y expresiones que no pueden pasarse literalmente de estilo directo a estilo indirecto. Algunas pueden "interpretarse", y otras simplemente se omiten. Lee los diálogos y completa el cuadro.**

I. **A:** Bueno, ¿qué quieres que hagamos hoy?
B: ¡Anda!, pues lo de siempre.
A: Estoy hasta las narices de hacer siempre lo mismo.
B: Ah, no me digas. Tú siempre te cansas de todo. ¡Vaya novedad!

2. **A:** ¿Te dijo algo el portero?
B: Eh…, sí, algo de que venía el fontanero y no sé qué.
A: Pues es un poco tarde, ¿no?, ya son las ocho.
B: ¿Te vas a quedar a esperarlo?
A: A ver, qué remedio.
B: Pues asómate a ver si está por ahí.

3. **A:** ¡Me voy a los carnavales de Brasil! Me ha tocado un viaje en un sorteo.
B: ¡Jo, qué suerte! ¡Cuánto me alegro! ¡Hala, pues a preparar la maletita!

4. **A:** ¡Ay, Dios mío! ¡Qué tarde es!
B: ¿Dónde vas con tanta prisa?
A: Es que hoy entro a trabajar un poco antes.
B: Anda, ¿y eso?
A: Porque tenemos mucho trabajo atrasado.
B: Vale, vale, entonces no te entretengo.
A: Ah, oye, haz tú la compra hoy, ¿vale?

6. **A:** Este chico es muy grosero, ¿verdad?
B: Es igual que su padre.
A: Sí, claro, y de tal palo tal astilla. No lo podrá evitar.
B: Hombre, podía hacer un esfuerzo por ser un poco más sociable; tampoco es mucho pedir, digo yo.
A: Vamos, yo no digo que no pueda, pero es que cada uno es como es.

5. **A:** ¡Qué barbaridad! ¿Has visto cómo está todo de caro?
B: ¡Bah!, y esto no es nada comparado con otros años.
A: De seguir así no sé dónde vamos a llegar.
B: Sí, hija, sí.

palabras y expresiones que pueden "interpretarse"		palabras y expresiones que omitimos
palabra o expresión	significado	

¿Conoces otras palabras y expresiones de este tipo? Añádelas a la lista anterior y coméntalas con tus compañeros.

EL / UN / ø

1. Valor de cada elemento

el → conocido o específico; generalización

un → desconocido o inespecífico

ø → perteneciente a una clase

2. Uso de cada elemento

SUJETO		CD
• contable		• contable
el: *El niño jugaba en la calle.*		**el:** *Trajo los libros.*
un: *Un niño jugaba en la calle.*		**un:** *Trajo unos libros.*
ø (sólo con plural, pospuesto al verbo): *Jugaban niños en la calle.*		**ø:** (sólo con plural): *Trajo libros.*
el = **un:** para generalizar (= *todos*); normalmente, con un adjetivo que acompaña al sustantivo: *El / un buen abogado debe luchar por los intereses de su cliente.*		• medible
• medible		**el:** *Trajo el vino.*
el: *El agua está fría.*		**un:** *Trajo un vino.*
ø (sólo con verbos como *entrar, salir, caer...*; normalmente pospuesto al verbo): *Sale agua de la tubería.*		**ø:** *Trajo vino.*

CI	ATRIBUTO (con el verbo *ser*)	CC
• contable	• contable	• contable
el: *Dio el dinero al chico.*	**el:** *Es el médico.*	**el:** *Córtalo con el cuchillo.*
un: *Dio el dinero a un chico.*	**un:** *Es un médico.*	**un:** *Córtalo con un cuchillo.*
ø: *Dio el dinero a chicos huérfanos.*	**ø:** *Es médico.*	**ø:** *Córtalo con cuchillo.*
• medible	• medible	• medible
el: *Echa sal al guiso.*	**el:** *Este es el aceite del coche.*	**el:** *Mézclalo con el agua.*
	ø: *Esto es aceite.*	**ø:** *Mézclalo con agua.*

---

10 **Elabora un texto a partir de cada mensaje. Presta atención a los artículos e indefinidos.**

1
Perpetrado atentado, sur de ciudad.
Tranquilos: heridos ya en hospital.

2
Llego mañana en vuelo 14.00 horas (familia Pérez acompaña). Llevamos regalos y sorpresa: encontramos copia testamento abuelo. ¡Somos ricos!

3
Agradezco invitación y acepto. ¿Compro bebida? Llevaré, como siempre, dulce típico de celebración. Envío besos.

4
Denegado permiso amigos de Javier. ¿Esta es famosa solidaridad? Única solución, presionar con huelga, no importa de qué tipo.

---

11 **En parejas, buscad contextos en los que puedan usarse los siguientes pares de oraciones.**

1. Han cerrado con llave.
   Han cerrado con la llave.
2. Es un mamífero.
   Son mamíferos.
3. Preguntó a expertos.
   Preguntó a un experto.
4. Buscó colonia.
   Buscó la colonia.
5. La luz entra.
   Entra luz.

CE 9.10 **12** **Elige la opción correcta.**

Empiece por romper *los / unos / ø* cristales de su casa, deje caer *los / unos / ø* brazos, mire vagamente *la / una / ø* pared, olvídese. Cante *la / una / ø* nota, escuche por dentro. Si oye algo como *el / un / ø* paisaje sumido en *el / un / ø* miedo, con *las / unas / ø* hogueras entre *las / unas / ø* piedras, con *las / unas / ø* siluetas semidesnudas en cuclillas, creo que estará bien encaminado, y lo mismo si oye *el / un / ø* río por donde bajan *las / unas / ø* barcas pintadas de amarillo y negro, si oye *el / un / ø* sabor de *el / un / ø* pan, *el / un / ø* tacto de *los / unos / ø* dedos, *la / una / ø* sombra de *el / un / ø* caballo.

Julio Cortázar, *Historias de cronopios y de famas.*

PUNTUACIÓN II

■ La **raya** (—) se emplea para:

• Indicar en el diálogo que estamos ante un discurso directo y para señalar las distintas intervenciones.

Y luego me puse yo, que como siempre, le dije:
—Ya es martes, así que solo faltan dos noches para que vuelvas.
—¿Tienes ganas de que llegue?
Qué preguntas hace mi padre. Pues claro que tenía ganas de que volviera.

• Intercalar alguna información dentro de un enunciado con el que se relaciona pero del que está desligado.

Todo el mundo se enteró de lo ocurrido —la noticia se dio por televisión—, pero a nadie pareció importarle lo más mínimo.

• Indicar la palabra que se ha de entender suplida dentro de un mismo renglón o en renglones diferentes.

estrella **f.** *Cuerpo aparentemente pequeño que brilla por la noche en el cielo [...]; —* **fugaz,** *la que aparece de pronto moviéndose muy rápido y desaparece en seguida: Cuando veas una — fugaz formula un deseo.*

■ Los **paréntesis** ( ) se usan también para separar un inciso intercalado dentro de la oración, pero más largo que los separados por las rayas y de menor conexión con el resto. También se utilizan para aclarar información, explicar abreviaturas, siglas, etc.

Llegó temprano para evitar problemas (la tarde anterior habían discutido precisamente de la "costumbre" de algunas personas de acudir a las citas con retraso), se sentó en una mesa y empezó a leer la carta.

La OCU (Organización de Consumidores y Usuarios) ha anunciado que emprenderá acciones legales contra la empresa causante de la intoxicación.

■ Las **comillas** (" ") se emplean para indicar que estamos ante una cita o un enunciado reproducido literalmente. Sirven también para enfatizar, dar sentido irónico o destacar una palabra o expresión, y, finalmente, para escribir una palabra poco conocida o un término extranjero.

Como decía mi abuela: "Más vale pájaro en mano que ciento volando".

A: Ayer vi a Juani en el centro comercial.
B: ¿Sí? ¿Y qué te dijo?
A: Nada; ella, como siempre, tan "simpática".

---

13 **Escribe este texto en forma dialogada empleando la raya (—).**

Mi abuelo gritó desde las alturas: ¡Una ronda para todos! Mi madre lo miraba con cara de odio desde la puerta. Otro idiota, dijo como para ella, y este también es de mi familia.

Yo intentaba decirle que se viniera a ayudarnos en la búsqueda angustiosa, pero mi abuelo no se enteraba de nada. ¡Papá, le grité mi madre, que se ha perdido el nene! Mi abuelo la saludó desde arriba con su vaso de vino. Vámonos, niños, que aquí estamos perdiendo el tiempo, dijo mi madre.

Ya nos íbamos cuando de repente sonó un golpe y un grito de dolor. El ruido era del ventilador y el grito de mi abuelo.

Los que lo llevaban a hombros habían saltado más de la cuenta y le habían golpeado la cabeza contra el ventilador del techo. Mi madre dijo con rabia contenida: Se lo tiene merecido.

Siguiendo nuestros propios pasos, del Tropezón nos fuimos a la panadería de la Porfiria. La Porfiria nos dijo nada más vernos: ¿Pero otra vez aquí? ¿Es que no habéis tenido bastante con los bollos? Y mi madre le contestó: Tampoco es que se te vaya a hundir el negocio con el gasto que has hecho.

Elvira Lindo, *Los trapos sucios. Manolito gafotas.*

CE 12 **14** **Coloca comillas (" "), paréntesis ( ) o raya (—) cuando sea necesario.**

Sentada en su butaca y a oscuras semanas antes le habían cortado la luz por falta de pago, Marta se repetía una y otra vez ¿por qué?, ¿por qué?, incapaz de aceptar que su marido la hubiera abandonado para siempre. ¡Quién lo iba a decir! Él, el hombre perfecto, el amante y fiel esposo, se había fugado con una jovencita a Miami llevándose el dinero y las pocas cosas de valor que les quedaban. Laura entró sigilosamente, para no asustarla, y se sentó a su lado cogiéndole la mano.

Pasados unos minutos se decidió por fin a hablarle: No sufras, no te tortures, él no se lo merece; debes recordar lo que siempre nos decía mamá: No hay mayor desprecio que el olvido.

En su mente, las palabras retumbaban. Olvido, olvido; ¡qué fácil resultaba para los demás! Marta sabía que nunca podría olvidar al hombre al que había amado por encima de todas las cosas y por el que había llegado, incluso, a asesinar.

---

15 **Escribe tres textos, suprime en ellos los signos y pásaselos a tu compañero para que coloque los signos donde crea conveniente. Comparad los resultados.**

LOS LENGUAJES CIENTÍFICO-TÉCNICOS

Son aquellos que aparecen en los diferentes dominios de la ciencia. Sus características fundamentales son:

- Predominio absoluto de la función referencial del lenguaje: se busca de manera especial dar una información objetiva y despersonalizada. Para lo primero, se recurre a la clasificación, la argumentación, la enumeración, el razonamiento, el cálculo. La despersonalización se manifiesta a través de recursos propios de impersonalidad (pasiva con *ser*, pasiva refleja y *se* impersonal, especialmente) y de elementos tales como verbos en presente, uso de la 1.ª persona del plural con valor de cortesía.

- Ausencia frecuente de algunas formas verbales (las de 2.ª persona, las de imperativo), así como de determinados pronombres (los de 2.ª persona).

- El tiempo verbal predominante es el presente, con valor atemporal.

- Ausencia de ciertas modalidades oracionales (no es normal encontrar oraciones exclamativas, desiderativas, apelativas, exhortativas).

- Complejidad sintáctica, que se manifiesta en uso constante de oraciones subordinadas. En este sentido, hay que señalar la presencia notable de marcadores de causa y consecuencia, articuladores lógicos y marcadores temporales y espaciales.

- Uso frecuente de adjetivación (tanto con adjetivos como con oraciones de relativo), con predominio de la adjetivación especificativa y pospuesta (descripción objetiva).

- Presencia abundante de compuestos y derivados (afijos cultos). Asimismo, hacen uso en numerosas ocasiones de siglas y símbolos.

- Léxico especializado.

16 **Señala ejemplos de las características indicadas en los siguientes textos.**

Se puede buscar una aparición específica de texto (no líneas de índice) en las tarjetas mediante el comando *Buscar* del menú *Búsqueda*, comenzando desde cualquier parte del archivo. La búsqueda es efectuada hacia delante desde el punto seleccionado y, al llegar al final del archivo, continuará automáticamente desde el principio. Al buscar texto, se puede especificar que el fichero ignore la distinción entre mayúsculas y minúsculas.

Dado que las variaciones del tipo de cambio afectan a los flujos del comercio, se puede utilizar y abusar de la política del tipo de cambio para aumentar las exportaciones y reducir las importaciones.

El DOS consta de cuatro partes independientes. La primera de estas es el registro de carga inicial, que reside en la pista 0, sector 1 del disco del DOS. El segundo constituyente es el programa IBMBIO.COM, que interacciona con las rutinas BIOS *(Basic Input / Output System)*, situadas en la memoria ROM de la CPU. IBMBIO.COM actúa como intermediario entre los mismos programas DOS y dispositivos como el teclado, pantalla, unidades de disco e impresora. También facilita la detección de ciertas condiciones de error y avisa al operador con el correspondiente mensaje en la pantalla.

El tercer componente es el IBMDOS.COM, que es el verdadero programa del DOS. Crea y manipula los ficheros en disco, encargándose de que los datos sean leídos y grabados correctamente. Contiene igualmente una serie de rutinas diseñadas para ser utilizadas por el DOS.

El cuarto componente es el COMMAND.COM, un procesador de órdenes que identifica los comandos tecleados por el usuario y los ejecuta correctamente.

Teniendo en cuenta las tres categorías de gasto que hemos considerado anteriormente, la función objetivo de la empresa o, mejor dicho, de los directivos, puede expresarse como sigue:

$$U = U \ (S, M, BD)$$

donde U denota la función de utilidad ordinal de los directivos y S, M y BD son los tres tipos de gastos antes analizados. El objetivo que se desea alcanzar es maximizar la función de utilidad, suponiendo para ello que cada una de las tres categorías de gasto representa un bien para la empresa.

17 Transforma los siguientes textos en otros de carácter más técnico.

¿Mover, estirar y encoger ventanas? Pero ¡qué es esto!

El nombre de "ventana" sólo nos sugiere que se puede mirar a través de ellas. Pero una ventana de Windows no es un elemento arquitectónico rígido (estás muy equivocado si así lo crees). Fíjate: puedes desplazar las ventanas por la pantalla y cambiar su tamaño. Sorprendente, ¿verdad?

Para mover una ventana tienes que situar el puntero sobre la barra del título y arrastrar la barra, es decir, pulsas el botón izquierdo del ratón y lo mantienes pulsado mientras desplazas el ratón.

Truco para fisgonear de ventana a ventana

Este es un útil truco sólo para los que ya os habéis metido en una pantalla de Windows. A lo mejor te parecerá algo complicado, pero merece la pena aprenderlo; y, ¿sabes por qué? Pues porque permite controlar todas las ventanas. Si no estás usando el ordenador con Windows, olvídate de esto.

Si haces doble clic sobre los dibujitos de programa podrás abrir varias ventanas de programa a la vez. Es entonces cuando se organiza el barullo: una mesa con un montón de carpetas unas sobre otras.

Localiza en la parte inferior del teclado una tecla con el rótulo *Alt*. Púlsala con el dedo pulgar izquierdo y no la sueltes. Luego localiza la tecla que hay a la izquierda de la letra Q. Es la tecla tabuladora y suele llamarse *Tab*. No sueltes la tecla *Alt* y pulsa repetidamente la tecla *Tab*.

Enrike del Teso, *La informática*
(texto adaptado).

CE 13. 14 **18** Observa estas ilustraciones y explica qué son, de qué partes constan y cómo funcionan.

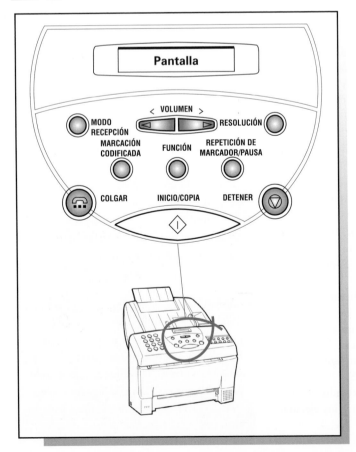

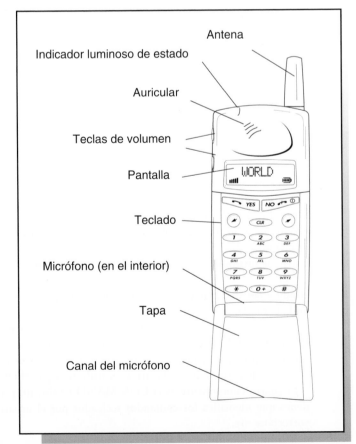

CE 15, 16 **19** ¡BIENVENIDOS AL CONCURSO *EL FUTURO YA ESTÁ AQUÍ!*

Formad grupos de tres o cuatro personas. El juego consiste en ir pasando una serie de pruebas e ir acumulando puntos. Ganará el grupo que haya conseguido mayor puntuación.

 PRUEBA NÚMERO 1

CD2: 11

Vais a escuchar las definiciones de términos relacionados con la informática que se corresponden con esta lista, en la que solo os proporcionamos las tres primeras letras de cada uno de ellos. Prestad atención y contestad con rapidez (cada respuesta correcta vale cinco puntos).

✓ ORD	✓ TEC	✓ MIC
✓ INT	✓ ARC	✓ PRO
✓ RAT	✓ DIS	✓ FOR
✓ MON	✓ GRA	✓ ESC

PRUEBA NÚMERO 2

En esta prueba jugaremos de dos en dos grupos. El profesor proporcionará a cada equipo cuatro términos del ámbito de las telecomunicaciones que deberéis distribuir en vuestra cuadrícula. El primer grupo pedirá una combinación (3B, 1A…); si da con un término, debe explicar de qué se trata, pero si la casilla está vacía, deberá pedir otra. Cada grupo tiene seis oportunidades (cada respuesta correcta vale 10 puntos).

EQUIPO A

	A	B	C
1			
2			
3			

EQUIPO B

	A	B	C
1			
2			
3			

PRUEBA NÚMERO 3

Tenéis que buscar cinco términos para cada una de las siguientes áreas (dos puntos por respuesta correcta).

Física	Química	Matemáticas	Tecnología aeronáutica, mecánica, electrónica, electricidad
1. ___	1. ___	1. ___	1. ___
2. ___	2. ___	2. ___	2. ___
3. ___	3. ___	3. ___	3. ___
4. ___	4. ___	4. ___	4. ___
5. ___	5. ___	5. ___	5. ___

PRUEBA NÚMERO 4

Esta prueba consiste en adivinar el nombre de un famoso investigador español, inventor del autogiro. Para saber de quién se trata, leed las siguientes definiciones y buscad el término correspondiente. Si unís la inicial de cada uno de ellos obtendréis el nombre que buscamos (50 puntos para el grupo que consiga averiguar el nombre en el tiempo establecido).

❖ Punto o lugar en el que se unen dos o más cosas. Pieza que se coloca entre dos partes de un aparato para que se unan.

❖ Que no se ve a simple vista y que se extiende a continuación del color violeta.

❖ Relativo a la construcción de aviones, naves espaciales y otros aparatos que vuelan por el aire o por el espacio, o que tiene relación con esta construcción.

❖ Elemento que se presenta en la naturaleza en forma de gas, sin color ni olor, y que forma la mayor parte del aire de la atmósfera, disminuyendo la acción oxidante del oxígeno.

❖ Acción y resultado de quitar o destruir las plantas de un terreno.

❖ Ocultación de un cuerpo celeste por la interposición de otro.

❖ Rayo o conjunto de rayos de luz intensa y de gran energía. Aparato que lo produce.

❖ Parte más pequeña de un elemento químico, que sigue conservando las propiedades de dicho elemento.

❖ Cambiar o sustituir. Cambiar el orden de las cantidades en una operación matemática.

❖ Máquina que se conecta a un ordenador y que sirve para escribir sobre papel.

❖ Desgaste producido en la superficie de la Tierra por fenómenos naturales o por la acción del hombre y de los seres vivos.

❖ Energía que emiten ciertos cuerpos procedentes de la descomposición de sus átomos.

❖ Programa que causa daños en un ordenador.

❖ Distancia que hay, dentro de un plano, entre un punto y un eje vertical medida en la dirección de un eje horizontal.

PRUEBA NÚMERO 5

¿Qué tal de memoria? Observad con atención estas fotografías.

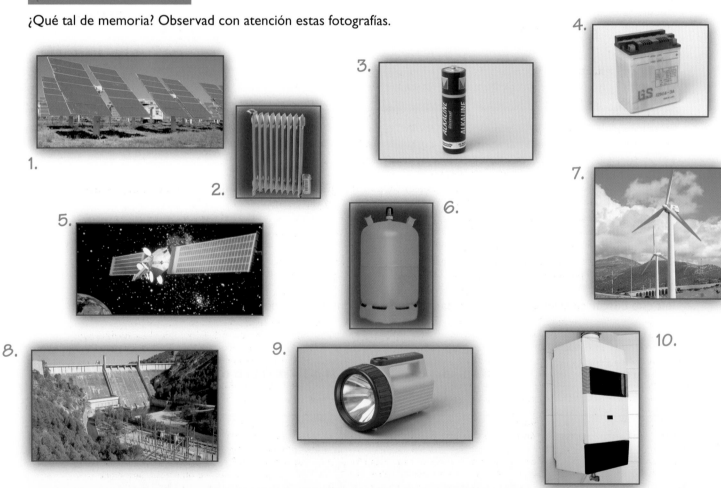

Ahora cerrad el libro. Tenéis que escribir el nombre de cada uno de los objetos que aparecen en las fotografías y colocarlos de menor a mayor tamaño (25 puntos para el grupo que primero termine).

20 **Lee este texto y finaliza la historia.**

¿Juan?… ¡Hombre, no te había reconocido la voz! ¡Hola, soy Miguel! ¿Qué tal estás?, ¿cómo va todo?… Vaya, me alegro. ¡Cuánto tiempo sin hablar!, ¿verdad?… Pues nada, que estaba aquí en casa y de repente he pensado "¿qué será de Juan?", y me he dicho "voy a llamarlo a ver qué tal le van las cosas", y mira, dicho y hecho. Oye, ¿no te has enterado de lo de Paco y su mujer?… ¿Que qué Paco? Pues Paco, Paquito, nuestro Paquito… Menudo dramón, chico. Yo no sabía nada de nada; tú sabes que no me gusta meterme en la vida de nadie: yo a mis cosas y punto… Pues a mí me lo ha dicho Eva, que se lo había contado su madre, que vio el otro día a la prima de la vecina de Paco (¿te acuerdas de ella?… Sí, hombre, esa tan cotilla), y le explicó con pelos y señales todo lo ocurrido… Oye, mira, te lo cuento porque me estás preguntando, pero… que no se entere nadie. ¡No veas qué lío! Toda la familia está alteradísima. Bueno, hace una semana desapareció de forma extraña y misteriosa la mujer de Paco. Era de noche y bajó al bar a comprar tabaco (es una fumadora empedernida). Fue la última vez que la vieron. Nadie sabía nada: ninguna sospecha, ningún indicio, hasta esta mañana, que por fin…

Y TÚ, ¿ERES COTILLA?

Descubre si vives pendiente de lo que hacen los demás
Por M.ª Dolores Avia (Catedrática de Psicología de la Universidad Complutense)

A pesar de no tener muy buen cartel entre nosotros, el cotilleo está siendo reconocido por los psicólogos como un valioso instrumento para la vida social. ¿Te imaginas lo difícil que nos resultarían las cosas si toda la información que tenemos de la gente la hubiéramos tenido que obtener directamente, a base de experiencias personales? Afortunadamente las noticias se transmiten, de forma que, a menudo, cuando nos presentan a alguien ya sabemos muchas cosas sobre él o ella, y eso nos permite tener una idea de lo que podemos esperar de esa persona y calcular si debemos comportarnos de una forma u otra en su presencia. Eso sí: hay personas curiosas, a las que les divierte estar bien informadas, y otras que, además, tienen lengua "viperina" y añaden, a lo que solo son rumores, comentarios venenosos y dañinos. ¿Crees que te encuentras entre los primeros, o eres un despistado que nunca se entera de nada? Naturalmente, no eres de los segundos, ¿verdad? Mira tus respuestas en este cuestionario. ¡Es la mar de interesante!

Señala si es "verdadero" o "falso":

1. Me aburre bastante que la gente me cuente sus asuntos personales, íntimos o privados.
2. Si estoy haciendo algo en casa y oigo voces de desconocidos en la puerta del vecino o en la escalera, lo normal es que siga haciendo mis cosas sin asomarme a ver quién es.
3. Nunca he leído un diario o una carta privada perteneciente a otra persona si ella no me los ha enseñado.
4. Si tengo un idilio con alguien, me apresuro a contárselo a algún amigo.
5. Conozco un secreto de una persona que nunca he contado a nadie.
6. Me gusta mucho hablar bien de la gente, y cuando puedo lo hago.
7. Me cuesta hablar mal de otro; procuro no hacerlo.
8. Si tuviera que pasar una tarde solo en casa de un amigo, lo normal es que no mirara en sus cajones ni en sus cosas personales.
9. Me preocupa muy poco lo que hacen con su vida mis vecinos o mis compañeros de trabajo.
10. Suelo ser de los primeros en darme cuenta si alguien de mi trabajo tiene un lío amoroso con alguien que yo conozco.
11. A veces puedo pasar más de una hora analizando con un amigo o compañero algún asunto personal de mi jefe, de mi profesor o de alguien que tiene poco trato conmigo.
12. Puedo decir qué famoso acaba de divorciarse, qué actriz está embarazada y el último escándalo de la nobleza de mi país.
13. Alguna vez he parado los pies a alguien por difundir rumores malintencionados de otro.
14. Más de una vez, en un restaurante o en la cola de un cine, he dejado de atender a la persona con la que estaba porque tenía el oído puesto en la discusión de los novios que estaban al lado.

Anota un punto si has contestado "falso" a las cuestiones 1, 2, 3, 5, 7, 8, 9 y 13, y "verdadero" a las cuestiones 4, 6, 10, 11, 12 y 14.

Cuatro o menos. Estupendo, eres una persona muy respetuosa de la intimidad ajena, completamente de fiar. Puedes ser una losa, no dirás nada de nadie, vives tu vida sin asomarse a la de los demás. Pero atención: ten cuidado, no todo el mundo es como tú. Además, puede que hayas metido alguna vez la pata simplemente por no haber sabido que Fulanito y Menganito eran enemigos acérrimos. Igual te conviene dejar temporalmente tu ensimismamiento y asomarte sanamente a tu alrededor. ¡Te sorprenderás de ver las cosas que pasan!

Entre cinco y diez. Tienes una buena combinación de elementos: estás lo suficientemente informado de lo que pasa en tu entorno como para no quedarte en la luna de Valencia, pero tampoco te pasas el día fisgoneando tras la mirilla de la puerta, muriéndote de ganas por saber quién será ese señor que entra tanto a casa de tu vecina.

Más de diez. ¡Vaya, vaya! Estarás muy al día… ¡Qué regocijo cuando te enteras de lo que hacen los demás!, ¿eh? Yo no te confiaría un secreto, pero reconozco que, al menos, eres sincero: casi todo el mundo habla de otro sin estar bien informado; lo de leer las cartas de los demás es bastante común y… ¿por qué crees que se vende tanto la prensa del corazón? No estás solo… pero no te enfades si te enteras de que dicen algo injustificado de ti. Desmiéntelo, sonríe y… déjalos que disfruten. Examina tus respuestas a las preguntas 6, 7 y 13 para reflexionar sobre si a veces eres un maldiciente. Si no puedes evitar hablar, permítete el lujo de hablar bien de otros. Y si no puedes encontrar otra razón, piensa que no te conviene hablar mal de nadie: la gente deja de contar cosas a quien sabe que luego las adorna con mala intención.

Revista Mía

21 EL PATIO DE VECINOS

UN HOMBRE ASESINA A SU VECINA POR PONER LA MÚSICA EXCESIVAMENTE ALTA

Severina Márquez, de 48 años, resultó muerta ayer tras explotar el equipo de música en el que estaba oyendo el último éxito de Julio Iglesias. El aparato de música había sido manipulado por su vecino, A. M. C., experto artillero, quien aprovechó la ausencia de Severina durante un fin de semana de vacaciones para colocar tras el tocadiscos una pequeña carga de explosivos. El presunto asesino confesó a la policía que su única intención era asustar a Severina, con la que había discutido en numerosas ocasiones por la costumbre que esta tenía de poner la música a un volumen excesivo, especialmente los discos de Julio Iglesias, de quien era *fan* incondicional. A. M. C. estaba en tratamiento psiquiátrico debido a sus continuas depresiones y desequilibrios mentales, problemas que él achaca a la presión a la que estaba sometido día a día por culpa de la pasión que despertaba el famoso cantante en su vecina.

1. ¿Conoces algún caso similar?
2. ¿Has tenido en alguna ocasión algún problema con los vecinos? ¿Qué pasó?
3. ¿Por qué crees que es tan difícil la convivencia?
4. ¿Qué es lo que más te molesta de tus vecinos?
5. ¿Crees que es posible llegar a vivir en paz y concordia con los vecinos? Escribe diez normas básicas de convivencia que hacen posible la vida en comunidad y diez grandes inconvenientes.

CÓMO SER SOPORTADO POR LOS VECINOS	
1	6
2	7
3	8
4	9
5	10

PENURIAS Y MISERIAS	
1	6
2	7
3	8
4	9
5	10

22 AMOR Y TECNOLOGÍA: ¿ES POSIBLE?

¿Qué ha sido de los amores de antaño? Solo han pasado veinticinco años pero parece un siglo. Me acuerdo perfectamente: declaraciones de amor, cálidas y efusivas (y muy cursis, todo hay que decirlo), cartas melancólicas durante la ausencia (cartas manuscritas, por supuesto), pero, por encima de todo, besos, abrazos, achuchones, arrumacos y toda clase de demostración carnal del amor. Yo conocí a Carmen, la que luego sería mi mujer, un sábado por la tarde, en un baile, como era la costumbre. Todo sucedió según lo esperado, fiel a los pasos establecidos: yo la miré, ella me miró, yo le sonreí con galantería, ella me sonrió con picardía, yo me acerqué con valentía y decisión, ella permaneció aparentando timidez… En fin, sin sorpresas ni improvisaciones, de forma natural. Carmen fue la novia perfecta; durante todo el tiempo que duró mi servicio militar (me mandaron a Ceuta, por lo que no nos pudimos ver mucho), ella me escribió semanalmente dulces cartas de amor y yo la correspondí con otras no menos tiernas (me ayudó mucho en esta labor epistolar un libro de correspondencia amorosa que compré de segunda mano en el Rastro). Buscar y mantener una novia no era un trabajo fácil. Era un juego de seducción en el que, a pesar de conocer bien el papel de los personajes y las reglas y principios que lo dirigen, siempre había misterio y emoción. ¿Cómo han podido cambiar tanto las cosas? Veinticinco años después tengo que volver al mismo ritual, pero ¡qué distinto es ahora! Carmen y yo nos hemos separado, bueno, para ser más exactos, Carmen se ha separado de mí. Dice que ha encontrado un *cibernovio* a través de Internet y que se van a casar. Todavía no lo ha visto personalmente, pero afirma que es el hombre de su vida, se lo ha dicho un programa de ordenador que forma parejas perfectas. Parece ser que un día, navegando por Internet, que no en el mar, que incluso yo lo habría entendido, dio con una agencia de matrimonios que aseguraba contar con millones de clientes y que garantizaba asimismo el éxito; solo quería probar, jugar un rato, ver si en algún lugar del mundo habría un hombre más compatible con ella que yo, y lo había, en Australia. Me ha contado que se envían correos electrónicos todos los días, que nunca se han peleado (entre ellos hay una total armonía) y que el sexo es seguro, imprevisible y emocionante. Todos mis amigos me aconsejan que yo también lo intente, que me olvide de las viejas tradiciones amorosas y me acostumbre a las nuevas, que son el futuro. Dicen que es facilísimo, que siempre se liga, ¡que aprenderé "todo lo que siempre quise saber y nunca me atreví a preguntar o experimentar"! Y aquí estoy, intentándolo: es sábado por la noche, me he duchado y afeitado, me he puesto mi mejor traje, he apagado las luces y encendido las velas, he sacado de la bodega una botella (y una sola copa) del mejor vino que tenía, he puesto música de fondo (*Melodías románticas de ayer y hoy*) y me he sentado frente al ordenador. No sé si la noche se me dará bien.

23 COSAS QUE HACEMOS CON LAS PALABRAS

Cuando queremos contar lo que ya se ha dicho, podemos utilizar muchos verbos, no solo *decir*. **Algunos sirven, además, para expresar las actitudes de los interlocutores. Estos son algunos de ellos.**

- ✓ aconsejar
- ✓ agradecer
- ✓ admitir
- ✓ amenazar
- ✓ confesar
- ✓ comentar
- ✓ contar
- ✓ convencer

- ✓ dar la razón
- ✓ despedirse
- ✓ disculparse
- ✓ excusarse
- ✓ felicitar
- ✓ insistir
- ✓ invitar

- ✓ pedir
- ✓ pedir un favor / perdón
- ✓ poner excusas
- ✓ quejarse
- ✓ reconocer
- ✓ saludar
- ✓ sorprenderse

1. Lee estos textos e indica qué actitud muestra el interlocutor.

1. Me encantaría ir al cine, pero es que tengo mucho trabajo esta semana; no es que no me guste la película o que no quiera ir contigo, todo lo contrario, lo que pasa es que tengo que terminar esto antes del viernes.

2. Porque no hay derecho a que te traten así; ni una palabra de agradecimiento, ni un miserable detalle en diez años de dedicación, y encima, exigiéndote cada día más y más.

3. Venga, hombre, si lo vamos a pasar muy bien. Vamos a ir todos; además, en esta discoteca ponen música bastante buena. No puedes hacernos este feo.

4. Me alegro mucho de tu ascenso; creo que te lo merecías. Tú eres la persona más adecuada para este cargo.

5. Sí, bueno, es verdad, tenía que haber llamado para avisar de que llegaría tarde. La próxima vez no lo olvidaré.

6. Oye, ¿te importaría quedarte con la niña un ratito mientras voy al dentista? Tardaré muy poco.

7. Pero, ¡madre mía!, ¡qué barbaridad! Fíjate qué montón de gente hay haciendo cola en la puerta del teatro.

8. Pues mira, es que tengo dos entradas para el fútbol y como sé que te gusta mucho pensé que a lo mejor te apetecería venir.

9. Bueno, pues nada, que te vaya todo muy bien y da recuerdos a tu familia. Ya nos veremos a tu vuelta.

10. Yo que tú no me preocuparía más por el asunto; seguro que estás haciendo una montaña de un grano de arena. Deberías tranquilizarte y olvidar el asunto.

11. Sí, fui yo, no tuve más remedio que hacerlo. Cogí una piedra grande y golpeé el cristal con fuerza hasta que se rompió en mil pedazos. Así pude entrar.

12. ¡Hombre! ¡Cuánto tiempo sin verte! ¿Qué tal?

13. Como no llegues esta vez con puntualidad me iré y no volveré a quedar contigo ni una sola vez más. Ya lo sabes.

14. No te imaginas lo bien que me han venido los libros que me prestaste la semana pasada; sin ellos no habría conseguido hacer bien el trabajo para la clase de arte. El profesor incluso me felicitó.

15. Siento mucho que por mi culpa hayas discutido con tu familia; intentaré aclarar el malentendido y que todo vuelva a la normalidad.

2. ¿De qué hablan? Transforma los siguientes diálogos en estilo indirecto.

1

A: Adivina a quién acabo de ver.
B: ¿A quién?
A: A Begoña con su antiguo novio.
B: Pero ¿no habían dejado de hablarse?
A: Pues eso digo yo.

2

A: ¡Qué oscuridad! ¿Ves algo?
B: Bueno, venga, da la luz.
A: Jo, pues vengo corriendo y traigo un calor. Además, me acabo de comer un bocadillo de jamón y me ha dado mucha sed.
B: Lo siento, pero sólo puedo ofrecerte agua.
A: No, no te molestes.

3

A: ¿No te parece que esta mujer es un poco extraña?
B: Es que no es española.
A: ¿Y qué tiene eso que ver?
B: Hombre, pues que no sabe que hay ciertas cosas que no se pueden hacer ni decir.
A: ¡Anda, anda, anda!
B: Entonces, tú me dirás.

3. En parejas, reconstruid los diálogos a partir de estas descripciones. Luego, leedlos al resto de los compañeros. Tened cuidado con la entonación.

2. Ramón y Santi se encuentran por la calle y se saludan. Ramón invita a Santi a cenar en su casa al día siguiente por la noche, pero Santi rechaza la invitación, pone diversas excusas y se disculpa. Ramón se queja de que nunca lo visita. Santi insiste en que irá la próxima vez y le agradece la invitación; después se despiden.

1. El señor Gutiérrez le cuenta a su vecino que le han tocado diez millones en un sorteo benéfico. El vecino se sorprende por la cantidad y lo felicita. El señor Gutiérrez comienza a explicarle lo que piensa hacer con el premio, pero el vecino se excusa y se va.

3. Rosa le cuenta a David, su hijo, que alguien, durante la noche anterior, ha roto un jarrón de cerámica de gran valor que había en el salón. David se muestra sorprendido y dice no saber nada. Rosa le explica que, puesto que nadie sabe nada, tendrá que llamar a la policía. David confiesa que ha sido él, pone excusas y se disculpa. La madre muestra su enfado y sus quejas; David le da la razón. Rosa lo amenaza para que no vuelva a suceder.

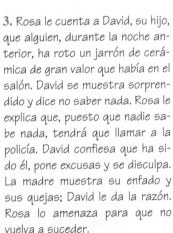

ENTONACIÓN IV: VALORES EXPRESIVOS

En esta lección vamos a continuar estudiando los valores expresivos de la entonación. Ahora nos centraremos en un grupo de mayor complejidad: retintín, ironía, sarcasmo, enfado, ira, indignación, picardía, amenaza.

24 **Escucha los enunciados e identifica el valor expresivo. A continuación, vuelve a escucharlos, repítelos y grábate para poder comparar y analizar tus errores.**

CD2: 12

25 **Intenta pronunciar las siguientes oraciones expresando los valores indicados. Después, escucha con atención y repite.**

CD2: 13

1. *Fíjate en el perrito.*	SORPRESA IRONÍA ORDEN
2. *¿Ya has visto qué pinta lleva?* *¿Ya has visto qué pinta lleva?* *Ya has visto qué pinta lleva.*	PREGUNTA RETÓRICA INTERROGACIÓN AMENAZA
3. *¡Qué bien te lo vas a pasar!*	RETINTÍN ALEGRÍA
4. *Tu inteligencia no tiene límites.*	SARCASMO ASEVERACIÓN
5. *Yo no sé dónde está tú libro.*	ENFADO ASEVERACIÓN DESINTERÉS
6. *Venga, vámonos.*	ORDEN CONVENCER

26 **En grupos de cinco, escribid, a partir de las siguientes pautas, un guión de teatro. Después, tendréis que representarlo. Prestad atención a los enunciados e intentad que los diálogos resulten naturales.**

Cinco amigos están hablando de las próximas vacaciones de verano. Como todos quieren ir a la playa, uno propone alquilar una casita en la Costa Brava. La idea es recibida con entusiasmo. Todos hacen planes, pero pronto surgen los desacuerdos. Al final deciden pasar las vacaciones por separado.

A: pregunta qué van a hacer durante las vacaciones.

B, C, D, E: (contestan por orden) no lo saben todavía, pero todos mencionan con alegría la playa.

B: propone alquilar una casa.

D, E: muestran entusiasmo por la idea.

A, C: indican que la idea les gusta.

C: se interesa por el lugar.

A: propone una ciudad en el sur de España.

E: muestra desacuerdo; no le gusta. Explica el porqué (demasiada gente, demasiado calor) y propone el norte.

B: muestra desacuerdo; no le gusta el norte (por el frío y la lluvia).

D: propone una situación intermedia: el noreste (la Costa Brava).

A, B, C, D: muestran su acuerdo. Entusiasmo por parte de todos.

B: asegura que lo van a pasar estupendamente y lo explica con picardía: es un lugar con mucha marcha (playas, bares, discotecas…).

D: explica que por fin podrá descansar, relajarse, leer tranquilamente.

B: expresa con retintín sus dudas al respecto.

A: propone hacer una fiesta el primer fin de semana.

D, E: ponen cara de disgusto.

B: le parece muy bien. Les cuenta que tiene allí algunos amigos muy interesantes y que los invitará. Intenta convencer a D y E.

E: no le parece buena idea porque tendrán que gastarse dinero en comida y bebida y él está a régimen y, además, es abstemio.

D: les recuerda que él va a descansar.

A: se enfada; cree que son muy aburridos.

C: pide tranquilidad y propone que las fiestas sean solo reuniones de algunos amigos y que el que organice la fiesta corra con los gastos.

A, B, D, E: muestran su acuerdo.

E: expresan su deseo de que la casa que alquilen tenga televisión, vídeo y equipo de música.

B: no le importa, pero con una condición: por las mañanas el volumen debe estar muy bajo. Explica sus planes para la noche (salir) y para las mañanas (dormir).

A: señala que no soporta la televisión. Ironiza sobre los perjuicios para la salud y sobre la inteligencia de los que son adictos a ella.

E: se molesta por la insinuación; sin televisión no va.

A: acepta con resignación; pone una condición: la televisión debe estar en la habitación de E.

D: les pide que no fumen en casa.

E: se queja: es fumador.

D: le pide que haga un esfuerzo.

E: se niega ya enfadadísimo.

C: pide, exige que no se utilice el dinero común para comprar alcohol: nunca bebe.

D: está totalmente de acuerdo.

C: resume la situación: nada de fiestas, nada de televisión y música, nada de ruido por las mañanas, nada de tabaco, nada de alcohol…

B: interrumpe y compara con sarcasmo la situación con la de una prisión / cuartel militar.

A: acaba de recordar que su abuela lo ha invitado a la montaña.

C: explica que quiere comprarse un coche. Por eso, es posible que no pueda irse este año de vacaciones.

B: confiesa que no desea ir con D y E: no saldría bien.

E: opina lo mismo.

D: propone que se pongan de acuerdo para no coincidir durante las vacaciones.

LITERATURA HISPANOAMERICANA I: POESÍA

La literatura hispanoamericana se caracteriza por conjugar las innovaciones de la literatura europea con la autenticidad y la tradición de su propia cultura. La poesía desarrolla las vanguardias manteniendo vivas sus raíces y luchando por reflejar la realidad americana y su problemática.

Aquí tienes algunos textos de los más destacados representantes de la poesía hispanoamericana.

Rubén Darío

Yo persigo una forma…

Yo persigo una forma que no encuentra mi estilo,
botón de pensamiento que busca ser la rosa;
se anuncia con un beso que en mis labios se posa
al abrazo imposible de la Venus de Milo.

Adornan verdes palomas el blanco peristilo;
los astros me han predicho la visión de la Diosa;
y en mi alma reposa la luz como reposa
el ave de la luna sobre un lago tranquilo.

Y no hallo sino la palabra que huye,
la iniciación melódica que de la flauta fluye
y la barca del sueño que en el espacio boga;

y bajo la ventana de mi Bella-Durmiente
el sollozo continuo del chorro de la fuente
y el cuello del gran cisne blanco que me interroga.

Cuerpo de mujer, blancas colinas, muslos blancos,
te pareces al mundo en tu actitud de entrega.
Mi cuerpo de labriego te socava
y hace saltar el hijo del fondo de la tierra.

Fui solo como un túnel. De mí huían los pájaros
y en mí la noche entraba su invasión poderosa.
Para sobrevivirme te forjé como un arma,
como una flecha en mi arco, como una piedra en mi honda.

Pero cae la hora de la venganza, y te amo.
Cuerpo de piel, de musgo, de leche ávida y firme.
¡Ah los vasos del pecho! ¡Ah los ojos de ausencia!
¡Ah las rosas del pubis! ¡Ah tu voz lenta y triste!

Cuerpo de mujer mía, persistiré en tu gracia.
¡Mi sed, mi ansia sin límite, mi camino indeciso!
Oscuros cauces donde la sed eterna sigue,
y la fatiga sigue, y el dolor infinito.

Pablo Neruda, *Veinte poemas de amor*
y una canción desesperada.

Somos el tiempo. Somos la famosa
parábola de Heráclito el Oscuro.
Somos el agua, no el diamante duro,
la que se pierde, no la que reposa.
Somos el río y somos aquel griego
que se mira en el río. Su reflejo
cambia en el agua del cambiante espejo,
en el cristal que cambia como el fuego.
Somos el vano río prefijado,
rumbo a su mar. La sombra lo ha cercado.
Todo nos dijo adiós, todo se aleja.
La memoria no acuña su moneda.
Y sin embargo hay algo que se queda
y sin embargo hay algo que se queda.

Borges,
Los conjurados.

Vicente Huidobro

La barca se alejaba
Sobre las olas cóncavas
De qué garganta sin plumas
brotaban las canciones
Una nube de humo y un pañuelo
Se batían al viento
Las flores del solsticio
Florecen al vacío
Y en vano hemos llorado
sin poder recogerlas
El último verso nunca será cantado
Levantando un niño al viento
Una mujer decía desde la playa
TODAS LAS GOLONDRINAS SE ROMPIERON LAS ALAS.

Al fin de la batalla,
y muerto el combatiente, vino hacia él un hombre
y le dijo: "¡No mueras, te amo tanto!"
Pero el cadáver ¡ay! siguió muriendo.
Se le acercaron dos y repitiéronle:
"¡No nos dejes! ¡Valor! ¡Vuelve a la vida!"
Pero el cadáver ¡ay! Siguió muriendo.

Acudieron a él veinte, cien, mil, quinientos mil,
clamando: "¡Tanto amor y no poder nada contra la muerte!"
Pero el cadáver ¡ay! siguió muriendo.

Entonces, todos los hombres de la tierra
le rodearon; les vio el cadáver triste, emocionado;
incorporóse lentamente,
abrazó al primer hombre; echóse a andar…

César Vallejo, *España, aparta de mí este cáliz.*

Las palabras
Dales la vuelta,
cógelas del rabo (chillen, putas),
azótalas,
dales azúcar en la boca a las rajegas,
ínflalas, globos, pínchalas,
sórbeles sangre y tuétanos,
sécalas,
cápalas,
písalas, gallo galante,
tuérceles el gaznate, cocinero,
desplúmalas,
destrípalas, toro,
buey, arrástralas,
hazlas, poeta,
haz que se traguen todas sus palabras.

Octavio Paz, *Libertad bajo palabra.*

LA PÓCIMA MÁGICA

En un recipiente de barro, hecho con amor y odio, alegría y nostalgia, se mezclan los siguientes ingredientes:

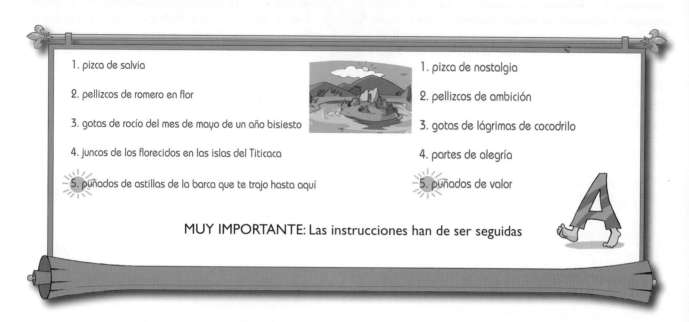

1. pizca de salvia

2. pellizcos de romero en flor

3. gotas de rocío del mes de mayo de un año bisiesto

4. juncos de los florecidos en las islas del Titicaca

5. puñados de astillas de la barca que te trajo hasta aquí

1. pizca de nostalgia

2. pellizcos de ambición

3. gotas de lágrimas de cocodrilo

4. partes de alegría

5. puñados de valor

MUY IMPORTANTE: Las instrucciones han de ser seguidas

Esteban quedó desconcertado en un principio, pero inmediatamente entendió el significado de la receta. Entonces le escribió una carta a su jefe para que viniera a reunirse con él.

Querido Jefe:

Aunque _____ difícil, _____ descifrar la pócima mágica.

_____

_____

_____

_____

_____

Cordialmente,

Esteban

PD: _____

_____

Envió la carta e inició el viaje para encontrarse con Totenaca.
La emoción lo embargaba y casi no podía apreciar la belleza del paisaje que lo rodeaba.

(Continúa en la recapitulación siguiente.)

Se vive bien aquí...

Piensa en esto: cuando te regalan un reloj te regalan un pequeño infierno florido, una cadena de rosas, un calabozo de aire. No te dan solamente el reloj, que los cumplas muy felices y esperemos que te dure porque es de buena marca, suizo con áncora de rubíes; no te regalan solamente ese menudo picapedrero que te atarás a la muñeca y pasearás contigo. Te regalan –no lo saben, lo terrible es que no lo saben–, te regalan un nuevo pedazo frágil y precario de ti mismo, algo que es tuyo pero no es tu cuerpo, que hay que atar a tu cuerpo con su correa como un bracito desesperado colgándose de tu muñeca. Te regalan la necesidad de darle cuerda todos los días, la obligación de darle cuerda para que siga siendo un reloj; te regalan la obsesión de atender a la hora exacta en las vitrinas de las joyerías, en el anuncio por la radio, en el servicio telefónico. Te regalan el miedo de perderlo, de que te lo roben, de que se te caiga al suelo y se rompa. Te regalan su marca, y la seguridad de que es una marca mejor que las otras, te regalan la tendencia a comparar tu reloj con los demás relojes. No te regalan un reloj, tú eres el regalado, a ti te ofrecen para el cumpleaños del reloj.

J. Cortázar, *Historias de cronopios y de famas.*

→ ¿Estás de acuerdo con J. Cortázar en la responsabilidad que supone que alguien te regale un reloj?

→ ¿A quién se refiere el autor con la 3.ª persona? ¿Y con la 2.ª?

→ ¿Qué sucede con la 2.ª persona en la última frase?

▶ LA EXPRESIÓN DE LA IMPERSONALIDAD

Mecanismos para hacer desaparecer o dejar en segundo término a quien realiza la acción del verbo (agente), bien porque no interesa, porque interesa más el CD (paciente) o porque se desconoce:	▶ 3.ª persona del plural
	▶ *todo el mundo, la gente*
▶ Construcciones pasivas con *ser* o con *estar*	▶ 2.ª persona del singular
▶ Construcciones con *se*	▶ *uno(a)*

CONSTRUCCIONES PASIVAS CON *SER* O CON *ESTAR*

1 ¿Qué diferencia de significado hay entre la oración *a* y la *b* de cada par?

1. a. Las casas eran edificadas con mucho cuidado.

b. Las casas estaban edificadas con mucho cuidado.

2. a. La puerta del instituto era abierta todos los días a las ocho.

b. La puerta del instituto estaba abierta todos los días a las ocho.

2 Observa estas correspondencias y completa la ficha con la forma adecuada de la construcción pasiva con *estar*.

CE 2

→ el problema está resuelto cuando ha sido resuelto

→ el problema estaba resuelto cuando había sido resuelto

→ el problema estará resuelto cuando haya sido resuelto

→ estar resuelto es el resultado de haber sido resuelto

▶ CONSTRUCCIONES PASIVAS

con *ser*: acción	con *estar*: resultado
▶ *Las obras han sido terminadas esta mañana.*	▶ *Las obras están terminadas desde esta mañana.*
▶ *Las obras fueron terminadas la semana pasada.*	▶
▶ *Las obras habían sido terminadas hacía tres semanas.*	▶
▶ *Las obras serán terminadas el día 10.*	▶

RESTRICCIONES AL USO DE LAS CONSTRUCCIONES PASIVAS

3 Clasifica estos enunciados según expresen acciones momentáneas, o que implican la culminación de un proceso, o actividades que pueden interrumpirse en cualquier momento.

romper el jarrón	admirar a los actores	preparar el pollo	mirar el paisaje	explicar el ejercicio	acusar al vecino
limpiar la casa	conducir un taxi	terminar la tarea	encender la luz	peinar a los niños	escuchar música

■ La construcción pasiva con *ser* con acciones momentáneas o que implican la culminación de un proceso:
- en indefinido o pret. perfecto expresa acción única
  Las obras para la mejora de las calles fueron hechas en verano (unas obras concretas en un verano concreto).
- en presente o imperfecto expresa acción habitual
  Las obras para la mejora de las calles eran hechas en verano (todos los veranos se hacían obras).

Siempre puede aparecer de forma explícita el agente.

■ La construcción pasiva con *estar* no se puede utilizar para expresar actividades que se pueden interrumpir en cualquier momento, como *querer a alguien, ver la televisión*, etc. ni con eventos que no impliquen el mantenimiento del estado alcanzado (**está besado*); además, no se emplea en los tiempos compuestos (**ha estado hecho, *había estado hecho, *habrá estado hecho*). Sólo puede aparecer el agente cuando es el responsable directo del mantenimiento del estado alcanzado.

4 Añade un contexto temporal a las frases según el ejemplo.

Ej.: *Generalmente las obras son hechas por unos trabajadores del Ayuntamiento.*

1. La alarma es conectada a las 7 de la mañana por el vigilante.
2. El muchacho fue asaltado en una calle del centro de la ciudad.
3. Los bancos eran atracados por los gángsters.
4. Las huellas han sido encontradas por la policía en el lugar del crimen.
5. La puerta es abierta por el portero.
6. Los antepasados más antiguos del hombre han sido hallados en el yacimiento de Atapuerca.
7. El pavo era cocinado por la madre.
8. Las uvas son recogidas por los vendimiadores.

CE 4

5 Señala las frases que sean incorrectas y di por qué lo son.

1. Marco Antonio estaba querido por Cleopatra.
2. A mí no me eches la culpa. Mi trabajo ya ha estado terminado.
3. ¿Ya están contados todos los votos?
4. Este fin de semana no podré salir porque estoy castigada.
5. El eclipse podrá estar observado desde cualquier punto de España.
6. El ordenador había estado roto antes de que Luis perdiera aquel archivo.
7. Todos los días estaba escuchada la radio en el hogar de doña Rosa, pero aquel día no fue así.
8. No volveré a utilizar el coche hasta que no esté revisado.

CE 6

6 Completa con la forma correspondiente de *ser* o *estar*.

Las cámaras lo delataron. La grabación .... efectuada por un vídeo que .... instalado en un cajero automático de la entidad bancaria. Ello permitió detener el pasado viernes en Torrijos a un delincuente que sacó 1.200 euros con dos tarjetas de crédito que .... robadas hace dos meses por un familiar suyo, según sus propias declaraciones a la Guardia Civil. La sucursal número 3 .... vigilada aproximadamente seis meses por efectivos de la Policía Municipal a causa de los múltiples atracos que los clientes .... padeciendo durante los tres últimos años. El pasado mes de julio .... suspendidas las vigilancias.

7 Escucha las noticias y piensa en un breve titular para cada una de ellas.

CD2: 14

TIPO DE CONSTRUCCIÓN IMPERSONAL SEGÚN LA NATURALEZA DEL VERBO

verbos con CD: tipo de CD

■ cosa	pasiva con *ser*	construcción con *se*[1]
La policía encontró el arma en el coche.	*El arma fue encontrada por la policía en el coche.*	*Se encontró el arma en el coche.*
■ concepto u oración	construcción con *se*[1]	
La policía cree que hay más implicados.	*Se cree que hay más implicados.*	
■ persona indeterminada	construcción con *se*[1]	
La policía necesitaba testigos.	*Se necesitaban testigos.*	
■ persona determinada	pasiva con *ser*	construcción con *se*[2]
La policía detuvo al ladrón.	*El ladrón fue detenido por la policía.*	*Se detuvo al ladrón.*

verbos sin CD

■ construcción con *se*[2]

Se vive bien aquí.

■ sujeto o CI generalizador (*la gente, todo el mundo*) si el verbo lleva pronombre

A todo el mundo le gusta divertirse.

En las construccion[es] con *se*[1] el antiguo C[D] pasa a ser sujeto, p[or] lo que el verbo co[n]cuerda con él. En la[s] construcciones con *se*[2] no hay sujeto, por l[o] que el verbo aparec[e] siempre en singular, [y] la sustitución del ant[i]guo CD precedido de l[a] preposición *a* por u[n] pronombre se hac[e] mediante *le(s)*. Tant[o] en uno como en otr[o] caso nunca puede apa[re]recer el agente.

8 **Señala los errores que hay en el texto.**

Después de una larga espera, por fin se han elegido a los que serán nuestros representantes en el festival internacional de nuevos realizadores, "Nova", en el que compiten los mejores de cada país. A pesar de su corta andadura, este certamen ya es considerado la mejor plataforma para los jóvenes talentos del séptimo arte. Jean Bernau, cuya última película se ha visto por más de cinco millones de espectadores solamente en Europa, fue galardonado en la penúltima edición, y al último premiado, Pedro Campuzano, ya se lo conoce como la nueva promesa del cine en lengua española. A pesar de la calidad de las obras presentadas, sus creadores no lo tienen nada fácil para conseguir financiación, y todo el mundo se pregunta por qué el cartel de "Se necesita a productores" sigue colgado en las salas de proyección del festival.

CE 8,9 **9** **Convierte en impersonales estas oraciones con CD. A veces hay más de una posibilidad.**

1. La empresa contrató al jardinero sin tener en cuenta su experiencia.

2. El director de la película buscó extras para las escenas rodadas en el exterior del edificio.

3. Las personas que trabajan en las ciudades consumen comida rápida principalmente por falta de tiempo.

4. Una de las secretarias encontró los folletos publicitarios en el fondo de un cajón.

5. Sus seguidores recibieron al ganador del torneo con grandes muestras de alegría.

6. Algunos profesores dicen que hay una huelga estudiantil preparada para la semana que viene.

7. Los propios alumnos han modificado los nuevos programas.

8. Los jóvenes siguen valorando la salud y el amor por encima del dinero.

9. Tras varias horas de búsqueda, consiguieron rescatar a los náufragos.

10. Dada la afluencia de público, los organizadores de la muestra van a establecer turnos de acceso a las distintas salas.

10 **Construye, siempre que sea posible, oraciones impersonales con se utilizando los siguientes verbos.**

▶ comer
▶ hablar
▶ levantarse
▶ esperar

▶ molestar
▶ conmemorar
▶ arreglarse
▶ decir

▶ leer
▶ gustar
▶ ver
▶ buscar

▶ acoger
▶ apetecer

CONTRASTE DE LAS CONSTRUCCIONES IMPERSONALES I

	agente	ejemplos
pasiva con *ser*	- concreto, pero pasa a un segundo plano	*El atracador fue detenido pocas horas después.*
construcción con *se*	- concreto, pero desconocido o que no interesa	*Se encontraron huellas dactilares en el lugar del crimen.*
	- generalización	*En Mozambique se habla portugués.*
		Sólo se vive una vez.
todo el mundo,	- generalización	*Todo el mundo se enfada cuando le mienten.*
la gente, nadie		*La gente no suele madrugar.*
3.ª pers. plural	excluye al hablante y al oyente	
	- concreto: la persona o grupo que normalmente realiza esa acción	*Me han despedido (mi jefe).*
	- concreto, pero desconocido e irrecuperable por el contexto	*Están llamando a la puerta.*
	- generalización dentro de un grupo	*En Mozambique hablan portugués.*

CE 12 **11** **Pon estas frases con *se* en un tiempo adecuado y di si el agente es concreto o no.**

1. Durante la construcción del aparcamiento *(encontrar)* .... restos de una ciudad romana.

2. Antiguamente *(buscar)* .... una secretaria que supiera escribir a máquina con rapidez, ahora debe manejar varios programas informáticos, idiomas, etc.; cada vez *(exigir)* .... más.

3. Antes de que construyeran la urbanización de la montaña *(ver)* .... las estrellas en las noches claras.

4. Estuvimos en un pequeño pueblo leonés donde *(preparar)* .... un cocido estupendo, pero la sopa *(servir)* .... al final.

5. *(Descubrir)* .... recientemente un importante error informático en los programas de gestión de la empresa.

6. Cada año por estas fechas *(detectar)* .... un incremento de pequeños hurtos en los grandes almacenes.

7. Cuando *(querer)* .... de verdad, *(perdonar)* .... todo.

8. En su casa *(hablar)* .... catalán, salvo cuando está el novio de Ana.

CE 13 **12** **A veces se utiliza la construcción con *se* con un valor de modestia o cortesía. Identifica estos valores en los siguientes casos e indica quién es el agente.**

CE 14 **13** **Ponte de acuerdo con tu compañero sobre quién o quiénes pueden ser los agentes de los verbos que están en cursiva. Analiza cuál es el tipo de agente.**

1. Es la tercera vez que me presento a la oposición y me *han vuelto a suspender* las pruebas físicas.

2. *Han llamado* tres veces por teléfono y cuando lo cojo me *cuelgan*; estoy preocupado.

3. En el Renacimiento aún no *tenían* medios para luchar contra las enfermedades más comunes.

4. No le *dieron* el puesto porque no tenía experiencia.

5. *Han suspendido* las clases porque el edificio no cumple las normas de seguridad.

6. *Convocarán* nuevas elecciones a finales de año.

7. Nos despertamos sobresaltados porque *estaban intentando* forzar la puerta.

8. *Adjudicaron* los despachos a los nuevos empleados en la última reunión de la directiva.

14 En estos dos textos se abusa de la pasiva con *ser*, que resulta a veces incorrecta. Sustitúyela por otras construcciones.

El llanto del bebé es síntoma (y causa para los adultos) de alguna molestia, por lo que requiere nuestra pronta actuación para erradicar lo que lo provoca. El motivo principal suele ser el hambre; en ese caso, el biberón es preparado midiendo con exactitud la proporción de leche en polvo y agua, es calentado al baño maría y, para asegurar la adecuada temperatura del contenido, son vertidas unas gotas en el dorso de la mano. El llorón es cogido con cuidado de que la cabeza no se desplome en ninguna dirección y es introducida la tetina en la boca, ya abierta, que en un instante comienza a succionar el preciado líquido. Debe ser evitado que el niño trague aire, pero como esta resulta una pretensión imposible, tras la toma el bebé es colocado sobre el pecho y hombro de adulto y le son dados unos golpecitos en la espalda para que expulse los gases.

Querido Rodrigo:

Ya llevo casi tres semanas en mi país, pero sigo recordando todas nuestras aventuras en las costas asturianas. Por cierto, con el golpe que le dimos a la maleta se estropeó mi cámara de fotos, no ha salido ninguna foto bien. ¿Cómo explicaré entonces el tamaño de la mariscada que comimos?

¿Te acuerdas del jaleo que fue organizado en el aeropuerto? ¿Fue localizado entre el equipaje un neceser de viaje con joyas de gran valor que habían pertenecido a una familia rica de Oviedo. Había sido denunciado su robo hacía casi una semana y ¡qué casualidad! fue encontrado junto a mi maleta. ¡De película! El avión salió con tres horas de retraso porque la policía tuvo que identificar a todos los pasajeros para encontrar al dueño del botín. Nadie fue detenido, la policía andaba algo despistada y solo fue requisado el neceser. No sabemos cómo, pero los periodistas fueron avisados y el aeropuerto se llenó de cámaras de televisión en un momento.

15 Escoge la mejor frase para destacar el elemento señalado en cada caso.

1. El arma fue encontrada por la policía.
2. La policía encontró el arma.
3. Se encontró el arma.
4. Encontraron el arma.

la policía

el arma

el hecho en sí (con sentido activo)

el hecho en sí (con sentido pasivo)

Ahora construye tú las frases con los elementos que te damos destacando lo que te indique el profesor.

▶ jóvenes – encontrar – cartera con casi 6.000 euros
▶ organizadores del concierto – vender – todas las entradas

16 Comenta estas noticias a tu compañero resaltando el sujeto paciente.

LUIS ORTEGA Y PAZ PÉREZ HAN SIDO DETENIDOS POR CONDUCIR SU COCHE EN SENTIDO CONTRARIO

El presidente de Impresión ha sido destituido de su cargo

LAS FIESTAS DE CARNAVAL DE ESTE AÑO HAN SIDO SUSPENDIDAS POR FALTA DE PRESUPUESTO

En la conversación, el paciente (CD en la construcción activa y sujeto en la pasiva) suele resaltarse adelantando su posición dentro de la oración y reduplicando su presencia mediante un pronombre.
La policía detuvo ayer a Andrés a causa de una confusión. → Andrés fue detenido ayer por la policía a causa de una confusión. → A Andrés **lo** detuvo ayer la policía a causa de una confusión.

AYER EL MINISTRO DE ECONOMÍA FUE RETENIDO DURANTE UN PAR DE HORAS EN LA COMISARÍA DEL BARRIO DE CHAMARTÍN POR SALIR DE UN CENTRO COMERCIAL SIN ABONAR VARIOS PRODUCTOS

CONTRASTE DE LAS CONSTRUCCIONES IMPERSONALES II

17 Lee este fragmento de una entrevista al escritor peruano Mario Vargas Llosa.

Pregunta: Cuando comienza un libro, ¿tiene toda la estructura hecha, el libro completo?

Respuesta: Tengo unas ideas, a veces un personaje, un ambiente. Hago muchas fichas, tomo notas. Nunca empiezo a redactar sin tener un esquema o, mejor dicho, unas trayectorias. Eso me ayuda mucho, trazar unas coordenadas de lo que son unos personajes que comienzan aquí y terminan allí, que de alguna manera se cruzan. Cuando puedo tener ese esquema, que es muy general, eso me da ese mínimo de seguridad que necesito para empezar a trabajar. Ahora, el esquema no lo respeto jamás, y además es lo que más me gusta. Ya he aprendido que se trata de empezar, porque cuando empiezas es como abrir un baúl de donde empiezan a salir cosas inesperadas, ciertas posibilidades, hay ese elemento espontáneo que de pronto te revela la historia que realmente quieres contar. Eso al principio nunca está claro para mí, eso va saliendo y es lo bonito. Entonces resulta una aventura donde vas descubriendo cosas y también te descubres a ti mismo. Lo que escribes sale de unos fondos que tienes ahí y conoces solo a medias. (...)

P.: ¿Y entonces es cuando ya no se controla la historia?

R.: Es un proceso misterioso que uno no acaba de controlar nunca. Controlas toda la parte racional del trabajo de creación, pero no esos fondos que están ahí guiando, empujando la historia, subrayando ciertas acciones, conductas, que tienen que ver con un centro neurálgico de la personalidad. A mí me apasiona porque sigue siendo, a pesar de que llevo 40 años escribiendo, una actividad muy misteriosa. El elemento racional guía el trabajo y tú te das cuenta de que lo que es la inteligencia, la razón, se pone al servicio de esas fuerzas que llevas dentro y que seguramente son el origen de la vocación. Yo no creo que la vocación sea gratuita. Uno escribe historias, cuenta fantasías, porque de alguna manera eso le resuelve problemas muy recónditos.

El País Semanal.

Vargas Llosa utiliza la 1.ª persona, la 2.ª y la forma *uno*. Pon [✔] donde corresponda.

	yo	tú	uno
experiencia personal			
experiencia compartida			
quiere hacer partícipe al oyente			

18 Antonio se ha levantado, como todos los días, a las 7.30. Al ver su imagen reflejada en el espejo recuerda que hoy cumple 35 años y le vienen a la cabeza grandes pensamientos. ¿Estás de acuerdo con él?

35 años... Cuando tienes 35 años ya es un poco tarde para empezar a hacer una serie de cosas propias de la juventud; por ejemplo, con 35 años, si no fumas ya, no empiezas a fumar. Eso sí, con 35 años tienes claro que esta es una edad perfecta para aprender a navegar en Internet, por ejemplo; también te consideras perfectamente preparado para descubrir otros pequeños placeres de esta vida como... el sabor del chocolate con avellanas. ¡Nunca es demasiado tarde! Para lo que no te encuentras preparado es para tener nietos o para teñirte tus primeras canas, para eso es demasiado pronto.

Escribe tú ahora para qué crees que ya es tarde o aún es pronto en tu vida. Utiliza la forma *uno(a)*.

Cuando uno cumple... años... considera que ya es un poco tarde para..., aunque es demasiado pronto para...

19 Fíjate en las siguientes frases impersonales.

- *En España* se beben buenos vinos.
- *En la Edad Media* no tenían apenas medicamentos.
- *Muchas veces* terminas haciendo cosas que no te apetecen.

- *Si quieres,* puedes.
- *Cuando hay un buen ambiente de trabajo,* a uno todo le parece más fácil.

¿Qué ocurre si eliminamos los elementos en *cursiva*?

 20 Añade contextos a estas frases para que tengan un valor impersonal genérico.

1. Debes intentar conseguirlo.
2. Te encuentras apático y aburrido.
3. Se hablan muchos idiomas.
4. Se come bien.
5. Vivían en cuevas.

EL LENGUAJE PERIODÍSTICO

 21 Lee este artículo de periódico y responde a las preguntas.

690 PAREJAS PIDEN, TRAS LA REAPERTURA DE LISTAS, ADOPTAR UN NIÑO ESPAÑOL

La espera media en la región para recibir un menor ronda los siete años

B. Aguirre, Madrid

Desde hace cuatro años, la Comunidad de Madrid no admitía nuevas solicitudes para la adopción de niños españoles por exceso de demanda. Pero en julio, el Gobierno regional, al comprobar que la lista de solicitantes estaba a punto de agotarse, decidió abrir un periodo de tres meses para recibir nuevas peticiones. Finalizado ese plazo, que concluyó el 22 de octubre pasado, son 690 las parejas que han presentado su solicitud de adopción.

El 36% de estas familias que se han ofrecido para adoptar un bebé español ya habían presentado su solicitud antes de que la lista de espera se cerrara hace cuatro años. La Comunidad ha prometido dar ahora preferencia a sus peticiones, es decir, ocuparán los primeros puestos de la nueva lista de espera. Ellos forman parte de las 867 parejas que formularon su solicitud en los últimos años y vieron cómo esta ni siquiera era estudiada.

La lista vuelve a quedar cerrada hasta nueva orden. Formar parte de ella no significa llegar a ser padre adoptivo, porque antes es necesario que el Gobierno regional conceda un certificado de idoneidad a partir de entrevistas e informes económicos y psicosociales del candidato.

(...) Puede optar a la adopción cualquier persona mayor de 25 años, soltera, viuda, divorciada, casada o pareja de hecho (salvo homosexuales). La diferencia de edad entre los adoptantes y los niños debe ser de 14 años como mínimo.

La mayoría de los solicitantes quiere bebés sanos y no chiquillos de más edad, con enfermedades o discapacidades.

El País

1. Identifica qué elementos componen esta noticia.

> sobretitular, titular, subtitular, fuente, entrada o encabezamiento, cuerpo de la noticia

2. ¿Qué podrías decir en cuanto a la presentación visual de la noticia: tipo de letra, tamaño, etc.?

3. ¿Cuál es la organización interna del cuerpo de la noticia? Haz un esquema con los contenidos de cada párrafo.

4. Estos son los recursos lingüísticos propios del lenguaje de los titulares periodísticos. Fíjate en el titular de la noticia y comprueba si se ajusta a las características que te damos.

Titulares

- Elipsis de verbos que pueden sobreentenderse; nominalizaciones.
- Supresión del artículo creando estructuras que combinan sustantivo y adjetivo.
- Construcciones con formas no personales.
- Construcciones impersonales y pasivas reflejas.
- Predominio de presente de indicativo.
- Utilización de palabras-frase (palabras que resumen el contenido de una frase).
- Léxico genérico.
- Intensificadores (adverbios, adjetivos superlativos, etc.).
- Recursos literarios (elipsis, metáfora, metonimia, personificación, hipérbole, paradoja, etc.).

 22 Fíjate en los siguientes titulares de periódico. Señala qué recursos lingüísticos aparecen en ellos.

- La policía andaluza vigilará la expansión urbanística en la costa. Los promotores se vuelcan en el litoral gaditano.

- Asegurar a la mujer es más barato. Una compañía francesa rebaja un 50% las polizas para conductoras porque tienen menos accidentes.

- Los médicos prescriben terapias ineficaces y hasta nocivas por no actualizar sus datos. Miles de profesionales suscriben iniciativas para mantener vivo su contacto con la ciencia.

- Rebajas. Largas esperas en las puertas de los grandes almacenes.

- El auge de la literatura infantil también llega a España. *Manolito Gafotas* y *Los Simpson* enganchan al lector menudo, mientras *Harry Potter* dispara las ventas en el mundo anglosajón.

- En vísperas de la Navidad se disparan los precios. Muchas familias aprovechan estos días para adquirir los productos más típicos de las fiestas antes de que sufran un fuerte incremento.

En este cuadro se resumen las principales características del lenguaje periodístico. Señala cuáles cumple el artículo del ejercicio 21.

> **Lenguaje periodístico**
>
> - Nominalizaciones y construcciones nominales sin artículo.
> - Utilización del presente de indicativo y el imperfecto narrativo.
> - Tendencia a la utilización de formas pronominales, pasivas reflejas, impersonales, etc.
> - Oraciones introducidas por formas no personales.
> - Utilización de recursos lingüísticos como el eufemismo, las perífrasis, las preguntas retóricas, etc.
> - Alargamiento de palabras mediante sufijación y prefijación, incluso formaciones de compuestos muchas veces de forma incorrecta.
> - Utilización de gran cantidad de neologismos y extranjerismos.
> - Uso de modismos y frases hechas.
> - Uso generalizado de siglas y acrónimos y sus derivados.

 Lee este texto periodístico sobre el caso de un español que estuvo en el corredor de la muerte.

CORREDOR DE LA MUERTE

EL ESPAÑOL Joaquín José Martínez, de 27 años de edad, se ha convertido en el centro de una importante batalla legal y política contra la sinrazón de la pena de muerte y su creciente aplicación en Estados Unidos. El objetivo primordial de esta batalla es, desde luego, arrancar a este ciudadano español del corredor de la muerte de la prisión estatal de Florida (EE. UU.), en el que se apila junto a otros 370 condenados a la pena capital, y darle la posibilidad de un nuevo juicio. En ello tienen puestos sus afanes Amnistía Internacional y otras organizaciones de derechos humanos, representantes del Parlamento español y el Colegio de Abogados de Madrid, que no ha dudado en prestar su apoyo técnico-jurídico al empeño de la revisión del proceso.

El intento de que se le otorgue al primer español condenado a la pena capital en EE. UU. la oportunidad de un nuevo juicio, con todas las garantías debidas, coincide con los prolegómenos de la campaña de la Unión Europea para que la Asamblea General de Naciones Unidas de diciembre próximo apruebe una especie de moratoria en la aplicación de la pena de muerte en los países que todavía se resisten a su abolición. Será muy interesante ver cuál es la respuesta de EE. UU. y si insiste en seguir aferrado a la suprema contradicción que supone ser el país que adoctrina al mundo sobre el respeto de los derechos humanos y seguir recurriendo en su territorio al asesinato legal que es la pena capital.

(...) Como vienen denunciando las organizaciones de derechos humanos y confirman informes *ad hoc* de la ONU, la pena de muerte, más allá de su horror intrínseco, se aplica en EE. UU. de forma arbitraria y discriminatoria, dada su cada vez mayor fragmentación social y racial (...). Se comprende el ardor con que Joaquín José Martínez defiende su inocencia y pide la revisión de su juicio: uno de cada siete condenados a muerte en EE. UU. que consigue esa revisión resulta finalmente inocente.

El País, 31-10 - 99.

1. Este texto es un editorial o artículo de opinión, firmado por el propio periódico y de cuyas ideas se hace él responsable. La organización interna de un editorial se corresponde con el siguiente esquema. Identifica cada una de las partes en el texto anterior.

> **El editorial**
>
> Titular
> Hecho
> Exposición y análisis argumental
> Conclusiones y expectativas

2. Señala qué características lingüísticas propias del lenguaje periodístico en general cumple este editorial.

Aquí tienes un artículo periodístico de la sección de deportes.

El Atlético le puso más corazón

Hasselbaink, autor de dos goles, desequilibró el partido y recibió el aplauso del Bernabéu, que abucheó al palco. El Madrid cortó su racha de empates con una derrota. El Atlético volvió a ganar en el campo madridista, lo que no hacía desde enero de 1991, y ya lo supera. Los socios pidieron la destitución del técnico Toshack.

Los delanteros centro tienen la muerte literaria, al igual que la gloria, al atardecer. Los delanteros centro son la única especie que no cabe adulterar. Cuatro de los delanteros de antaño han perdido su heroico nombre. Ahora se llaman centrocampistas y, puestos a manipular las tácticas y estrategias, algunos ya no son ni carne ni pescado. Jimmy Hasselbaink pertenece a la estirpe de los viejos delanteros centros. De los arietes. Hasselbaink llegó al Atlético como un refuerzo importante. Fue el fichaje más caro del club, pero ha costado la mitad que Anelka, pongamos por caso, y está justificando la inversión si es que el gasto de 18 millones de euros se puede justificar.

Las estadísticas, que se convierten en una especie de "leit motiv" de las vísperas de los derbys, son el primer argumento con el que hay que romper. El Madrid no podía consentir llegar a la octava jornada consecutiva sin ganar y para ello se dio prisa en abrir el marcador. El Atlético no quería aguantar la chufla de que llevaba ocho años sin ganar en el Bernabéu. La estadística empezó a romperla el equipo rojiblanco a medio partido.

Los goles pusieron vistosidad a un encuentro que amenazaba con producir más sopor que emociones. Afortunadamente, sucedió lo contrario. Aguilera, que se convirtió en protagonista en los tres primeros goles, hizo una falta que sirvió para que Roberto Carlos enviara un centro al área en donde estaba presta la cabeza del otro delantero centro de la noche, o sea, Morientes. Aguilera robó, después, dos balones del centro del campo. El primero a Guti y acabó mandando dos pases que sirvieron para que Hasselbaink y José Mari pusieran a su equipo con ventaja. Y cuando el Madrid no acababa de aclimatarse al esfuerzo al que lo estaba sometiendo el Atlético, llegó el tercer tanto rojiblanco de Jimmy, que en su debut en el Bernabéu dejó su tarjeta de visita por si alguien quiere tomar nota.

(...) El "derby" tuvo pasiones encontradas. Los socios de la casa gritaron olés tras el gol de Morientes y, posteriormente, silbaron al palco.

La Razón, 31-10-1999.

1. Compara la organización interna del contenido con la de la noticia de la actividad 18 del Cuaderno de Ejercicios.

2. Señala qué características lingüísticas propias de los titulares y del cuerpo de la noticia se reflejan en este texto.

26 Escribe titulares sobre acontecimientos destacados que hayan ocurrido en tu entorno. Compáralos con los de tu compañero.

27 Lee el siguiente titular.

Se da el visto bueno para que el Teléfono Dorado se incorpore al 112

1. Responde con tu compañero a las siguientes preguntas.
- ¿Qué puede ser el Teléfono Dorado?
- ¿Para qué podría servir?
- ¿A qué público lo destinarías?

2. Leed ahora la noticia para comprobar si habíais acertado.

SE DA EL VISTO BUENO PARA QUE EL TELÉFONO DORADO SE INCORPORE AL 112
Para mayores de 60 años que estén solos

El delegado del gobierno regional acudió a la sede de la ONG Mensajeros por la Paz, artífices del Teléfono Dorado, donde atendió la llamada de una anciana barcelonesa y mostró su apoyo a la petición de esta organización de que se le puedan desviar llamadas desde el 112. Según el delegado del gobierno regional, "esa posibilidad me parece bien".

También estuvieron el director general de la Policía y el director de seguridad del grupo Iberia, que atendieron sendas llamadas.

Este Teléfono Dorado está dirigido a personas que se encuentren solas y tengan más de 60 años. "En los dos años que lleva funcionando ha atendido 300.000 llamadas", explicó el presidente fundador.

Mercado Alcalá (texto adaptado).

AMERICANISMOS

28 Lee este fragmento de "¿Es usted el hijo de la chingada?" de Carmen Rico Godoy.
Hablan un turista español y un taxista mexicano.

Cuando veo estas tierras mexicanas, que los conquistadores recorrieron a pie, me emociono mucho.

A: Pues como que nosotros lo recorremos en camión, si no le importa.

B: No, gracias, yo prefiero ir en autobús.

A: Pues qué le estoy disiendo, manito.

B: ¡Ah! Es que ahora resulta que el camión es el autobús. Vale. Y eso que pasa por ahí ¿qué es?

A: Pues como que es un joto, como desimos aquí.

B: ¿Un qué?

A: Un joto.

B: Pero si parece un marica.

A: Pues qué le estoy disiendo, compadre, un joto.

B: Entonces una jota será...

A: No señor, pues que como que la jota es una letra del alfabeto.

B: No me diga. Oye, yo tengo un hambre que me muero, ¿por qué no comemos algo?

A: Pues cómo no. Aquí tienes tamales, enchiladas, tortillas, moles y tacos. Y de postre, cajeta.

B: ¿Qué le ha pasado a su amigo que se ha puesto lívido de repente?

A: Es que mi cuate no se acostumbra a lo de cajeta, que en Argentina, de donde es él, pues como que significa otra cosa.

B: ¡Coño!

A: Eso, eso significa.

B: No, si yo lo que pasa es que casi me ahogo con esta guindilla, qué bestialidad, qué manera de picar.

A: Pues como que es de las suaves, nomás. Y dígame, manito, ¿qué le parece México, pues?

B: Bien, el único problema es el idioma. Todo lo demás es fenómeno.

Cambio 16, n.º 283

¿Crees que hay tanta diferencia entre el español de España y el de América?

29 Estos son algunos de los americanismos que aparecen en la conversación anterior.
Relaciónalos con su definición.

▶ mole
▶ compadre
▶ cajeta
▶ tamal
▶ taco
▶ manito
▶ cuate
▶ joto
▶ tortilla
▶ camión
▶ enchilada

1. alimento en forma circular y aplanada hecho con harina de maíz
2. autobús
3. homosexual
4. especie de empanada hecha con harina de maíz envuelta en hojas de plátano o de mazorca
5. gemelo; igual o semejante; amigo íntimo
6. tortilla de maíz enrollada o doblada, frita y aderezada con salsa de chile y otros ingredientes
7. amigo, conocido
8. dulce de leche de cabra
9. guiso de carne con salsa preparada con diferentes chiles y muchas otras especies; dicha salsa
10. tratamiento popular de confianza
11. pequeña tortilla de maíz enrollada y rellena de diversos ingredientes

1. ¿Cuáles de ellas tienen un significado distinto en el español de España?

_____
_____
_____
_____
_____
_____

2. ¿Conoces otras palabras relacionadas con *compadre*?

30 Lee este diálogo entre Mario, cubano, y Antonio, peruano.

¿LA GUAGUA?

A: ¡Hola, Antonio!

B: ¡Hola, Mario!

A: ¿Qué tal va todo por Waltham?

B: Bien, con mucho trabajo, como siempre, y también con mucho frío. Los esperamos el próximo fin de semana, ¿no?

A: Sí, sí, vamos para allá, pero quería hacerte una pregunta. ¿Podemos llevar a la guagua?

B: ¿La guagua? Bueno, sí, claro, se puede quedar en la calle. Hay espacio.

A: ¿En la calle? Pero ¿qué dices?

B: Bueno, si quieres, te hacemos un hueco en el garaje.

A: ¿En el garaje? ¡Pero tú estás loco! ¿Y si llora?

¿Por qué se produce la confusión?

El café (exprés), término empleado en España, se denomina en Hispanoamérica exprés, expreso, tinto, cargado, fuerte o de máquina. Y si el café tiene doble cantidad de agua se le denomina, según el país, café americano, aguado, ralo, colado, guayoyo o liviano. Por ejemplo, vender o comprar al contado puede decirse cash, al contado, efectivo, pasando y pasando o chinchín.

CE 19 **31** Une el término común en España con los términos que se emplean en distintas zonas de Hispanoamérica.

▶ aparcar

▶ armario empotrado

▶ ascensor

▶ autobús

▶ automóvil

▶ bar

▶ billete

▶ boxeo

▶ bragas

▶ calentador de agua

▶ claxon (bocina)

▶ club

▶ cómics (historietas, tebeos)

▶ depósito de la gasolina

▶ marcha atrás

▶ metro

▶ penalty

▶ pluma estilográfica

▶ sujetador

▶ tresillo

▶ colorines, monitos, chistes, caricaturas, muñequitos, tiras cómicas, cómicos, comiquitos, historietas, dibujos animados

▶ boleto(a), ticket o tiquet, pasaje

▶ clóset, placard, ropero empotrado

▶ cantina, taberna, bodega, barra

▶ subterráneo, metropolitano, subte

▶ estacionar, parquear

▶ brassiers, sostén, portabustos, sostenbusto, corpiño, sostensenos

▶ carro, auto

▶ sociedad, centro, asociación (deportivo/a)

▶ elevador

▶ panty, pantaletas, cuadros, calzones, clúmer, short, bermuda, medias, bombacha

▶ camión (de pasajeros), camioneta, bus, guagua, ómnibus, micro, colectivo

▶ tanque (de gasolina, bencina, nafta), estanque, bidón

▶ reversa, retroceso, riversa, retro

▶ pluma fuente, lapicera fuente, lapicero

▶ pugilato, box, pelea

▶ pito, corneta

▶ califont, calefón, calefond, bóler, termo, terma, termotanque, tanque de agua, termocalefón

▶ penal, castigo

▶ terno de sala, juego de sala, juego de living, ajuar, amoblado, juego de salón, mesa

32 Busca en un diccionario o pregunta a tu profesor el significado de las siguientes palabras y escribe un pequeño texto con ellas.

aguaje

apureña

baquiano

barrancas

bongo

cobija

chorreras

palanqueros

toldilla

Compáralo con el texto de *Doña Bárbara* que se encuentra en la sección A nuestra manera.

PALABRAS TABÚES EN HISPANOAMÉRICA

Muchas veces, por razones diversas, una palabra común pasa a tener un significado obsceno. Puede ser una descortesía emplear algunas palabras españolas en determinados lugares de Hispanoamérica, donde resultan tabúes.

▶ **agachar:** *Argent.* y *Urug.* Prepararse o disponerse a hacer algo. // **agacharse con** una cosa.

> *Col.* y *Méj.* Apropiársela indebidamente.

▶ **afilar.** *Bol.* y *Urug.* Prepararse, disponerse cuidadosamente para cualquier tarea. // *Par.* y *Urug.* Flirtear. // vulg. *Chile.* Realizar el acto sexual.

▶ **coger.** *Amér.;* vulgar. Realizar el acto sexual.

▶ **concha.** *Amér.;* vulgar. Coño, parte externa del aparato genital femenino.

33 En grupos. Repartid las palabras, buscad su significado tabú en Hispanoamérica y clasificadlas según el dibujo al que correspondan.

✓ acometer	✓ bollo	✓ galleta	✓ roscón
✓ achuchar	✓ cabezón	✓ gemelos	✓ sapo
✓ aficionar	✓ caja	✓ hacerle agua la canoa	✓ tarro (pegarse tarros)
✓ amigarse	✓ cajetilla	✓ hacerse la chaqueta	✓ templarse
✓ amontonarse	✓ cartuchera	✓ huérfanos	✓ tener un apaño
✓ animal	✓ cola (ponerse en cola)	✓ mandador	✓ timbales
✓ apretar	✓ compañeros	✓ mochilas	✓ tirarse
✓ bailar	✓ echar un palo	✓ papaya	✓ tórtola
✓ bisagra	✓ empanada	✓ peluda	✓ trolas
✓ bizcocho	✓ empatarse	✓ perder aire	✓ venirse
✓ bolsas	✓ encamarse	✓ poner	

_____

Yo...

En contra de lo que habitualmente se dice, los pronombres tónicos se utilizan con gran frecuencia en español, especialmente los de primera y segunda persona. Lee la siguiente conversación y subraya los pronombres tónicos que se emplean.

A: ¿Tú piensas llevar a "Kuki" a San Antón? Tendrás que apuntarte, no vaya a ser que luego nos quedemos tiradas en la acera, compuestas y sin novio. Yo, por lo menos, voy a ir esta tarde a la iglesia, por si hay que rellenar algún impreso para participar en la bendición. ¡Pedirán pólizas!

B: ¡Qué va, también tú...! Yo llevo a "Kuki" y punto. Y tú llevas a "Kika" y así vamos juntas.

A. Zamora Vicente, "San Antón", *Voz de la calle, Diario 16.*

Presencia de pronombres tónicos

1. Tras infinitivo y gerundio si el sujeto o el CI, en el caso de verbos del tipo *gustar*, son distintos de los de la oración principal.	*Nada más llegar él, llamé por teléfono.* *Gustándote a ti, no hay nada más que decir.*
2. Cuando no se repite el verbo.	*—Tengo hambre.* *—Me apetece tomar algo.* *> Yo también.* *> A mí también.*
3. Para evitar ambigüedades provocadas por la igualdad de las formas verbales o de los pronombres átonos y no resueltas por el contexto.	*Tendría yo* (no él) *15 años cuando lo conocí.* *Se lo di a ella* (lo normal es utilizar el nombre propio, si se conoce).
4. - Como respuesta a una pregunta en la que se pide la identificación de una persona cuya existencia se conoce (si hay verbo, este va delante del pronombre).	*—¿Quién lo ha roto?* *—¿A quién se lo vas a dar?* *> Ha sido ella.* *> Si te portas bien, te lo daré a ti.*
- Como respuesta a una pregunta dirigida a varios oyentes (el pronombre va delante).	*—¿Habéis estado en Argentina?* *—¿Os ha dicho algo?* *> Yo estuve hace varios años.* *> A mí me ha contado parte.*
5. Distribución o asignación de papeles.	*Yo vivo en el Campus, ¿y tú?* *Me encantan los helados, ¿y a ti?* *—¿Dónde os vais de vacaciones?* *> Yo me voy a Peñíscola, y ella a Cádiz.* *< ¿De qué queréis los helados?* *—A mí tráemelo de fresa, y a Pedro de vainilla.*
6. Toma de turno de palabra.	*—¿Alguien quiere añadir algo?* *> Yo quisiera decir que... < A mí me gustaría decir que...*
7. Contraste de opiniones.	*—Yo pienso que la política exterior del gobierno es acertada.* *> Pues yo no lo creo.* *< Pues a mí sí me lo parece.*
8. Uso enfático.	*Yo lo único que quiero es que me dejen en paz.* *A mí me lo ha contado todo.*

35 **Lee el siguiente diálogo.**

Teresa es la mujer encargada de limpiar el portal de mi casa. Es una persona muy abierta pero un poco curiosa y, sobre todo, muy habladora. Le gusta hablar con las vecinas que alrededor de las 9 van a llevar a sus hijos al colegio.

A las nueve menos veinte más o menos sale Aurora con los mellizos, a quienes deja en un colegio a las afueras de la ciudad. Teresa siempre la ayuda a colocar a los niños en el coche con sus mochilas, abrigos, etc.

Teresa: Hoy parece que hace más frío, ¿eh, pequeños?

Aurora: ¿Sí? Pues a mí no me lo parece. Llevo corriendo por la casa desde hace casi una hora y estoy sudando; además, mirándote a ti me entra más frío todavía, ¿cómo puedes limpiar todo esto con la gabardina puesta?

Teresa: Yo no tengo nada de calor, te lo aseguro. Esta es la continua pelea que tengo con Jorge. Todos los días igual. Yo siempre me acuesto después que él porque me quedo recogiendo la cocina... la cena, los cacharros...

Aurora: Sí, sí, yo también, en todas las casas...

Javi: Mamá, mamá, a mí hoy no me apetece ir al cole.

José: A mí tampoco.

Aurora: Ni a mí que tengáis que ir, hijos. ¿Quién lleva los paraguas?

Javi: Él.

José: No, te los dio a ti.

Aurora: Bueno, es igual.

Teresa: Espera, Aurora, yo les coloco los cinturones. Bueno, pues, eso... que nada más entrar él en la cama lo oigo como tira las mantas para atrás; no sé para qué la hago, la verdad. Y cuando quiero entrar yo, están las sábanas frías del todo. Cuando salíamos de paseo, de jóvenes, en invierno, siempre llevaba él las manos ardiendo y los pies no te digo, pero yo, hija, ...

Aurora: Perdona, Teresa; a ver, chicos, ¿qué bollo queréis hoy? ¿Un donut?

Javi: Sí, yo lo quiero de chocolate.

Teresa: Muy bien, tú lo quieres de chocolate, ¿y tú?

José: Yo de azúcar, a mí no me gusta el chocolate.

Teresa: No te preocupes, Aurora, que los donuts los compro yo hoy; tú vete sacando el coche, que no llegáis a las 9.

Aurora: Muchas gracias, Teresa. (...) Dios mío, ¡cómo habla esta mujer!

Mientras se dirige a la panadería, Teresa va pensando que unos niños tan ricos como los gemelos de Aurora los quería tener ella, pero a Jorge no le gustan los niños. "Bueno, los niños propios, porque los de los amigos, bien de dinero se gasta en los hijos de los amigos. Esto lo tenemos que hablar, porque un niño alegra mucho una casa."

Tendera: ¿A quién le toca?

Teresa: A mí, por favor. Dos donuts, uno de azúcar y otro de chocolate.

1. Localiza todos los pronombres tónicos e identifica sus usos.

2. Fíjate en las siguientes expresiones:

▶ Unos niños tan ricos como los gemelos de Aurora los quería tener ella.

▶ Esto lo tenemos que hablar, porque un niño alegra mucho una casa.

▶ ¿A quién le toca?

En algunas de ellas se enfatiza algún elemento mediante la reduplicación o repetición de la misma idea con un pronombre. Señálalas.

3. Recuerda el comentario de Aurora cuando Teresa se va a la panadería a comprar los donuts.

▶ Dios mío, ¡cómo habla esta mujer!

¿Qué opinas de la actitud de Aurora? ¿Crees que Teresa se merece ese comentario?

4. En la puerta del colegio, Aurora se encuentra con la vecina del piso de abajo y comienzan a hablar de Teresa. En parejas, elaborad el diálogo entre ellas.

36 **A DEBATE**

Ya has podido ver la diversidad que encierra el español. ¿Crees que es algo positivo o negativo? ¿El español corre peligro de disgregarse en nuevas y diferentes lenguas o seguirá manteniendo su unidad? ¿Se puede y se debe intervenir para mantener la unidad de un idioma?

Formad dos grupos. Unos os mostraréis a favor de la diversidad dentro de una lengua, y los otros defenderéis la necesidad de mantener la unidad.

37 TELENOTICIAS

¿Os gustaría dedicaros al mundo de la comunicación (prensa, radio, televisión)? Ahora tenéis la oportunidad de demostrar lo que valéis preparando entre todos un programa informativo.

1. Antes de empezar, vamos a escuchar cómo lo hacen algunos especialistas. Pon atención a las siguientes
CD2: 15   noticias y completa las fichas.

NOTICIA I	**NOTICIA II**	**NOTICIA III**
¿Quién?	¿Quién?	¿Quién?
¿Qué?	¿Qué?	¿Qué?
¿Dónde?	¿Dónde?	¿Dónde?
¿Cuándo?	¿Cuándo?	¿Cuándo?
¿Cómo?	¿Cómo?	¿Cómo?
¿Por qué?	¿Por qué?	¿Por qué?

2. Escucha estas otras noticias breves y clasifícalas en las siguientes secciones.
CD2: 16

noticias nacionales	noticias internacionales	deportes	cultura y sociedad

3. Formad cuatro grupos; cada uno de ellos se encargará de una sección del informativo. Elegid una de estas fichas y elaborad las noticias. Después, entre todos, representaremos nuestro noticiario.

NACIONALES *1*

Huelga de "palabras" en el Congreso de los Diputados.
Ingresa en prisión el conocido "Payaso exhibicionista".
Motín en la residencia de la tercera edad "El Paraíso". Exigen que el personal sanitario sea más guapo y cariñoso.
El Ministro de Sanidad propone la prohibición del tabaco, el alcohol, las hamburguesas y otros tantos productos nocivos para la salud.

INTERNACIONALES *2*

El Presidente norteamericano anuncia su dimisión.
La estación aeroespacial MIR se convertirá en complejo turístico.
Gran Bretaña devolverá Gibraltar a cambio de "otro bien". La semana próxima el gobierno británico formulará su primera petición.
Se celebra en París el I Congreso Europeo de ONG alternativas.

DEPORTES *3*

Descalificado de la competición el tenista Pedro Silvestre por hacer gestos obscenos al público.
Emilio Moreno, entrenador del Real Madrid: "No abandonaré el club por nada del mundo".
El famoso jugador de baloncesto Frederic Dubois formará parte de la selección femenina de baloncesto tras su operación.

CULTURA Y SOCIEDAD *4*

El conde de Montecristo y su esposa en el hospital tras recibir una brutal paliza por parte de sus empleados.
La top model Rosa Rosalinda anuncia su quinto enlace matrimonial.
El famoso escritor Francisco Perales, autor de Vosotras, pobres inocentes y otros tantos relatos de corte feminista, ingresa en prisión tras la denuncia de su mujer, víctima de sus malos tratos.

VARIEDADES DEL ESPAÑOL II: EL ESPAÑOL DE HISPANOAMÉRICA

Cuando hablamos de español de América estamos haciendo referencia a un conjunto de variedades dialectales que se extiende por una amplia zona geográfica. No existe un español común e idéntico hablado por todos los hispanohablantes, sino que sobre una base común (la llevada por los españoles tras el Descubrimiento) se han ido desarrollando en cada región unos u otros fenómenos lingüísticos. Existen algunos rasgos muy extendidos a lo largo de todo el territorio, como el seseo y la desaparición de *vosotros*.

Rasgos generales en el español de América

FONÉTICOS

▶ Seseo (pronunciación /s/ en lugar de /θ/).

▶ Yeísmo (no distinción entre /l/ y /y/). El resultado de la fusión es la pronunciación de /y/ en ambos casos, si bien las posibles realizaciones de /y/ son numerosas ([ŷ] africada, [y] rehilada, [y] abierta...).

▶ Aspiración y pérdida de /-s/ tras vocal. Este fenómeno tiene importantes repercusiones en el sistema lingüístico, pues la *-s* es marca de plural o de segunda persona del singular.

▶ Confusión entre /-l/ y /-r/ tras vocal (a veces a favor de /-l/, otras, a favor de /-r/, y, en ocasiones, en una realización intermedia). En muchas ocasiones, lo que se produce es la caída de estos elementos.

▶ Aspiración de /x/.

MORFOSINTÁCTICOS

▶ Ausencia del pronombre *vosotros*; en su lugar, se utiliza la forma *ustedes*.

▶ Voseo, es decir, el uso del pronombre *vos* para la segunda persona del singular (equivale a *tú*). En muchas zonas encontramos este pronombre acompañado de formas verbales voseantes *(vos cantás, bebés, sos)*; en otras, lo que aparece son formas verbales propias del pronombre *tú (vos cantas, bebes, eres)*.

▶ Los pronombres átonos *le/les* se utilizan siempre como complemento indirecto y *lo/la/los/las* como directo (no existen, por tanto, los fenómenos de leísmo, laísmo y loísmo).

▶ El verbo *estar* se usa, en ocasiones, en contextos propios de *ser*: *La película está buena.*

▶ Uso de indefinido por pretérito perfecto: *Entregué el libro esta mañana.*

▶ La preposición *hasta* posee en numerosas zonas valor restrictivo de inicio, y no valor de punto temporal límite: *Estará aquí hasta las ocho = Estará aquí sólo a partir de las ocho.*

---

 38 CD2: 17 **Escucha estos mensajes y complétalos.**

1. ¡Hola!, soy ...... para decirte que ...... tengo preparado todo lo de la ...... Te acompañaré, aunque ...... que estoy en contra de estas prácticas.

2. Jaime, solo una pregunta: ¿......... discos de ....? ¿Me ...... alguno?

3. Jaime, otra pregunta musical: ¿...... lo que es la ......? ¿Es algún tipo de ...... propia de ......?

4. Oye, soy tu madre. Antes, cuando te llamé, se me olvidó decirte que cuando .... no echen demasiado ......, si no ...... quedarán muy ......

5. ¿Qué tal, Jaime? ¿No ...... quién soy? Exactamente, tu jefe. Te recuerdo que debes mandarme ...... lo antes posible.

6. Lo siento, soy el pesado de tu primo. Estoy intentando componer algunas ...... ¿Qué te parecen estos versos?:
Cuando nos veamos otras ...... te pediré que me ......

7. ¡Jaimito!, que ...... mañana. Espero que ...... hecho la compra. Te recuerdo lo que necesito: ...... queso, nata y vino tinto.

 39 CD2: 18 **Escucha con atención la conversación entre estos amigos y elige la opción correcta.**

1. a) Antonia pregunta si ha venido Félix.
   b) Antonia se sorprende de que haya venido Félix.

2. a) Blas pregunta a Antonia si lo vio entrar.
   b) Blas afirma que Antonia lo vio entrar.

3. a) Antonia niega que reconociera el olor de su colonia.
   b) Antonia afirma que reconoció el olor de su colonia.

4. a) Blas afirma burlándose que se le escapan los detalles.
   b) Blas afirma con picardía que conoce todos los detalles.

5. a) Carlos afirma que pueden quedar esa noche.
   b) Carlos pregunta con entusiasmo si pueden quedar esa noche.

6. a) Antonia afirma que sí, aunque comenta con resignación que, como siempre, irán al bar del amigo de Carlos.
   b) Antonia no dice qué va a hacer; solo comenta con sarcasmo la idea que tiene Carlos de salir.

7. a) Carlos ironiza sobre la falta de ideas y de propuestas de Antonia.
   b) Carlos se interesa por saber si Antonia tiene algún plan más interesante.

LITERATURA HISPANOAMERICANA II: NARRATIVA

El inca Garcilaso de la Vega (1539-1616), mestizo, hijo de uno de los conquistadores, es el primer gran escritor que dio América a las letras españolas. Precisamente el mestizaje y la compleja interrelación cultural son características que ha marcado la literatura hispanoamericana contemporánea.

Con la obra *Doña Bárbara*, del venezolano Rómulo Gallegos (1884-1969), se inicia la nueva narrativa hispanoamericana, orgullosa de su propia identidad.

¿Con quién vamos?

Un bongo remonta al Arauca bordeando las barrancas de la margen derecha.

En la paneta gobierna el patrón, viejo baquiano de los ríos y caños de la llanura apureña, con la diestra en la horqueta de la espadilla, atento al riesgo de las chorreras que se forman por entre los carameros que obstruyen el cauce, vigilante al aguaje que denunciare la presencia de algún caimán en acecho.

A bordo van dos pasajeros. Bajo la toldilla, un joven a quien la contextura vigorosa, sin ser atlética, y las facciones enérgicas y expresivas préstanle gallardía casi altanera. Su aspecto y su indumentaria denuncian al hombre de la ciudad, cuidadoso del buen parecer. Como si en su espíritu combatieran dos sentimientos contrarios acerca de las cosas que lo rodean, a ratos la reposada altivez de su rostro se anima con una expresión de entusiasmo y le brilla la mirada vivaz en la contemplación del paisaje; pero, en seguida, frunce el entrecejo, y la boca se le contrae en un gesto de desaliento.

Su compañero de viaje es uno de esos hombres inquietantes, de facciones asiáticas, que hacen pensar en alguna semilla tártara caída en América quién sabe cuándo ni cómo. Un tipo de razas inferiores, crueles y sombrías, completamente diferente del de los pobladores de la llanura. Va tendido fuera de la toldilla, sobre su cobija, y finge dormir; pero ni el patrón ni los palanqueros lo pierden de vista.

Rómulo Gallegos, *Doña Bárbara*.

Este fragmento del cuento "La casa de Asterión" del argentino Jorge Luis Borges (1899-1986), representa la narrativa metafísica.

El hecho es que soy único. No me interesa lo que un hombre pueda trasmitir a otros hombres; como el filósofo, pienso que nada es comunicable por el arte de la escritura. Las enojosas y triviales minucias no tienen cabida en mi espíritu, que está capacitado para lo grande; jamás he retenido la diferencia entre una letra y otra. Cierta impaciencia generosa no ha consentido que yo aprendiera a leer. A veces lo deploro, porque las noches y los días son largos.

Jorge Luis Borges, "La casa de Asterión", *El Aleph*.

El escritor mexicano Juan Rulfo (1918-1986) nos ofrece una peculiar visión del mundo en este fragmento desolador.

—Me parece que usted me preguntó cuántos años estuve en Luvina, ¿verdad...? La verdad es que no lo sé. Perdí la noción del tiempo desde que las fiebres me lo enrevesaron; pero debió haber sido una eternidad... Y es que allá el tiempo es muy largo. Nadie lleva la cuenta de las horas ni a nadie le preocupa cómo van amontonándose los años. Los días comienzan y se acaban. Luego viene la noche. Solamente el día y la noche hasta el día de la muerte, que para ellos es una esperanza.

"Usted ha de pensar que le estoy dando vueltas a una misma idea. Y así es, sí señor... Estar sentado en el umbral de la puerta, mirando la salida y la puesta del sol, subiendo y bajando la cabeza, hasta que acaban aflojándose los resortes y entonces todo se queda quieto, sin tiempo, como si se viviera siempre en la eternidad. Esto hacen allí los viejos.

Porque en Luvina solo viven los puros viejos y los que todavía no han nacido, como quien dice... Y mujeres sin fuerzas, casi trabadas de tan flacas. Los niños que han nacido allí se han ido... Apenas les clarea el alba y ya son hombres. Como quien dice, pegan el brinco del pecho de la madre al azadón y desaparecen de Luvina. Así es allí la cosa."

Juan Rulfo, *El llano en llamas*.

Por último, *Cien años de soledad*, de Gabriel García Márquez (Aracataca, 1928), representa una de las principales obras de las letras hispánicas contemporáneas.

Llovió cuatro años, once meses y dos días. Hubo épocas de llovizna en que todo el mundo se puso sus ropas de pontifical y se compuso una cara de convaleciente para celebrar la escampada, pero pronto se acostumbraron a interpretar las pausas como anuncios de recrudecimiento. (...) Aureliano Segundo fue uno de los que más hicieron para no dejarse vencer por la ociosidad. Había ido a la casa por algún asunto casual la noche en que el señor Brown convocó la tormenta, y Fernanda trató de auxiliarlo con un paraguas medio desvarillado que encontró en un armario. "No hace falta —dijo él—. Me quedo aquí hasta que escampe." No era, por supuesto, un compromiso ineludible, pero estuvo a punto de cumplirlo al pie de la letra. Como su ropa estaba en casa de Petra Cotes, se quitaba cada tres días la que llevaba puesta, y esperaba en calzoncillos mientras la lavaban. Para no aburrirse, se entregó a la tarea de componer los numerosos desperfectos de la casa. (...) Viéndolo montar picaportes y desconectar relojes, Fernanda se preguntó si no estaría incurriendo también en el vicio de hacer para deshacer, como el coronel Arcadio Buendía con los pescaditos de oro, Amaranta con los botones y la mortaja, José Arcadio Segundo con los pergaminos y Úrsula con los recuerdos. Pero no era cierto.

Gabriel García Márquez, *Cien años de soledad*.

CRÓNICA DE UNA AUSENCIA ANUNCIADA

Esteban D'Oneón ha llegado al lago Titicaca. Allí trata de encontrar alguna barca que lo lleve hasta la isla de Amantaní. Nada más llegar, busca el lugar señalado en el mapa de Totenaca y, una vez allí, descubre el camino secreto entre dos rocas, que solo se ve cuando el sol lo muestra. Cuando, lleno de emoción, va a entrar por fin en busca de Totenaca, un venerable anciano lo detiene en la misma entrada y le hace algunas preguntas que no acaba de entender: "¿Por qué se viene aquí? ¿Cuándo se viene aquí? ¿Para qué se viene aquí?".

En ese momento, Esteban comprende que ha llegado al final de su viaje. Siente una enorme curiosidad por conocer ese mundo, pero el anciano es tajante: si quiere conocer toda la historia, tendrá que entrar y no podrá salir de allí nunca más. Lo que adivina es lo suficientemente atractivo como para que decida quedarse allí para siempre. Entonces el anciano decide contarle la historia de Totenaca, historia que podría constituir el mejor artículo periodístico de Esteban, pero que ya nunca podrá escribir.

Escucha la narración y escríbelo tú por él.
CD2: 19

Esteban sabe que va a iniciar una nueva vida, y en un instante le vienen a la mente todas las escenas de este viaje. Como si se tratara de uno de sus reportajes, Esteban imagina los correspondientes pies de foto que acompañarían a esas imágenes. Ayúdalo tú a fijarlos en nuestra memoria.

(Continúa en la recapitulación siguiente.)

Y yendo ahora a algo más personal y cercano, ustedes tienen que saber que los hospitales de Estados Unidos están aceptando la presencia de animales domésticos en las habitaciones durante el proceso de recuperación de los pacientes. En los sanatorios psiquiátricos se empieza a emplear la técnica de introducir animales, con preferencia perros, para contrastar la reacción de los pacientes y la verdad es que enfermos que hacía años que no abrían la boca o casi, se vuelven locuaces a la hora de entablar una conversación con un chucho. En el Reino Unido existen ya cinco mil canes que visitan a enfermos de larga hospitalización.

Un abuelo residente en Barcelona fue invitado a pasar unos días con su hijo a una ciudad andaluza. Se llevó consigo el chucho que le hacía compañía, pero resultó que a su nuera no le gustaban los perros. Se volvió a su casa. Decidió elegir la compañía de su perro para pasar las fiestas. Miles de ancianos hubieran hecho lo mismo.

Manuel Delgado, *Entre bichos anda el juego.*

▶ **Completa las siguientes frases con la información del texto.**

1. Según el autor del texto, el hecho de que en los hospitales de Estados Unidos se .... la presencia de animales domésticos es algo que nosotros ....

2. También le resulta interesante al autor que en los sanatorios psiquiátricos se .... la técnica de introducir animales para contrastar la reacción de los pacientes.

3. En el Reino Unido existen cinco mil perros que van a .... a enfermos que .... permanecer mucho tiempo hospitalizados.

4. El abuelo de Barcelona .... haber preguntado antes de comenzar su viaje si .... llevar consigo a su perro de compañía.

▶ **¿Qué opinas de que se permita la presencia de animales domésticos en las habitaciones de los hospitales?**

▶ **¿Crees que la actitud del abuelo de la historia es poco tolerante?**

▶ **Imagínate que tienes un perro y vives en el quinto piso de un bloque de vecinos en el que solo hay un ascensor. Vas a subir a casa con tu perro y estás esperando el ascensor al mismo tiempo que una mujer y su hijo de tres años. ¿Qué harías?**

GERUNDIO Y PARTICIPIO

▶ **GERUNDIO**

Su uso no siempre es correcto. Sólo puede utilizarse en los siguientes casos:

▶ Si tiene sujeto propio y su oración va entre pausas.

> *Estando tú aquí, ya no tengo miedo.*

▶ Si tiene como sujeto el mismo de la oración principal y su valor es explicativo.

> *Me encontré cinco euros saliendo de la oficina.*

▶ Si tiene como sujeto el CD de la oración principal y se cumplen estos requisitos:

- el verbo principal expresa percepción por los sentidos o mental (ver, oír, encontrar, imaginar, recordar...) o de representación de esa percepción (dibujar, fotografiar...).
- el CD no es de cosa.
- el gerundio expresa una acción o cambio y no una cualidad o estado permanente.

> *Vi a un chico trabajando en tu despacho.*

En estos casos la oración puede resultar ambigua.
En los demás casos, debe usarse una oración de relativo.

> ** Conocí a un chico sabiendo tres idiomas → que sabía tres idiomas.*

> ** Le di tu recado a un chico trabajando en tu oficina → que trabaja en tu oficina.*

▶ La acción expresada por el gerundio no debe ser posterior a la acción principal.

> **Perdí el reloj, encontrándolo dos horas después.*

▶ Sólo *ardiendo* e *hirviendo* funcionan como adjetivos, sin importar la función del sustantivo.

> *Echó la pasta en el agua hirviendo.*

CE 1 **1** **Señala qué oraciones de gerundio están bien construidas y cuáles no. Corrige las erróneas.**

1. Haciendo un agujero en la pared de la celda se considera un intento de fuga.

2. Se puso enfermo el lunes, yendo al médico el martes por la mañana.

3. Ha contratado una secretaria hablando tres idiomas.

4. Dejando la comida hecha, no tengas prisa por llegar a casa.

5. Al pasar por la carretera pudimos ver la urbanización ardiendo.

6. Haciendo un agujero en la pared es como se escapó.

7. Lo encontramos saliendo de su oficina.

8. Salió rápidamente de casa, dirigiéndose a la plaza Cervantes.

9. Encontraron un sobre en la calle conteniendo documentos muy importantes.

10. Estando todos reunidos, anunciaron la fecha de la boda.

2 **Estas frases resultan ambiguas. Haz los cambios necesarios para que no sea así.**

1. Vimos a Luis paseando por la calle.

2. Nos encontramos a tus padres comiendo en el restaurante.

3. Tropezó con su jefe saliendo del edificio.

4. En el zoo observamos a los animales comiendo.

5. Vimos a unos niños llorando en la calle.

▶ **PARTICIPIO**

Algunos verbos tienen dos formas de participio: una regular, que se utiliza para formar los tiempos compuestos, y otra irregular, que se usa como adjetivo.

expresado / expreso

confundido / confuso

Una excepción es *impreso*, que también sirve para formar los tiempos compuestos.

El participio suele tener un significado pasivo (es decir, puede llevar un agente), pero el de algunos verbos transitivos puede adquirir significado activo en algunos contextos (generalmente referido a personas).

La conferencia, entendida solo por los especialistas, fue un fracaso.

Es un hombre muy entendido, sabe de todo.

Cervantes es muy leído

Alfredo es muy leído

CE 3 **3** **Completa las siguientes frases con la forma correcta.**

1. ¿Sabes qué te digo? Que estás *(confundir)* ...., no tienes razón.

2. ¿Has *(imprimir)* .... ya los nuevos catálogos?

3. Nos encontramos un perro *(soltar)* .... por la calle.

4. Se ha declarado *(convencer)* .... y *(confesar)* ....

5. Hemos visto cómo han *(soltar)* .... unas palomas blancas, símbolo de la paz.

6. Antes lo tenía muy claro, pero después de oír sus argumentaciones, estoy *(confundir)* ....

7. Han *(suspender)* .... la sesión de la noche por la lluvia.

8. Fue solo uno el delito *(confesar)* .... por el criminal, pero suficiente para encarcelarlo.

9. Tengo varias asignaturas *(suspender)* .... este año.

10. ¿Tienen ya los formularios *(imprimir)* ....? Los necesitamos para mañana.

CE 4 **4** **Señala si el significado de los participios de las siguientes frases es activo o pasivo.**

1. Es una persona muy agradecida.

2. Su colaboración ha sido agradecida por todos.

3. No llevamos la cuenta de los litros de vino bebidos en esta fiesta, pero son bastantes.

4. Llegó a su casa a las tantas de la madrugada y completamente bebido.

5. Todos estos expedientes han sido ya mirados por nuestros inspectores.

6. Es muy mirado con todo este tipo de problemas, suele tomar muchas precauciones.

7. ¡Hijo mío! ¡Qué sentido eres para estas cosas!

8. Fue un homenaje muy sentido.

9. Alberto está muy considerado por su jefe, le tiene en gran estima.

10. Nuestro nuevo jefe es muy considerado con sus empleados.

AGRUPACIONES VERBALES

▶ OBLIGACIÓN

tener que + infinitivo	- Necesidad ineludible.	*Tuve que contarle la verdad.*
	- Conjetura.	*Tiene que haber salido; no contesta al teléfono.*
	En imperfecto o condicional + infinitivo compuesto, la acción no se realizó.	*Tenía que haberle contado la verdad.*
deber + infinitivo	Obligación o compromiso personal. Con frecuencia se utiliza para las recomendaciones o consejos.	*Debes decírselo.*
	En imperfecto o condicional + infinitivo compuesto, la acción no se realizó.	*Debía haberle contado la verdad.*
haber que + infinitivo	Necesidad ineludible. Impersonal (siempre en 3.ª pers. singular).	*Hubo que contárselo.*
	En imperfecto o condicional + infinitivo compuesto, la acción no se realizó.	*Había que haberle contado la verdad.*
haber de + infinitivo	Necesidad, obligación o intención (culto y poco usado). Se emplea casi exclusivamente en presente.	*He de irme ya.*

5 **Sustituye, cuando sea posible, el verbo en cursiva por otro distinto.**

▶ tener que   ▶ deber   ▶ haber que   ▶ haber de

I. Luis *tenía que* haber comprado más pan, con dos barras no tenemos suficiente.

2. *Tengo que* hacerlo, mi conciencia así me lo dicta.

3. *Tiene que* haber pasado por casa de sus padres, si no, no es normal que tarde tanto.

4. *Tenía que* haberlos avisado antes, ahora ya no sirve de nada.

5. Si *ha de* marcharse no debemos entretenerlo más.

6. He *debido* presentarme al examen, al final fue bastante fácil.

7. *Ha habido que* tirar casi todos los yogures porque estaban caducados.

8. *Tendríamos que* terminar el trabajo antes de las ocho de esta tarde, así que no os entretengáis.

9. *Había que* salir a la calle aunque estuviera lloviendo y por eso compramos paraguas para todos.

10. *Debes* prepararte mejor si quieres conseguir un trabajo más cómodo que el tuyo.

6 **Lee estos cuatro diálogos. ¿Se lo contó?, ¿no se lo contó?**

A: Tuve que contárselo.
B: ¡Te atreviste!

A: Tenía que contárselo.
B: ¿Y te atreviste?

A: Debí contárselo.
B: ¿Así que no te atreviste?

A: Debía contárselo.
B: ¿Y te atreviste?

Piensa si la acción se realizó o no y completa el cuadro con *sí, no* o *no se sabe.*

	INDEFINIDO (O PRET. PERFECTO)	IMPERFECTO
tener que (o haber que)		
deber		

CE 11 **7** **Tacha la forma que no corresponda.**

I. El otro día tuve *que / debí* hablar seriamente con Pilar, y se lo tomó fatal.

2. El curso pasado *tuve que / debí* hacer matemáticas; ahora tendría más carreras para elegir.

3. ¡Madre mía, cómo estaba Raúl ayer! *Tuviste que / debiste* esperar a que se le pasara, porque lo enfadaste aún más.

4. Mi jefa ha llegado esta mañana más temprano de lo habitual y *he tenido que / he debido* esconder el solitario que estaba haciendo.

5. *Hemos tenido que / hemos debido* establecer unas normas de convivencia en la oficina porque hay un par de compañeras que fuman constantemente.

▸ ACCIÓN ACABADA

acabar de + infinitivo	- Equivale a *terminar de* + infinitivo.	*Acabo de trabajar a las ocho.*
	- Acción realizada muy recientemente.	*Acabo de llegar.*
dejar de + infinitivo	- Interrupción de una actividad no habitual (= *parar de* + infinitivo).	*Cuando me ha visto ha dejado de hacer el tonto.*
	- Abandono de un hábito.	*Ha dejado de fumar.*
	- En forma negativa puede expresar:	
	• Mantenimiento de un hábito.	*No ha dejado de fumar.*
	• Reiteración de una acción.	*No deja de decirme que tenga cuidado.*
	• En imperativo, petición u orden.	*No dejes de llamarme cuando vuelvas.*
venir a + infinitivo	- Culminación tras vacilaciones o dudas. A veces tiene un matiz de finalidad.	*Este hecho viene a confirmar mi teoría.*
	- Cantidad aproximada.	*Viene a costar el doble que el otro.*
llegar a + infinitivo	- Equivale a lograr o conseguir y expresa la culminación deseada de un proceso.	*Llegó a hablar inglés perfectamente.*
	- Valor intensificador equivalente a *incluso* o *hasta*.	*Llegó a hablar mal de ti.*
acabar por + inf.; *acabar,* *terminar* + gerundio	Culminación no deseada o dificultosa de un proceso (idea de "al final").	*Acabó por confesar la verdad.* *Acabó confesando la verdad.*
tener + participio concertado	Tiene valor de resultado + acumulación o reiteración de una acción.	*Tengo leídos (casi) todos los temas.* *Te tengo dicho que no hagas eso.*
llevar + participio concertado	Tiene valor de resultado no final + acumulación (la acción va a continuar).	*Llevo leídos casi todos los temas.*
ir + participio concertado	Igual que *llevar* + participio, pero no hay agente.	*Van escrutados 200.000 votos.*

---

8 **¿Acabar, acabar de o acabar por? Utiliza la forma correspondiente.**

1. No .... pagar el piso hasta dentro de doce años.

2. .... saliendo con él aunque no le guste.

3. .... ponerme a estudiar cuando llamaron a la puerta.

4. Al final .... vender la moto, no podía utilizarla nunca.

5. .... comer, que te están esperando todos.

6. ¿Ves como .... haciendo lo que yo le había dicho?

---

9 **Pon la forma adecuada. A veces tendrás más de una posibilidad.**

▸ acabar de / por   ▸ dejar de   ▸ venir a   ▸ llegar a

1. Con su largo y pesado discurso .... decir que teníamos que cambiar de actitud si queríamos seguir viviendo en esa casa.

2. Tras varios años de fracasados intentos ha conseguido .... fumar definitivamente.

3. Me .... comprar un coche, así que no puedo meterme en ninguna otra compra.

4. El autor del artículo .... explicar las causas que según su opinión originaron la crisis económica.

5. No .... repetírmelo una y otra vez.

6. Después de tantas evasivas, Jaime .... admitir lo que ya todos sabíamos.

7. .... estudiar solfeo cuando tenía quince años, así que ya no me acuerdo de nada.

8. No .... practicar al menos quince minutos todos los días o se te olvidará.

9. El viaje .... costar cerca de los 180 euros.

10. Todos esperan que tras las negociaciones .... entenderse los dirigentes de ambos países.

CE 12 **10** **Marca la forma o formas que pueden utilizarse en las siguientes frases.**

1. Ya ... corregidos 18 ejercicios.
   a) llevo   b) tengo   c) van

2. Ya ... corregidos todos los ejercicios.
   a) llevo   b) tengo   c) van

3. Lo ... acabado para cuando vuelvas.
   a) llevaré   b) tendré   c) irá

4. ¿Al fin ... terminada la tarea que te mandé?
   a) llevas   b) tienes   c) va

5. Por el momento ... invertidos en el negocio 48.000 euros.
   a) se llevan   b) se tienen   c) van

6. Hasta ahora la policía ... detenidos a cinco narcotraficantes.
   a) lleva   b) tiene   c) va

7. Le ... dicho que no venga tan tarde.
   a) llevo   b) tengo   c) va

8. Hasta ahora ... disputados unos siete partidos.
   a) llevarán   b) tendrán   c) irán

▶ **ACCIÓN QUE COMIENZA**

comenzar / empezar a + infinitivo	Los verbos mantienen su significación plena de inicio de acción.	*Ha comenzado / empezado a llover.*
ponerse a + infinitivo	Expresa voluntad de realizar la acción, a no ser que se trate	*Se puso a trabajar en un bar.*
	de una acción provocada por un sentimiento.	*Se pusieron a llorar desconsoladamente.*
	También se utiliza con los impersonales *llover, nevar* y *granizar*.	*Se puso a llover.*
echar(se) a + infinitivo	Su uso está limitado a algunos verbos:	*(Se) echó a correr en cuanto vio a los policías.*
	Echar(se) a + andar, caminar, correr, volar.	*Se echó a temblar en cuanto lo vio.*
	Echarse a + temblar, reír, llorar.	
romper a + infinitivo	Acción que comienza de forma brusca por haber estado	*Cuando se enteró de la noticia rompió a llorar.*
	contenida hasta entonces. Es de carácter culto y poco usado.	
	Su empleo está limitado a los verbos *reír, llorar, hablar* y *llover*.	

11 **Pon el verbo adecuado. En los casos en que puedas utilizar varios, explica si se produce algún cambio de significado.**

1. Al darse cuenta de lo ocurrido .... a gritar escandalosamente.

2. Nada más salir .... a llover a cántaros y nos volvimos a casa.

3. En cuanto terminamos de comer .... a recoger la mesa y a fregar los cacharros.

4. Dicen mis padres que no .... a andar hasta casi los dieciocho meses.

5. Vas a .... a temblar cuando te diga a quién he visto esta tarde.

6. .... a chillar en cuanto vio que la cabeza del tigre se asomaba fuera de la jaula.

7. A los dieciséis años .... a trabajar en el taller de su padre.

8. Cuando le contaron el chiste .... a reír a mandíbula batiente.

9. Dio un martillazo en la tubería y .... a salir el agua a chorros.

10. Estaba tan nervioso que .... a pasear por toda la sala como si no hubiera nadie más.

12 **Completa el siguiente texto con las agrupaciones verbales de acción acabada y acción que comienza.**

La tarde (caer) .... plácidamente cuando Cristina decidió salir a dar un paseo. Era un poco tarde para lo que acostumbraba, pero no le importó porque ya (hacer) .... los ejercicios de la clase del día siguiente. Hasta una hora antes no (llover) ...., pero los negros nubarrones (desaparecer) ...., el cielo se despejó y nada en la atmósfera presagiaba lo que iba a ocurrir.

Su casa lindaba con un pequeño pero frondoso parque rodeado por un paseo flanqueado por viejas acacias. Prefirió bordear el parque en lugar de atravesarlo; la aterrorizaban aquellos árboles tan altos y alargados, que asemejaban fantasmas del pasado. El aire era fresco y su cara agradecía aquella brisa que le despejaba las ideas.

(Llegar) .... al otro lado del parque cuando, de pronto, oyó un crujir de ramas, justo detrás de ella. Se paró y se volvió rápidamente, pero no vio a nadie, así que pensó que sería alguna ardilla que habría pasado por allí. (Andar) .... de nuevo, pero al momento volvió a escuchar otro crujir de ramas, esta vez de forma acompasada, como si alguien hiciera el mismo camino que ella, y le pareció que susurraban su nombre. El miedo (acelerarle) .... el pulso. (Recordar) .... todas las noticias que había leído y escuchado en los últimos días sobre un asesino que perseguía mujeres rubias; la policía (registrados) .... tres casos por esa zona. Ella era morena, pero nunca se sabe… Para tranquilizarse, intentó convencerse de que todo eran imaginaciones suyas, y que aquel susurro no era sino el viento entre las ramas de los árboles.

(Caminar) .... más deprisa, pero pudo percibir con claridad cómo las pisadas también avanzaban con mayor rapidez. No sabía si continuar su camino o atravesar el parque para llegar antes a casa. (Cruzar) .... la arboleda, pero el movimiento de las ramas y las sombras aterradoras que proyectaban hicieron que su miedo aumentara y que (correr) .... Las pisadas también (ser) .... más rápidas y acompasadas a su ritmo.

Aterrada, Cristina corrió más y más fuerte para llegar a casa. Al fondo ya se veía la luz de su salón que siempre dejaba encendida para el regreso. Ya solo le faltaban unos pocos metros para llegar, pero las pisadas se acercaban cada vez más, hasta el punto de que (sentir) .... el aliento de su perseguidor en el cuello. No podía más.

Cuando ya casi tocaba el pomo de la puerta, una mano se posó en su hombro. Ella (gritar) ...., histérica, pero el cansancio le impedía elevar el volumen de su voz. Entonces él, también sin aliento, la agarró de los hombros y (zarandearla) .... Ella (llorar) .... Entre lágrimas, vio que el desconocido metía la mano en el bolsillo y sacaba algo.

–¿Es usted la Srta. Cristina Martínez? –dijo con áspera y susurrante voz–. ¿Es usted Cristina Martínez?

–Sí, soy yo.

–Este telegrama es para usted. La he llamado varias veces, pero estoy tan afónico que supongo que no me ha oído. He llegado justo cuando usted empezaba su paseo y he intentado alcanzarla para dárselo. Usted (correr) .... y yo tuve que hacerlo también. No la habré asustado, ¿verdad?

Cristina, entonces, (reír) .... estrepitosamente.

▶ **ACCIÓN EN CURSO O REPETIDA**

estar + gerundio	Hace hincapié en el desarrollo de la acción.	*Cuando volví a casa, Carlos estaba haciendo la cena.*
andar + gerundio	Acción que se repite en momentos y lugares distintos e imprecisos.	*Anda diciendo (a todo el que encuentra) que ya está harto.*
ir + gerundio	Acción en curso que progresa hacia el futuro a partir del tiempo en el que se encuentra *ir*. Muchas veces tiene un matiz de lentitud o esfuerzo.	*Va aprendiendo a hablar mucho mejor.*
	Con verbos de lengua tiene un valor de acción repetida que la iguala a *andar* + gerundio.	*Va diciendo que ya está harto.*
venir + gerundio	Acción que progresa o se repite desde un momento anterior hacia el tiempo expresado por *venir*.	*Venía advirtiéndomelo desde hacía tiempo.*
	Tiene valor de aproximación habitual hasta el momento, frente a *venir a* + infinitivo, que no expresa esa repetición.	*Viene costando unos tres euros / Viene a costar unos tres euros.*
llevar + gerundio	Expresa lo mismo que *venir* + gerundio, pero indicando cuánto dura la acción.	*Lleva dos horas hablando por teléfono.*
	No llevar + gerundio niega la cantidad de tiempo; para negar la acción se emplea *llevar sin* + infinitivo.	*No lleva hablando dos horas, sino tres.* *Lleva sin practicar español diez años.*

13 **Completa con la forma o formas adecuadas.**

1. .... pensando en cogerme unos días de vacaciones porque me encuentro cansado.

2. .... charlando durante varias horas y llegamos a entendernos muy bien.

3. .... entregando los exámenes, que se acabó el tiempo.

4. Estos libros .... costando unos 30 euros porque tienen un formato especial.

5. No .... ni seis meses estudiando informática y ya domina el programa.

6. .... pensando desde hace ya varios días en cogerme las vacaciones ahora.

7. .... hablando mal de sus suegros con todo el mundo.

8. Poco a poco, Enrique .... recobrando la movilidad en el miembro afectado en el accidente.

9. No será porque no .... diciéndote desde hace tiempo que no salgas con esa gente.

10. Mi madre .... mucho tiempo yendo a nadar todos los fines de semana.

14 **Completa el diálogo con las agrupaciones verbales que formes con estas dos columnas.**

▶ *ir a* + infinitivo (2 veces)
▶ *tener que* + infinitivo (2 veces)
▶ *deber* + infinitivo
▶ *deber de* + infinitivo
▶ *llegar a* + infinitivo
▶ *venir a* + infinitivo
▶ *dejar de* + infinitivo
▶ *tener* + participio
▶ *llevar* + participio
▶ *ir* + gerundio (2 veces)
▶ *andar* + gerundio
▶ *seguir* + gerundio

▶ buscando
▶ escribirles
▶ hablar (2 veces)
▶ ser
▶ enviándoles
▶ enviándolas
▶ recibir
▶ recibidas
▶ escribiéndose o llamándose
▶ olvidar
▶ aprobados
▶ perfeccionar
▶ aprender
▶ tener

A: ¿Te acuerdas de los chicos que vivieron en mi rellano el año pasado? ¡Qué simpáticos eran! .... una carta, para algo nos dejaron su dirección.

B: ¡Hombre, también para que .... el correo! Porque me dijeron que durante este curso .... bastantes cartas informativas sobre cursos de español, congresos y todas esas cosas.

A: Al principio se les notaba bastante el acento, pero .... casi perfectamente el español.

B: Claro, en todo un año… Además, ellos ya .... los exámenes superiores, ... la lengua; .... trabajo en algún centro público, pero está tan difícil…

A: Seguro que se les olvida todo lo que ....; si no lo practican a menudo…

B: No, hombre, no. Ellos son profesores de español, ¿cómo lo ....? Si no .... la lengua en todo el día, con sus alumnos, entre ellos… Además, aquí .... muchos amigos con los que seguro que .... por teléfono a menudo.

A: Sí, ¿y .... muchas cartas?

B: Dos, pero .... publicitarias, porque llegan abiertas. Cuando tenga alguna más se las enviaré todas juntas, por no .... una a una.

TEXTOS JURÍDICO-ADMINISTRATIVOS

CD2: 20

15 **Quizá hayas pensado alguna vez en trabajar una temporada en España para perfeccionar tu español. Vamos a ver un modelo de contrato laboral. Primero, escucha con atención la negociación y el acuerdo al que llegaron el Sr. Villaverde, director del Circo Risas, e Hilario Chispas, joven que va a ser contratado como contador de chistes.**

Ahora lee el contrato redactado por el abogado del Sr. Villaverde y comprueba si se ajusta a lo acordado verbalmente. ¿Cuántas diferencias encuentras?

CONTRATO DE TRABAJO DE DURACIÓN DETERMINADA A TIEMPO PARCIAL

En Villalpardo de Arriba (Madrid), a 25 de mayo de 2007

REUNIDOS

De una parte, don Fulgencio Villaverde Rodríguez, con N.I.F. 03241089-F, Director del Circo Risas, inscrito en el Registro Mercantil, asiento 357, C.I.F. F84958274, en representación de su empresa.

Y de otra parte, don Hilario Chispas Álvarez, con N.I.F. 02394653-B en su propia representación.

DECLARAN

Que reúnen los requisitos exigidos para la celebración del presente contrato y, en consecuencia, acuerdan formalizarlo con arreglo a las siguientes

CLÁUSULAS

PRIMERA: Que la persona contratada prestará servicios como contador de chistes.

SEGUNDA: Que la jornada de trabajo será de 21 horas a la semana, siendo la jornada ordinaria máxima legal de 40 horas semanales.

TERCERA: Que el contrato se adscribe al régimen general de la Seguridad Social.

CUARTA: Que el contrato de duración determinada a tiempo parcial se realiza para:

[x] Crear chistes originales e inéditos, que nunca serán groseros ni políticamente incorrectos y cuyo número no será inferior a 40 diarios.

[x] Representar sus propios chistes en la función de la tarde, que tendrá una duración de 1 hora diaria, de lunes a domingo, vestido de payaso, con la obligación de permanecer en el recinto circense las tres horas que dura la función.

[x] Atender exigencias circunstanciales, consistentes en la realización de otras labores necesarias para la buena marcha de la función circense, así como la eventual realización de otra función matinal durante el periodo estival y / o navideño.

[x] Sustituir al hombre bala y al domador de leones en caso de baja o enfermedad de los mismos.

QUINTA: El trabajador se afirma titular de los materiales y responde de la originalidad y del carácter inédito de los chistes, cuyos derechos cede a la empresa contratante para que esta los publique, venda o explote como mejor considere.

SEXTA: El trabajador se compromete a no realizar un trabajo de similares características para otra empresa durante el periodo de vigencia del presente contrato, y, de incumplir esta cláusula, deberá indemnizar a Circo Risas con la cantidad de 30.000 euros.

SÉPTIMA: Que el trabajador percibirá una retribución total de 450 € brutos mensuales que se distribuye en los siguientes conceptos salariales: 303 € brutos/mes de salario base y 147 € brutos/mes como plus de mejora voluntaria, más una paga extraordinaria de salario base a percibir en el mes de diciembre.

OCTAVA: Se establece un periodo de prueba de dos meses durante el cual el trabajador habrá de demostrar su capacidad de hacer reír al público con cada uno de sus chistes; en caso de no colmar las expectativas de la empresa, esta se verá libre de las cláusulas del presente contrato.

NOVENA: La duración del presente contrato se extenderá desde 01/06/2007 hasta 30/05/2008, siendo las vacaciones de 30 días naturales a fijar por la dirección de la empresa.

DÉCIMA: Que si el trabajador decide romper el presente contrato antes de la finalización del mismo, deberá dejar entregados 1.500 chistes.

Y en prueba de su conformidad con cuanto antecede, lo firman ambas partes, por duplicado aunque a un solo efecto, en el lugar y la fecha arriba indicados.

EL TRABAJADOR   Circo Risas

16 En parejas, uno hará de la parte contratante y el otro del trabajador. Llegad a un acuerdo sobre las cláusulas y preparad un contrato para uno de estos trabajadores.

✓ profesor para vuestro centro de estudios

✓ conserje del edificio

✓ dependiente de unos grandes almacenes

✓ camarero de un bar o discoteca

17 Hilario ha decidido irse a vivir más cerca de su nuevo lugar de trabajo y el Sr. Villaverde le va a alquilar un piso de su propiedad. Completa el contrato de arrendamiento.

CONTRATO DE ARRENDAMIENTO
DE FINCAS URBANAS
6ª CLASE   0043663

EJEMPLAR PARA EL ARRENDATARIO

IDENTIFICACIÓN DE LA FINCA OBJETO DEL CONTRATO

Finca local o piso (1) _____ cto. _____

Calle. __Infortunio_____ número 13____

Ciudad __Villalpardo de Arriba_____ Provincia _____

En _Villalpardo de Arriba_____ a __veintiocho_____
de __mayo_____ de __dos mil siete_____
reunidos Don _____
_____ natural de __Albacete_____
provincia de ___Albacete_____ de ___ años, de estado
_____ y profesión _____ vecino al presente
de _____ con documento nacional
de identidad nº _____
expedido en _____
con fecha _____ en concepto de arrendatario. Por
sí o en nombre de _____
como _____ del mismo (2) y Don_____
_____
de _____ años, de estado _____ vecino de _____
_____ con documento nacional de identidad
número _____ expedido en _____
con fecha _____ como (2) _____ hemos
contratado el arrendamiento del inmueble urbano que ha sido identificado encabezando este contrato por tiempo de (3) _____
_____ y precio de _____
_____ euros cada
año, pagaderos por _____ con las demás condiciones
que se estamparán al dorso.

Formalizado así este contrato, y para que conste, lo firmamos por duplicado. Fecha ut supra

EL ARRENDATARIO   EL ARRENDADOR

_____
(1) Táchese lo que no proceda
(2) Expresar el carácter con que interviene, si es Dueño, Apoderado o Administrador.
(3) Determinar el plazo de arrendamiento, si es por meses o años.

CLÁUSULAS

PRIMERA: El plazo de arrendamiento será de UN AÑO a partir de la fecha del presente documento; transcurrido dicho plazo quedará rescindido y finiquitado el mismo, y de existir mutuo acuerdo entre las partes se formalizará un nuevo contrato por un periodo de un año.

SEGUNDA: Si estando el contrato en periodo contractual el arrendatario optase por desistir del mismo, deberá notificarlo de forma fehaciente al arrendador con dos meses de antelación e indemnizarlo con dos meses de la renta si no existiese dicha notificación y sin que por dicha renuncia el arrendador tenga derecho a otra indemnización que la estimada.

TERCERA: La renta mensual que se pacta durante el periodo de vigencia del presente contrato es la de CUATROCIENTOS VEINTE EUROS (420 €), que serán abonados por mensualidades anticipadas dentro de los cinco primeros días de cada mes en el domicilio de la parte arrendadora o entidad bancaria por esta indicada. El atraso en el pago será causa suficiente para incoar el desahucio, siendo de cuenta del arrendatario los gastos que se originen, incluida minuta de Abogado y Procurador.

CUARTA: El arrendatario entrega en este acto al arrendador en concepto de fianza la suma de OCHOCIENTOS CUARENTA EUROS (840 €). Esta cantidad será devuelta al arrendatario a la finalización del contrato, siempre que no existan responsabilidades que deban hacerse efectivas contra la misma, conforme a lo dispuesto en la Ley o lo aquí pactado. En ningún caso la constitución de dicha fianza dará derecho para que con cargo a la misma se pretenda hacer efectiva alguna mensualidad.

QUINTA: Será de la cuenta arrendataria durante la vigencia del presente contrato el pago de luz, agua, gas y demás servicios de que dispone el inmueble arrendado.

SEXTA: Los gastos de contribución, comunidad, así como la tasa municipal de basuras serán abonadas por la parte arrendadora.

SÉPTIMA: Se prohíbe la realización de obras en el inmueble objeto del presente contrato sin permiso escrito y expreso de los arrendadores, quedando la misma, caso de su ejecución autorizada, a beneficio del inmueble y sin derecho a reintegro.

OCTAVA: Se prohíbe al arrendatario ceder o subarrendar gratuita u onerosamente, parcial o totalmente, la presente vivienda arrendada.

NOVENA: El presente contrato de arrendamiento se encuentra sujeto al R.D.E. 2/985 de 30 de abril de 1985.

DÉCIMA: La vivienda arrendada se encuentra amueblada según inventario.

Y en prueba de conformidad con cuanto antecede, se firma el presente documento en el lugar y fecha al principio indicados.

 18 **Sin volver a leer las cláusulas del contrato, contesta con verdadero o falso.**

1. El contrato de arrendamiento se prorroga automáticamente a no ser que una de las partes lo rescinda finalizado el primer año.

2. Si el arrendatario quiere anular el contrato, deberá comunicárselo verbalmente al arrendador con dos meses de antelación.

3. El arrendador irá a cobrar la mensualidad al inmueble arrendado en los cinco primeros días de cada mes.

4. En caso de iniciar un proceso de desahucio por impago de la mensualidad, todos los gastos correrán a cuenta del arrendatario.

5. La fianza podrá utilizarse para pagar la última mensualidad.

6. Los gastos de electricidad, agua y gas correrán a cargo del arrendatario.

7. Los diversos impuestos y los gastos de comunidad serán pagados por el arrendador.

8. Bajo ningún concepto el arrendatario podrá hacer reformas en el inmueble.

9. El arrendatario podrá invitar a quien quiera a vivir en el piso siempre que él también permanezca en el mismo y no cobre por tal concepto.

10. La vivienda se encuentra ya amueblada, por lo que el arrendatario no podrá traer más muebles sin permiso del arrendador.

ADMINISTRACIÓN Y JUSTICIA

19 En este cuadro se recogen diferentes tipos de escritos jurídico-administrativos.

ley	Disposición de máximo rango, votada por las Cortes y sancionada por el Rey.
decreto-ley	Disposición del Gobierno con fuerza de ley.
circular	Orden de una autoridad superior a sus subordinados.
apelación	Alegación contra una sentencia a un superior.
citación	Aviso por el que se cita a alguien para alguna diligencia.
demanda	Petición hecha en un juicio por un litigante.
edicto	Aviso de un tribunal u organismo público.
sentencia	Escrito procesal resuelto por tribunales de justicia.
suplicatorio	Instancia de un juez a un organismo legislativo.
acta	Constancia escrita de lo tratado en una reunión.
autorización	Documento por el cual se delega en otra persona para que lo represente.
bando	Exhortación del alcalde a sus vecinos.
cédula	Permiso para utilizar una vivienda.
certificado	Comprobación de hechos por una institución.
contrato	Acuerdo entre dos partes sobre compra, venta...
currículum	Exposición sobre la vida, preparación y profesión.
declaración	Testimonio jurado o prometido ante instituciones.
denuncia	Notificación de haberse infringido alguna norma.
escritura	Contrato público en el que consta la fe notarial.
informe	Exposición organizada de un conjunto de datos sobre la actuación de personas, situaciones o hechos.
instancia	Solicitud de algo a alguna institución pública o no.
memorando	Comunicado interno para recordar algo.
recibo	Acreditación de un pago, una entrega o una tasa.
recurso	Escrito contra una sentencia o una resolución.
testamento	Declaración notarial de la última voluntad.

Ángel Cervera, *Guía para la redacción y el comentario de texto* (texto adaptado).

Completa las frases con las palabras anteriores.

1. El primer punto del orden del día de cualquier reunión es la aprobación del .... de la última reunión.

2. Ayer nos llegó a todos una .... del director por la que se nos convoca a una reunión extraordinaria mañana por la tarde.

3. Es increíble que el juez le haya dado la razón al demandante. Seguro que el demandado presentará un ....

4. El juicio ya ha terminado, así que ahora solo queda esperar la .... del juez.

5. ¿Te puedes creer que el constructor vendió todos los pisos sin que le hubieran concedido la .... de habitabilidad? Ahora les toca pagarla a los propietarios.

6. He recibido una .... del juzgado para testificar por lo del robo que presencié el otro día.

7. El Gobierno quiere aprobar un .... por el que se amplíe la tipología de delitos ecológicos.

8. Desde que firmas ante notario la compra de un piso hasta que te dan las .... pueden transcurrir un par de meses.

9. Nunca quiso aceptar su enfermedad, así que cuando le llegó la hora no había hecho ....

10. El alcalde ha sacado un .... en el que anuncia el comienzo de las fiestas.

11. El juez elevó un .... al Parlamento para pedir la extradición del preso.

12. Aquel hombre era una pieza esencial para resolver el caso, pero había abandonado la última dirección conocida hacía dos años, así que el juez tuvo que publicar un .... para ver si era posible encontrarlo.

20 **Aquí tienes unas frases clave para reconocer diferentes documentos. Indica de cuál se trata en cada caso.**

▶ bando   ▶ edicto   ▶ sentencia   ▶ certificado   ▶ ley   ▶ instancia

1. Fallamos que debemos estimar y estimamos el recurso interpuesto...

2. EXPONE: Que… SOLICITA:

3. D. Evaristo Rodríguez, Juez del Juzgado de Primera Instancia número 10 de Barcelona, HAGO SABER…

4. Vecinos de Villalpardo:

5. Y para que conste, a petición del interesado, firmo el presente…

6. De los derechos y deberes del trabajador…

CE 21.22 **21** **¿Qué delitos se describen?**

▶ allanamiento

▶ hurto

▶ fraude

▶ amenaza

▶ estafa

▶ secuestro

▶ malversación

▶ violación

▶ soborno

▶ chantaje

▶ calumnia

▶ atraco

▶ asesinato

▶ atentado

▶ contrabando

▶ espionaje

▶ acoso sexual

1. El otro día fui a sacar dinero del banco y me encontré con dos tipos con la cara cubierta y armas de fuego que se estaban llevando el dinero de la caja.

2. Yo no podría vivir pensando que en cualquier momento pueden llevarse a mi hijo para pedirme dinero. La verdad es que el ser millonario tiene también sus inconvenientes.

3. Este fin de semana entraron en el chalé de Jorge, pero un vecino se dio cuenta, llamó a la policía y no les dio tiempo de llevarse nada.

4. Han vuelto a pillar un barco que traía tabaco rubio en sus bodegas.

5. Para evitar que aquellas fotos salieran a la luz, estuvo pagando durante cinco años, y al final ha sido portada de todos los periódicos.

6. Durante tres años estuvo poniendo cianuro en la comida de su marido. Se descubrió todo cuando le hicieron la autopsia.

7. Desvió 9.000 euros del ministerio para financiar los negocios empresariales de su familia, pero seguro que dimitirá de su cargo político y todo se olvidará.

8. Se presentaron en el despacho del juez con un maletín lleno de billetes, pero este no lo aceptó y ahora les van a caer todavía más años de cárcel.

9. Tras las falsas acusaciones que lanzó contra el presidente del equipo delante de las cámaras, este lo denunció.

10. Fue durante diez años uno de los hombres de confianza del Presidente, y después se descubrió que era un infiltrado del servicio de inteligencia del país enemigo.

11. Pusieron una bomba en la confluencia de dos calles muy concurridas de Madrid, pero afortunadamente no hubo que lamentar víctimas.

12. Le hicieron lo mismo que él había hecho con aquellas tres mujeres. En cuanto entró en la cárcel y los demás presos se enteraron del motivo de su condena lo acorralaron y abusaron de él.

13. A veces no entiendes cómo la gente es tan ingenua. Mira que pagar 600 euros por la revisión del sistema eléctrico... Y sin comprobar si eran realmente de la compañía eléctrica.

14. El chiquillo abría la caja registradora sin que nadie se diera cuenta y se llevaba unos cuantos euros, pero un día la encargada de la tienda lo sorprendió.

15. Ya no sabían qué hacer para librarse de sus pellizcos, sus caricias y sus insinuaciones. Como era la jefa, no se atrevían a pararle los pies o denunciarla por temor a que los despidiera.

16. Es verdad que no me tocó, pero me avisó de lo que me podría ocurrir si le contaba algo a la policía.

17. Son miles de millones los que Hacienda deja de ingresar cada año debido al impago de impuestos y a la economía sumergida.

22 Vamos a simular un juicio. Necesitamos un acusado, dos demandantes, dos abogados defensores, dos fiscales, uno o dos testigos de la defensa y otros tantos de la acusación; el resto seréis el jurado. Estos son los datos que os servirán para preparar vuestros papeles.

ACUSADO: José Ramón Vázquez, 30 años, soltero y sin novia, administrativo de seguros La Felicidad desde hace cinco años. Carácter tímido y reservado. Enamorado de Susana Ordóñez, compañera de trabajo desde hace dos años.

DEMANDANTE 1: Susana Ordóñez, 27 años, soltera. Secretaria de dirección de seguros La Felicidad desde hace 2 años. Carácter extravertido, divertida, extremadamente cariñosa y algo coqueta, muy querida por todos sus compañeros. Novia de Juan Carlos Moreno desde que este asumió el cargo de gerente de seguros La Felicidad hace pocos meses, relación que mantenían en secreto.

DEMANDANTE 2: Juan Carlos Moreno, 35 años, soltero, gerente de seguros La Felicidad desde hace pocos meses. Trabajador y exigente a la vez que abierto y simpático. No conoce en profundidad a todos los empleados, salvo a Susana, su actual novia.

HECHOS Y CIRCUNSTANCIAS: En la noche del pasado 15 de julio, José Ramón Vázquez paseaba por la playa del Arenal de Palma de Mallorca para intentar despejarse después de haber bebido un par de copas por la negativa de Susana a salir con él. De repente, le pareció oír las risas de Susana, a quien encontró abrazada a Juan Carlos Moreno. En un momento de enajenación, José Ramón echó arena en los ojos de Juan Carlos y le propinó un puñetazo, tras lo cual, insultó y abofeteó a Susana.

Parece ser que José Ramón creía tener una relación más que amistosa con la agredida, dado que esta siempre le manifestó un gran afecto: charlaban, bromeaban y tomaban el café juntos, ella solía agarrarle de la mano o del brazo y siempre le agradecía con besos, abrazos y algún que otro detallito todo el trabajo que él hacía por ella, como cuando se quedaba en casa de Susana por la noche para preparar la documentación que ella debía presentar al día siguiente. Ella siempre le decía que si la dirección de la empresa no prohibiera las relaciones entre sus trabajadores, no lo dejaría escapar. La tarde del 15 de julio José Ramón le propuso que salieran juntos a escondidas de la dirección, y ella le contestó: "Eres un cielo, Ramonchu, pero sabes que no es posible", y le dio un beso en la frente.

Susana no niega ninguno de estos hechos, pero asegura que ni su amistad ni sus muestras de cariño hacia José Ramón eran mayores que las que destinaba a los demás compañeros; las bromas y referencias a una posible relación no eran para ella más que juegos de galanteo, y hasta el día en que sucedieron los hechos, nunca creyó que José Ramón estuviera confundiendo sus sentimientos. No le contó lo de su noviazgo con el gerente porque lo consideró un asunto estrictamente privado, del que no tenía por qué informar a nadie, más aún dada la prohibición de la empresa.

23 Una vez finalizado el juicio, redactad la sentencia.

SENTENCIA N.º 2.345/2007

ADMINISTRACIÓN
DE JUSTICIA

En..............................., a ....

El Sr. EVARISTO RODRÍGUEZ, Juez del Juzgado de Primera Instancia número 10 de Barcelona, habiendo visto los presentes autos de juicio oral penal promovidos por D. .... y D.ª ...., representados por el Abogado D. .... contra D. ...., representado por el Abogado D. ....

En nombre de S. M. el Rey dicta la siguiente sentencia:

ANTECEDENTES DEL HECHO _____

_____

_____

FUNDAMENTOS DE DERECHO _____

_____

_____

FALLO _____

_____

_____

_____

24 DE PELÍCULA

Tú y tus amigos habéis quedado esta tarde. Habéis consultado la cartelera de los minicines del barrio y, además, tenéis una película de vídeo en casa. ¿Qué decidís?

SALA I. Abierto hasta el amanecer 2

Dirección: Scott Spiegel.

Intérpretes: Bruce Campbell, Tiffani-Amber Thiessen.

Cinco criminales roban un banco en México. En su huida se ven obligados a repostar en el bar de alterne más satánico y terrorífico del lugar.

Doña Bárbara

Drama. Dirección: Betty Kaplan. Intérpretes: Jorge Perrugoría, Ruth Gabriel. En las indómitas planicies de Venezuela, Santos, un joven abogado que se ha educado en la ciudad, regresa al campo con su familia después de años de ausencia. Una vez allí, se ve atrapado en antiguas disputas feudales. (13 años.) Universal Pictures Video.

SALA II. La vendedora de rosas

Dirección: Víctor Gaviria.

Intérpretes: Leidy Tabares, Marta Correa, Mileider Gil.

Para sobrevivir, los niños de la calle de Medellín venden rosas, esnifan pegamento y se prostituyen.

SALA III. Las huellas borradas

Director: Enrique Gabriel.

Intérpretes: Federico Luppi y Mercedes Sampietro.

Regresar tantos años después para volver a irse. Despedir el lugar donde creció, intentar recuperar viejos amores. Todo eso vive Manuel, un exiliado en Argentina que regresa a su pequeño pueblo de León.

SALA IV. Buena Vista Social Club

Director: Wim Wenders.

Intérpretes: Rubén González, Compay Segundo, Eliades Ochoa. El cineasta alemán se revela contra la ficción para acabar filmando algo real: la música es verdad. Quince años después de su exitosa colaboración en "París-Texas", Wenders y el guitarrista Ry Cooder vuelven a un empeño común. Cooder es el agente principal en un elenco que llega a la treintena de músicos. Rubén González, Eliades Ochoa, Compay Segundo y la cantante Omara Portuondo, entre otros, protagonizan este documental al ritmo de la mejor música cubana.

25 DE RISA

1. ¿Qué diferentes significados tiene la palabra *notas* en la viñeta?

2. ¿Cuál es la intención con la que los dos niños provocan este "diálogo de besugos"?

3. En grupos. Cread un diálogo semejante con palabras que puedan tener diferentes significados. Utilizad el diccionario si es necesario.

26 **Vais a escuchar algunos chistes "lingüísticos". Escribe la palabra o frase que encierra la broma.**

CD2: 21

¿Seríais capaces de inventar algún otro?

CE 25 **27** **CON PELOS Y SEÑALES**

Estamos metidos en un nuevo lenguaje que se nos ha ido imponiendo desde fuera: las señales, los carteles que controlan nuestros desplazamientos, las prohibiciones, todos hablan con esta nueva escritura jeroglífica. Nadie la ha inventado (o, mejor dicho, la han inventado entre muchos); nadie ha ordenado su utilización, nadie ha aceptado su uso, pero está en todas partes. Este lenguaje no tiene una Academia, ni un diccionario, ni una gramática, y sin embargo se supone que los ciudadanos del mundo tienen que dominarlo.

¿De dónde vienen estos nuevos signos? ¿Adónde van? Su origen más evidente son las señales de circulación. De ellas han tomado su simbología básica, que pronto se ha extendido a otros casos: el "prohibido aparcar" se aplica en el centro comercial para las hamburguesas y en el aeropuerto colombiano para las armas... Pero ya es un sistema complejo, que pone en juego recursos muy depurados. Los símbolos están ocupando casi todos los nichos de la comunicación, incluso los más tradicionales, y en los universos recién creados, como el mundo de la informática, son el lenguaje dominante.

José Antonio Millán, "¿Pero qué diablos quiere decir esta ¡@#*!?", *El País Semanal.*

1. En pequeños grupos. Pensad en tres señales que sean totalmente internacionales y en otras tres particulares de España o de vuestro país.

2. Comenta alguna señal cuyo significado te haya resultado difícil de identificar, o especialmente simpática o curiosa. Quizá te pueda ayudar este recorte sacado del mismo artículo.

La representación			**Antigüedades**
Siempre se escoge la imagen arquetípica, no la que se parece más al objeto real; los teléfonos son siempre los modelos redondos de los años sesenta:	No hay que tomar la imagen al pie de la letra. El siguiente signo de emergencia en el avión no significa *quitarse los zapatos de tacón*, sino cualquier tipo de zapatos.	Seguro que alguien protestó cuando le llamaron la atención por fumar en pipa. El resultado ha sido esta señal *reforzada:*	En el afán por que los objetos representados se identifiquen sin lugar a dudas, algunas representaciones son prácticamente arqueológicas, como esta "bocina" y este "tren" de señales de tráfico.

objeto real símbolo

Las mujeres siempre llevan faldas...

objeto real símbolo

Descalzarse

Tampoco este signo quiere decir *prohibida la entrada de caniches*, sino:

Prohibida la entrada de perros

Prohibido fumar, ni siquiera en pipa

Los matices de los dibujos pueden ser importantes: que una figura humana esté quieta, ande o corra tiene significados diferentes, como veremos en otros ejemplos; que la imagen de un perro esté en marcha o parado no afecta para nada a su sentido.

Advertencias acústicas prohibidas

Paso a nivel sin barreras

3. Muchas señales, aparentemente puras y simples, están teñidas de ideología:

▶ siempre son siluetas femeninas las que cogen a los niños de la mano en las escaleras mecánicas.
▶ todos los clientes que aparecen en los signos de un banco son varones.
▶ los ricos tienen derecho a sentarse mejor que los pobres.

¿Qué ideología se está difundiendo con este tipo de señales?

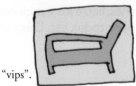
Sala de "vips".

Sala de espera.

Sujete al niño de la mano.

Cliente en un banco.

4. ¿Qué crees que pueden significar estas señales? Algunas incluso pueden sustituirse por frases enteras. Escribe su significado y compáralo con el de tus compañeros.

 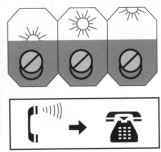 

28 EL "SPANGLISH"

Lee el siguiente recorte de periódico.

El "spanglish" avanza. Nos guste o no nos guste. Es una realidad. La mezcla del español y del inglés se ha convertido en una especie de lengua que se utiliza cada vez con más frecuencia en las regiones estadounidenses donde abunda la población hispana. Es un destrozo de ambos idiomas, por supuesto. Pero hay mucha gente que ya no sabría hacerse entender solamente con uno, y la constante mezcla del inglés y del español como algo absolu-tamente lógico, se ha convertido en su habitual forma de expresión.(...)

A pesar de ser una deformidad de dos lenguas, de no tener gramática y de la risa y la indignación que nos produce, el "spanglish" no detiene su carrera.(...)

En la radio, un popular locutor sigue repitiendo: "¡No se me vayan, please!", como su frase favorita, y a otro locutor oí: "¡No, señores, never in the life!". A la orden del día están el "okay, right, bye, so, you know..." Y nos parece lo más normal del mundo –eso es lo grave– escuchar que nuestros hijos "lucen de lo más nice", que en aquella tienda "hacen delivery", que el festival "lo sponsorea" la cerveza X, que el cuñado de esa señora sufrió "un stroke", que es mejor beber cosas "light", que el yogur "plain" es buenísimo...

Natalia Figueroa, "El spanglish",
ABC (texto adaptado).

 1. Escucha unos fragmentos en "spanglish" y di de qué se habla en ellos.

CD2: 22　　¿Estáis de acuerdo con la opinión de Natalia Figueroa de que el "spanglish" es un destrozo de ambos idiomas?

2. En el "spanglish" se utilizan muchas palabras del inglés sin ningún tipo de adaptación *(light, cake,* etc.); sin embargo, otras tienen una formación o creación curiosa. En grupos, pensad en el origen o el motivo por el que se han formado las siguientes palabras.

✓ exitas (sales)
✓ el teléfono "ringó" (sonó)
✓ voy a "tipear" unas cartas (escribir a máquina)
✓ estoy "vacuneando" las "carpetas" (pasando la aspiradora a las alfombras)
✓ descolgaron el teléfono y "hangaron" (colgaron)

✓ no encuentro ningún "rufero" (el que arregla tejados)
✓ no olvides "lockear" (cerrar) el cerrojo
✓ te llamo "p'atrás" (te vuelvo a llamar, te llamo yo)
✓ dame un "phonazo" (telefonéame)
✓ los "truckeros" (camioneros) me ayudaron...

3. En la actualidad contamos con literatura escrita en "spanglish" de gran difusión entre el mundo hispano. ¿Qué opinas de este tipo de literatura?

→ ¿Qué ocurre en España? ¿Cómo hablan los jóvenes españoles? ¿Habéis podido escuchar algún término inglés o adaptado al español en el vocabulario de los jóvenes españoles?

→ En grupos, recoged datos sobre términos no españoles empleados entre los jóvenes, entre los estudiantes, en el lenguaje de los medios de comunicación, en el lenguaje periodístico (deportivo sobre todo), etc. Después, valorad la importancia del inglés en el español actual.

→ Comparadlo con la situación en vuestro país.

VARIEDADES DEL ESPAÑOL III: EL ESPAÑOL DE HISPANOAMÉRICA

29 En la lección anterior estudiamos algunos de los rasgos más generales del español de América. Vamos a recordarlos entre todos. Para ello, escuchad con atención y explicad los fenómenos.

CD2: 23

30 Laura está realizando una encuesta en su empresa sobre la violencia en el deporte. Averigua si la relación que establece con los encuestados es formal o informal.

CD2: 24

1	5
2	6
3	7
4	

Resume brevemente las respuestas de cada encuestado y busca entre tus compañeros opiniones coincidentes.

	1	2	3	4	5	6	7
¿Creen ustedes que los deportes generan violencia?							
¿Hay cada vez más violencia?							
¿Les parece correcta la actitud de los responsables de los clubes?							
¿Creen que se deberían endurecer las leyes en estos casos?							
¿Creen que los seguidores utilizan los encuentros deportivos como excusa para liberar su agresividad?							

31 Unas personas van a contarte algunas actividades que han realizado. Señala si las han hecho en su unidad de tiempo presente o si las realizaron en un tiempo pasado.

CD2: 25

actividades que están dentro del presente	actividades que pertenecen al pasado

32 Ramón y sus amigos han ido al cine a ver *Locura de amor*. Entre todos van a contártela. Escucha y selecciona los detalles correspondientes a cada parte.

CD2: 26

omienzo	1.ª parte	2.ª parte	3.ª parte	Final
nica La Salud	filología	clínica La Salud	filología	Pepe y Marcos
sparo	Carnavales	dos años	Hotel Villamar	París
nrique está solo	Hotel Villamar	Madrid	El Bazar	habitación
arta se despide de Enrique	El Bazar	Marta se despide de Enrique	dos años	cine
	una carta	Universidad Complutense	una carta	7 de la tarde
	catedral de Sevilla	operación de la vista	Nacional II	anillo de diamantes
	desaparece en el mar	cine	Pepe y Marcos	colegio
		collar de esmeraldas	Londres	

Ahora, contadla vosotros de forma ordenada.

CINE HISPANOAMERICANO

Mario Moreno, Cantinflas, ha sido uno de los actores más célebres del cine cómico y de humor en España. Este pequeño pero a la vez gran actor mexicano fue uno de los que permitió que el cine hispanoamericano comenzara a difundirse fuera de sus fronteras.

▶ ¿Has visto alguna película suya? ¿Se proyectan en las pantallas televisivas de vuestro país?

El cine mexicano contaba con los actores más célebres de América Latina en 1950: Mario Moreno "Cantinflas", protagonista de buena parte de las películas de la época, Pedro Armendáriz, Dolores del Río, o la pareja más famosa de México, Jorge Negrete con sus musicales y María Félix, protagonista en la versión cinematográfica que de la obra de Rómulo Gallegos, *Doña Bárbara*, se hizo en 1943. Además, se incorporaron exiliados españoles tras la guerra civil como Luis Buñuel con *Los olvidados* (1950), *Subida al cielo* (1952), *Él* (1953), *Ensayo de un crimen* (1955), *Nazarín* (1960) y *Simón del desierto* (1965).

A partir de los años sesenta en Hispanoamérica algunos cineastas tratan de reflejar la realidad de sus países y romper con el cine colonialista norteamericano o europeo; este nuevo cine debía ser comprensible para toda la sociedad, puesto que se convertiría en vehículo de información y de comunicación de ideologías.

En la actualidad contamos con grandes títulos en la cinematografía hispanoamericana.

▶ ¿Conoces alguna de las siguientes películas? Lee su ficha técnica.

COMO AGUA PARA CHOCOLATE

Año de producción: 1991
Director: Alfonso Arau (México, 1932; ha realizado, entre otras, *El águila descalza, Calzonzin inspector, Chido guan* y *Un paseo por las nubes*)
Guión: Laura Esquivel y Alfonso Arau
Música: Leo Brower
Intérpretes: Lumi Cavazos, Marco Leonardi, Regina Torné, Mario Iván Martínez, Ada Carrasco, Claudette Maillé, …
Argumento: Está ambientada en el siglo XIX en una hacienda de la frontera del norte de México y desarrolla la historia de dos jóvenes amantes, Pedro Múzquiz y Tita de la Garza, que ven prohibido su romance a causa de las rígidas costumbres de su tiempo que obligan a Tita a permanecer soltera para cuidar de su madre durante la vejez. Tita desarrolla unas excelentes dotes culinarias, lo que ayudará a que con el tiempo se vuelvan a cruzar las vidas de ambos.

MARTÍN (HACHE)

Año de producción: 1997
Director: Adolfo Aristaráin (Buenos Aires, Argentina, 1943; ha realizado, entre otras, *La parte del león, Tiempo de revancha, Los últimos días de la víctima, Un lugar en el mundo* y *La ley de la frontera*)
Guión: Adolfo Aristaráin y Kathy Saavedra
Música: Fito Páez
Intérpretes: Federico Luppi, Juan Diego Botto, Cecilia Roth, Eusebio Poncela
Argumento: Hache es un chico de 19 años al que su madre le hace salir de Argentina, donde vive en un mundo de drogas y alcohol, para ir a vivir con su padre en Madrid. Hache se integra en un reducido ámbito social formado por su padre, Martín, hombre maduro de carácter difícil, Dante, un frívolo bisexual bastante autónomo, y Alicia, joven conquistada por Martín que se confiesa a través de las drogas. La presencia del joven en este círculo nos permite descubrir los problemas existentes entre ellos y, de forma indirecta, en la sociedad actual.

FRESA Y CHOCOLATE

Año de producción: 1993
Director: Tomás Gutiérrez Alea (La Habana, Cuba, 1928; ha realizado, entre otras, *Historias de la revolución, La muerte de un burócrata, Memorias del subdesarrollo, La última cena, Los sobrevivientes, Hasta cierto punto* y *Cartas del parque*) y Juan Carlos Tabío (La Habana, Cuba, 1943; ha realizado, entre otras, *Peligro, Combo universitario, Se permuta* y *Plaff*).
Guión: Senel Paz
Música: José María Vitier
Intérpretes: Jorge Perrugorría, Vladimir Cruz, Mirtha Ibarra, Francisco Gattorno, Marylín Solaya, Joel Angelino
Argumento: En la Cuba actual se encuentran dos hombres: uno, intelectual maduro que prefiere el helado de fresa, y otro, un joven revolucionario que prefiere el de chocolate. A lo largo de la historia se enfrentan sus ideales, su formación y sus preferencias sexuales; sin embargo, ellos pueden convivir en paz aunque la sociedad en la que viven se interponga y dificulte constantemente su relación.

LA ETERNA JUVENTUD

Esteban ha entrado ya en Juventus, el pueblo creado por Totenaca. Como sospechaba, allí se encontró con estos personajes:

Elvis Presley · Einstein · Karl Marx · Marilyn Monroe · Greta Garbo

Charlot · John Lenon · Frank Sinatra · Cleopatra · Juana de Arco

Don Juan Tenorio · Groucho Marx · Eva · Napoleón · Rodolfo Valentino

Cada uno de ellos le dijo una frase con perífrasis que tú has de identificar. ¿Sabrías relacionar cada frase con su autor?

1. Al final, vine a hacer pública mi vocación política en un cumpleaños.
2. Llevo conquistadas más de mil mujeres.
3. Acabé por quemarme.
4. Tenía conquistado a un hombre que puso un imperio a mis pies.
5. Usted dirá que esto es un paraíso, pero yo sigo pensando que todo es relativo.
6. Para entrar aquí, tuve que firmar un contrato en el que la parte contratante de la primera parte es igual a la parte contratante de la segunda parte.
7. Todos pueden ver que llegué a conquistar incluso esta isla escondida.
8. Cuando llegué aquí, estaba huyendo del capital internacional.
9. De pronto entendí que necesitaba empezar a hablar con la gente.
10. Llegué a perderlo todo por mi curiosidad malsana.
11. Me puse a remar para cruzar el lago, pero me cansé y decidí venir en un submarino amarillo.
12. Tenía que seguir siendo el número 1, aunque me temblaran las piernas.
13. Como divina que soy, llevo viviendo en este Olimpo desde que supe de su existencia.
14. Esta isla prometía ser adecuada para continuar viviendo en los tiempos modernos.
15. Nunca he dejado de cuidarme (la voz).

LECCIÓN 1 - Para empezar

Ejercicio 4

Ana: Andrés es bastante inmaduro para su edad. Todavía cree que está en la universidad, y eso que tiene a su cargo una familia.

Eva: Para mala cabeza, la de su hermana. Treinta y cinco años y todavía no ha intentado buscar un buen trabajo, un trabajo con el que pueda comprarse un piso, salir de casa de sus padres..., independizarse.

Elisa: Por mí, se pueden olvidar los dos de venir a llorar a casa y a hablar mal de su madre. No los aguanto más. Cada vez que vienen con sus problemas, les doy buenos consejos, les dedico todo mi tiempo... ¿para qué? Para que al cerrar la puerta se rían hasta de su sombra. Desde luego, ¡vaya suerte ha tenido mi hermana!

Antonio: Bueno, mamá, de su sombra no sé, pero de ti, seguro. Me acuerdo de un día, lo que nos pudimos reír.

Elisa: Vaya, muy bien, hijo. ¿Y tú? Para lo que has dicho, bien podías quedarte calladito, ¿no crees? ¿Y de qué os reíais? ¿De mí o de mis consejos? Bueno, es igual, yo ya lo he dicho; por mí, os podéis reír de lo que queráis; se acabaron mi paciencia y mi hospitalidad.

Ejercicio 29

Oiga, oiga, déjese de pamplinas. Le digo y le repito que este rollo del verano es un coñazo. Bueno, yo qué sé lo que es. ¡Si yo le contara! Empezaría y no acabaría. Ante todo, sepa usted que somos muchos en casa, un familión, a ver, mi señora, o sea: mi costilla, la Amparo, es muy tradicional y cree que si no crece la purrela, no hay familia. Así de sencillito. Y no vea, ya somos diez. Diez, que se dice pronto. A ver, nosotros dos, y mi suegra, que no es moco de pavo reclamando derechos ni nada, y ya vamos tres. Añada usted los seis vástagos, seis, que, para reunirlos, hace falta movilizar un escuadrón de policía montada. Sí, hombre, sí, de esos de la Gran Vía. Y, como le voy significando, ya somos nueve. Sume la Hipólita, la chacha de siempre, ya cincuentona, con artrosis cervical y de la otra, y reúma multitudinario, y más resabiada que qué sé yo qué. A cada paso amenaza con sindicarse, no le digo más. Lo habrá aprendido en la tele, digo yo. ¿Ve? Diez. Lo que yo le decía. Y paso por alto que este verano hemos tenido que cargar con el tío Roque, padre de la Hipo, que, pobre señor, está gagá. Canta sin motivo, llora sin motivo, se hace sus cositas encima sin motivo. En fin, que, no me diga que no, que esto del veraneo... ¡Que hay que reformarlo y nada más! Como se lo digo. ¿Que por qué no reparto a la gente? ¿Y la integridad familiar? Mi señora esposa, o sea: la Amparo, que nanay. A la distribución, que nanay, que ella necesita pasar agosto y septiembre disfrutando de los suyos. Que para eso es ella la que los ha parido y no yo. Y vea, vea cómo disfruta: toditas las

santas mañanas con refunfuños y broncas. Que si Paquito no ha venido a acostarse, que si Juanín llegó a las seis de la mañana, ya de día, y que Pili... Bueno, esa, ay, la Pili, qué desmandada está. Y que si los peques tienen algo veraniego, intestinal, de tifus para arriba. Casi nada. De propi, siempre que he intentado desparramarlos por ahí, de alguna manera más o menos útil, siempre me ha salido el tiro por la culata. Figúrese: enviamos a Paquito a Inglaterra. Fue en abril. Y volvió diciendo "baybay" sin parar. Reconozca conmigo que no es muy presentable largar baybay, por todo cumplimiento, al desayunar, al comer, al cenar, al traer un suspenso más en junio. Para mí que le han hechizado, a ver si no. Sostiene que el inglés es nuestra lengua oficial y que, para trabajar en márketing o en *consulting*, a ver qué porras pinta hablar en madrileño. Y que ya está bien, y que a él no se la pega nadie. ¿Usted sabía algo de eso del inglés como lengua oficial? Y con esto de tantas lenguas regionales... Por si fuera poco, este "cenutriobilingüistatontaina" ha fundado una asociación para suprimir las corridas de toros y espera alcanzar por ese camino el reconocimiento universal y, a lo mejor, un diploma de benefactor ecologista. Lo jorobante será que le tendré que pagar el marco para colgar el titulito.

Ejercicio 33.1

Esta mañana el despertador de Enrique sonó a las cinco en punto. Sin embargo, decidió dormir un ratito más. "Dos horas para arreglarme y llegar al trabajo son suficientes", pensó. En un cuarto de hora –según su apreciación del tiempo– las agujas del reloj habían alcanzado las siete. La vecina del piso de al lado se despertó sobresaltada por el grito de Enrique.

Ejercicio 34

1. somormujo	11. augurio
2. incienso	12. mirlo
3. auscultar	13. escualo
4. pisado	14. cartulina
5. escolta	15. tórtola
6. piraña	16. muérdago
7. pedrea	17. coágulo
8. mondo	18. luciérnaga
9. rumano	19. protuberante
10. suciedad	20. ondulada

LECCIÓN 2 - Recuerdos

Ejercicio 42

Llevo pocos meses viviendo aquí, pero siento que mi vida ya no volverá a ser igual. Cada día que paso lejos de mi casa descubro algo nuevo sobre esta tierra y sobre la que dejé. Aunque pueda resultar extraño, el conocimiento de una cultura y una lengua distintas a las mías me está permitiendo reconocer aspectos de mi propio país y de mí mismo en los que jamás había reparado.

Ejercicio 42.2

(Se repite la audición del ejercicio anterior.)

Ejercicio 43

1		2	
peso	beso	seta	seda
pelo	velo	suelto	sueldo
pino	vino	tos	dos
poca	boca	moto	modo

3		4	
coma	goma	boca	la boca
corro	gorro	vida	la vida
Paco	pago	un velo	ese velo
quita	guita	cambio	labio

5		6	
dolor	lado	gato	ese gato
mando	tarde	guapo	agua
toldo	Madrid	guerra	la guerra
un día	los dos	tengo	sigo

7		8	
pero	perro	poro	polo
para	parra	cobro	pueblo
coro	corro	arma	alma
suero	sierra	correr	cordel

9		10	
para	paga	toro	todo
Roma	goma	pira	pida
paro	pago	duro	dudo
rato	gato	rara	radar

11	
peses	peces
beses	veces
poso	pozo
risa	riza

Ejercicio 43.1

1. peso, velo, pino, boca
2. seda, suelto, dos, modo
3. goma, corro, Paco, guita
7. pero, para, corro, suero
8. polo, cobro, arma, correr
9. paga, goma, pago, gato
10. toro, pira, dudo, rara
11. peses, veces, pozo, risa

Ejercicio 44

1. Ayer un muchacho intentó engañar a un niño para quitarle el yoyó.
2. Begoña ha estado viviendo en Alemania siete u ocho años.
3. Una señora se cayó en la calle Sevilla.
4. César sólo hizo seis ejercicios de los diez de la lección.
5. Javier siempre gasta bromas a la gente.
6. El toro corrió para sorprender al torero por detrás.

7. El problema de algunas palabras es que son muy parecidas.

8. Todo el mundo tiene que decir la palabra cada vez que pare la música.

9. Madrid es la capital del Estado español.

10. Los trabajos más difíciles son sus preferidos.

LECCIÓN 3 - ¿Qué será, será?

Ejercicio 8

Diálogo 1

A: Entonces, ¿todo bien?

B: Sí, sí, no puedo quejarme. ¡Ojalá siempre fuera así! Oye, ¿ha llamado Maite? Me dijo que me llamaría hoy sin falta para explicarme lo del trabajo.

A: Pues, que yo sepa, no. A no ser que llamara cuando he bajado a comprar el pan.

B: ¿Puedes pasarme la ensalada?, es que no alcanzo. Bueno, llamaré yo, como siempre.

A: Toma. Pues si hablas con ella dile que no olvide que hemos quedado para ir el sábado al cine.

B: Vale, se lo diré. Bueno, y tú, ¿qué tal el día? ¿Bien?

Diálogo 2

A: Consultores, S. A. Buenos días.

B: Buenos días. Llamo por lo del anuncio de la oferta de trabajo. Quiero hablar con el Sr. Benito.

A: Lo siento, en este momento no puede atenderlo porque está reunido. ¿Puede llamar dentro de una hora? Para entonces, ya habrá terminado.

B: Sí, sí, claro. Muchas gracias.

Diálogo 3

A: Queremos que la nueva campaña llegue a un sector más amplio de la población.

B: Sí; el producto no está destinado a un determinado grupo, sino que es algo que puede utilizar cualquier persona.

C: Ya habíamos pensado en eso, por lo que hemos diseñado un espot publicitario que gustará a todo el mundo. Lo hemos hecho Carmen y yo. Llevamos diez años trabajando juntas, por lo que nos entendemos perfectamente. Ella les explicará, si ustedes quieren, nuestras ideas.

A: Sí, cómo no.

C: Carmen, ¿podrías traer el material e informarles, si eres tan amable?

(Carmen entra.)

D: Antes de empezar, quisiera felicitarles por su nuevo producto, es estupendo. Sin embargo, creo que deben plantearse la posibilidad de un cambio de nombre, pues existe en el mercado un producto con una denominación similar.

Diálogo 4

A: Buenos días. ¿En qué puedo ayudarte?

B: Hola, buenos días. Venía porque quiero solicitar un préstamo para la compra de un coche y quería que me informarais un poco sobre lo que necesito, las condiciones, etc.

A: Sí, ven. Te informará el director: los préstamos los lleva él directamente.

(Entra al despacho del director. Tono muy serio y formal.)

C: Buenos días. ¿Qué deseaba?

B: Buenos días. Querría que me informara sobre los préstamos personales. Es para la compra de un coche.

Ejercicio 16

Mira, Platero: el canario de los niños ha amanecido hoy muerto en su jaula de plata. Es verdad que el pobre estaba ya muy viejo... El invierno último, tú te acuerdas bien, lo pasó silencioso, con la cabeza escondida en el plumón. Y al entrar esta primavera, cuando el sol hacía jardín la estancia abierta, y abrían las mejores rosas del patio, él quiso también engalanar la vida nueva, y cantó; pero su voz era quebradiza y asmática, como la voz de una flauta cascada.

El mayor de los niños, que lo cuidaba, viéndolo yerto en el fondo de la jaula, se ha apresurado lloroso a decir:

—¡Puej no l'a faltao na, ni comida ni agua!

No, no le ha faltado nada, Platero. Se ha muerto porque sí —diría Campoamor, otro canario viejo...

Platero, ¿habrá un paraíso de los pájaros?; ¿habrá un vergel verde sobre el cielo azul, todo en flor de rosales áureos, con almas de pájaros blancos, rosas, celestes, amarillos?

Oye: a la noche, los niños, tú y yo bajaremos el pájaro muerto al jardín. La luna está ahora llena, y a su pálida plata el pobre cantor, en la mano cándida de Blanca, parecerá el pétalo mustio de un lirio amarillento. Y lo enterraremos en la tierra del rosal grande.

A la primavera, Platero, hemos de ver al pájaro salir del corazón de una rosa blanca. El aire fragante se pondrá canoro y habrá por el sol de abril un errar encantado de alas invisibles y un reguero secreto de trinos claros de oro puro.

Ejercicio 32

Buenos días. Un día más estamos aquí para comentar con vosotros algunas novedades musicales. En primer lugar, queremos hablaros del último disco que La Noche Partida lanza al mercado. Con este trabajo, el grupo aporta algunas versiones de temas antiguos al nuevo panorama musical español. Un total de doce temas, melodías de siempre, canciones sin edades. Pasamos ahora a una formación muy diferente: Libélulas. Hace un par de años este grupo madrileño empezó a ofrecer conciertos esporádicos, a menudo como teloneros de otras bandas independientes españolas, pero su propuesta se alejaba mucho de los cánones del rock alterna-

tivo, pues se inclinaban más por postulados propios de la *new wave* neoyorquina, lo que daba lugar a un pastiche poco digerible. Tras una salvaje maqueta con doce cortes, este álbum gana en profundidad y logran que saxos, guitarras y percusión se acoplen en un ritmo novedoso, alejado del simple artificio. En *El atasco*, título de su último disco, hay espacio para ambientaciones estupendas y combinaciones rítmicas sorprendentes. Una música que muestra a un grupo ya maduro con buenas perspectivas de futuro.

Cronopios fueron una de las primeras formaciones que hicieron realidad el concepto de banda independiente en nuestro país. Representa una de las mejores apuestas alternativas de los noventa. De ellos es la banda sonora de la película *Con la boca abierta,* estrenada el año pasado con gran éxito. Estos días tocan en la Sala Universal. Llenan la sala con sus buenas vibraciones y con un potente directo. Ante un público exaltado, se abren a cientos de arreglos de teclado o de armónica, pero parece que no están dispuestos a incluir pop con metales. Tampoco quieren introducir material pregrabado. Se trata de un directo puro, original y diferente en cada actuación.

Ejercicio 33

Presentador 1: Buenas tardes, señoras y señores. Una semana más estamos con ustedes para contarles todo lo que podrán ver los próximos días en TELECITA, su cadena favorita.

Presentador 2: TELECITA, la televisión del futuro, la más completa y variada, donde encontrarán todo lo que desean ver, la televisión que llenará sus vidas de felicidad y hará que sus familias…

Presentador 1: Bueno, vamos a lo verdaderamente importante. Todos los días de la semana, incluidos sábados y domingos, de tres a tres y media, disfrutarán, sufrirán, reirán con un capítulo más de la interesantísima telenovela, de éxito internacional, *La maté porque era mía,* la historia desgarradora de una mujer que descubre que el hombre que ama tiene la fea manía de asesinar a sus amantes.

Presentador 2: No se pierdan el capítulo 4.562, en el que la protagonista, cuando sale de su casa, se encuentra con su joven vecina, que la mira de una manera muy extraña.

Presentador 1: Vale, vale, vale. No cuentes nada más, deja que sean nuestros telespectadores quienes lo descubran.

Presentador 2: Y el miércoles por la tarde, a las seis, los amantes del deporte podrán disfrutar con otro interesantísimo encuentro futbolístico: Alcalá-Carabanchel, dos equipos de tercera regional que se juegan su pase a la final. No se lo pierdan: un partido de infarto.

Presentador 1: Y tras el encuentro, nuestros compañeros de *Deportes para todos* comentarán el partido y harán un breve repaso de la liga. Estarán con ustedes, como siempre, de ocho a doce de la noche.

Presentador 2: La noche de los viernes está dedicada al mejor cine, al de más actualidad, para los incondicionales del séptimo arte. La cita es en El Peliculón, a las doce de la noche, que esta semana les ofrece *La diligencia*, de John Ford, 90 minutos de acción al más puro estilo americano. Al finalizar la película, a las tres de la madrugada (ya se sabe, algunos pequeños cortes publicitarios), nuestros contertulios habituales comentarán con profundidad la película y debatirán sobre un tema de gran interés para todos: seguridad e higiene en los medios de transporte de principios del siglo XX.

Presentador 1: La cultura tiene también su espacio en TELECITA, cultura para toda la familia, porque nuestra cadena está concienciada de la obligación que tienen todos los medios de comunicación de divulgar los nuevos conocimientos y mantiene un compromiso firme y real con la cultura.

Presentador 2: Además, TELECITA se hace eco de la gran demanda de este tipo de programas por parte de toda la audiencia, de grandes y pequeños. Por eso, elabora sus programas pensando en los niños, las amas de casa, los abuelos, los jóvenes, los padres, porque la familia que aprende unida permanece unida.

Presentador 1: Esta semana la cita será el martes, de doce menos cuarto a doce de la noche (ya saben que se trata de un espacio itinerante, siempre lleno de sorpresas, la primera de ellas, la hora y el día en que se retransmitirá). Alégrense, familias, porque esta semana tendrán la oportunidad de ver un programa de máximo interés: *Ritos y cortejos de apareamiento del escarabajo pelotero*. Su vida será otra tras descubrir los maravillosos secretos que les desvelaremos (no deje que la abuela se vaya a la cama).

Ejercicio 39.2

Diálogo A

García: Buenos días, Marta.

Marta: Buenos días, ¿qué tal?

García: Necesitaría hablar con usted urgentemente. En cuanto pueda, si es tan amable, pásese por mi despacho.

Marta: Ahora, si a usted le viene bien.

García: Estupendo. Bueno, siéntese, por favor. Como usted ya sabe, estamos en negociaciones con un cliente muy importante con el que esperamos llegar a un acuerdo. Esta tarde va a venir a recoger un informe en el que aparezcan todos los proyectos desarrollados en el último año. ¿Podría elaborar este informe antes de que vengan? Es fundamental para las negociaciones.

Marta: Bueno, es mucho trabajo, no sé si me dará tiempo antes de irme.

García: Yo se lo agradecería enormemente. Tal vez tenga que quedarse algunas horas extras, pero el esfuerzo merecerá la pena.

Marta: Sería un trabajo extra; creo que así debería constar en mi próxima nómina.

García: Tiene usted razón, yo veré lo que se puede hacer. Ahora, por favor, prepare esos informes sin perder tiempo.

Diálogo B
(Conversación telefónica)

Paco: Hola, Martita, ¿qué tal estás?

Marta: Bueno, va. Y tú, ¿qué tal?

Paco: Agobiado, como siempre. Oye, me vas a matar, pero necesito tu ayuda. Tienes que hacerme un favor.

Marta: ¿Otro? ¿Qué es esta vez?

Paco: Ven a mi despacho y hablamos, ¿vale? [...] (conversación directa) Pues, verás, ¿recuerdas la pareja que vino el otro día? Está muy interesada en comprar el producto, pero quiere que le hagamos un presupuesto detallado para poder estudiarlo mejor. Es que Juan no está, y tú ya sabes que yo soy bastante torpe para esto.

Marta: Pues… es que me pillas un poco mal de tiempo.

Paco: Venga, Marta, será solo un ratito. Anda, inténtalo, y si ves que te va a llevar mucho tiempo lo dejas.

Marta: Es casi mi hora de salida. Me tendrás que pagar las horas que eche.

Paco: Sí, no sé con qué te voy a pagar. Si yo pudiera...

Marta: Vaya cara más dura. A ver, déjame los papeles.

Paco: Qué haría yo sin ti; no te imaginas el favor que me haces, porque yo los veo realmente interesados, yo creo que esta venta ya es segura.

Diálogo C

Isabel: Buenos días, señor Rodríguez, ¿puedo ayudarlo en algo?

Rodríguez: Bueno, pues mire, me acaban de regalar dos entradas para la ópera para el sábado por la noche y he pensado que tal vez a usted le apetezca venir. Es una obra estupenda.

Isabel: Muchas gracias, señor Rodríguez, por su invitación, se lo agradezco, pero el sábado me es imposible. Siento mucho no poder acompañarlo.

Rodríguez: Bueno, otra vez será. Muchas gracias de todas formas.

....

(Sonido telefónico)

Pilar: ¿Dígame?

Rodríguez: Hola, Pilar, soy Juan.

Pilar: ¿Juan?

Rodríguez: Sí, hombre, Juanito.

Pilar: Qué sorpresa, cuánto tiempo.

Rodríguez: Oye, ¿te gusta la ópera?

Pilar: Sí, sabes que soy muy aficionada.

Rodríguez: Pues el sábado te invito a cenar y a una representación. Tengo dos entradas.

Pilar: ¿El sábado? ¡Qué pena! Es que no puedo: vienen unos amigos a cenar a casa. Oye, ¿y no se pueden cambiar para otro día?

Rodríguez: No, me han dicho que es el último pase.

Pilar: Qué fastidio. Pues me da mucha rabia. Pero, mira, voy a intentarlo: voy a hablar con ellos para ver si es posible que vengan el viernes, aunque lo veo difícil. Pero, en fin, lo intentaré. Si lo soluciono, te llamo, ¿vale?

Rodríguez: Venga, a ver si puedes hacer algo.

Ejercicio 39.3

(Se repite la audición del ejercicio anterior.)

Ejercicio 40

1. La hermana de Alberto está embarazada.
2. Las_esculturas de Miguel_Ángel son famosas_en todo el mundo.
3. Dentro de un_año empezaré a trabajar_en la empresa con mi hermano.

Ejercicio 41

tónica + tónica → larga tónica
átona + átona → breve átona
átona + tónica → larga tónica
tónica + átona → breve tónica

- pasará antes [pasará:ntes]; se comió otra [sekomjó:tra]
- este estado [éstestáđo]; lamento ofenderte [laméntofendérte]
- esta arma [éstá:rma]; tengo otro [téngó:tro]
- está animado [estánimáđo]; comió orejones [comjórexónes]

Ejercicio 42

hay otro hombre
iré enseguida
quizás esté enfadado
la niña ya anda
viene en enero
coge ese
toma antibióticos
te dirá algo
trae entradas

LECCIÓN 4 - Siento y pienso, luego existo

Ejercicio 11.2

1.er Interrogatorio

Narrador: Interrogatorio del abogado del Sr. Estévez a su cliente.

Abogado: Por favor, diga su nombre completo.

Sr. Estévez: Ángel Estévez de Velasco.

A: Sr. Estévez, ¿puede decirnos qué cargo desempeña en PASTAGÁN S.A. y desde cuándo?

E: Soy el director de la empresa desde hace siete años.

A: ¿Cuántos empleados tiene en plantilla?

E: Actualmente, 32.

A: ¿Cree usted que sus empleados están contentos con sus condiciones de trabajo y con el trato que reciben?

E: Formamos una gran familia. Estoy convencido de que el tener satisfechos a mis trabajadores es la mejor inversión que puedo hacer, ya que si ellos están contentos, trabajarán más y mejor. Mire usted, señor abogado, yo no soy sino el capitán del barco, pero sin la labor de la tripulación el barco se iría a pique, ¿me entiende?

A: Entonces, ¿diría usted que mantiene con sus empleados una relación cordial?

E: Más que eso, yo diría que nos une una relación fraternal; no hay diferencias entre nosotros, y la confianza que he depositado en ellos me ha hecho merecedor de su reconocimiento. Lamentablemente, desde hace unos años no puedo recompensar sus desvelos como yo quisiera. La incorporación de tantas otras empresas en el sector ha provocado una saturación del mercado y, en consecuencia, una competencia despiadada. No obstante, he de decir que he seguido contando con el apoyo de todos ellos, a excepción de la persona en quien más confiaba: mi secretario personal, don Eusebio.

A: Háblenos de don Eusebio. ¿Qué relación los unía?

E: Fue mi hombre de confianza desde que llegué a la dirección. Nunca pensé que pudiera traicionarme de esa manera, la verdad. A mí, que le había tratado como a un amigo; ¡qué digo!, ¡como a un hermano! Ni yo ni la empresa teníamos secretos para él, ¡y bien que supo aprovecharse de esta circunstancia! Sin embargo, él jamás fue honesto conmigo, como lo prueba el hecho de que nunca me confesara que tenía deudas de póquer, según he sabido después por otro empleado, cuyo nombre me reservo.

A: Cuéntenos qué pasó la tarde del 23 de diciembre.

E: Permítame que empiece por lo ocurrido un par de días antes. Don Eusebio, a pesar de conocer los problemas financieros por los que estaba pasando la empresa, y sin mostrar la menor solidaridad con sus compañeros, me pidió una suma en concepto de paga extraordinaria para hacer frente a los gastos navideños. ¡Sí, gastos navideños! En fin, que le prometí una generosa gratificación a la vuelta de las vacaciones, pero se ve que no le pareció suficiente.

A: ¿Qué le hizo pensar tal cosa?

E: Su mirada; le pedí, como favor personal, y a cambio de tantos otros que yo le había hecho, que cerrara él el balance del año. ¡Ya ve, una horita de nada el día 24! Le expliqué que debía volar urgentemente a Suiza a ver a mi tía, que había caído enferma repentinamente. Su respuesta fue una mirada amenazadora que jamás antes había percibido en él. Los días 22 y 23 estuvo algo hostil conmigo, pero estaba tan preocupado por lo de mi tía que no le di importancia. ¡Y fíjese! ¡Casi me mata!

A: Una última pregunta, Sr. Estévez. ¿Conocía el Sr. Román la combinación de la caja fuerte?

E: ¡Por supuesto! Me había visto mil veces abrir la caja. Nunca le pedí que saliera del despacho porque nunca dudé de su integridad moral.

2.º Interrogatorio

Narrador: Interrogatorio de la abogada del Sr. Román a su cliente.

A: ¿Desde cuándo trabaja en PASTAGÁN S. A., Sr. Román?

R: Desde su creación, hace quince años, por el suegro del Sr. Estévez, que en gloria esté.

A: ¿Ejercía las mismas funciones con el fundador y antiguo director de la empresa, el Sr. López?

R: Sí, hasta la fecha he sido el único secretario de dirección de la empresa.

A: Fallecido el Sr. López hace siete años, su yerno, el Sr. Estévez, se hizo cargo del negocio, ¿no es así?

R: Sí.

A: ¿Cómo ha sido su relación con el Sr. Estévez?

R: Yo la calificaría de cordial. Él siempre ha mantenido cierta distancia con sus empleados, lo cual no es en absoluto criticable. Yo entiendo que algunas cosas, como la combinación de la caja fuerte, no se las confiara a nadie, ni siquiera a su secretario personal.

A: Bien. Díganos, Sr. Román, ¿desde la llegada a la dirección del Sr. Estévez ha habido grandes cambios en la empresa?

R: Yo diría que no. PASTAGÁN S. A. ha mantenido su volumen de producción sin necesidad de un gran esfuerzo. De hecho, todo sigue como lo dejó el Sr. López, incluso nuestros sueldos, que son los mismos de hace siete años.

A: ¿Y nunca han reivindicado una mejora salarial? ¿Los trabajadores están contentos con sus condiciones laborales?

R: Hace varios años hubo algunos despidos y..., bueno..., ya sabe usted. Además, a mi edad, dónde va uno a buscar trabajo. Lo más que me he atrevido a pedir al Sr. Estévez es un adelanto de mi paga, nada más.

A: ¿Se refiere usted a estas Navidades pasadas?

R: Sí.

A: Explíquenos cómo fue, por favor.

R: El día 21 de diciembre le pedí al Sr. Estévez un pequeño adelanto del mes de enero para poder hacer frente a los gastos navideños. Él no solo me lo negó, sino que además me dijo que se tenía que ir a Suiza y que fuera yo quien cerrara la tarde del 24 el balance del año. No puedo decir que aceptara encantado, ya que había prometido a mi mujer ayudarla con la cena de Nochebuena, pero me callé.

A: ¿Volvió a hablar del tema con el Sr. Estévez en los dos días siguientes?

R: No, no volví a hablar de dinero con el Sr. Estévez.

A: Por último, Sr. Román, ¿golpeó usted en la cabeza al Sr. Estévez y se llevó el dinero de la caja fuerte?

R: ¡No! ¡Cómo podría haber hecho una cosa así!

A: Muchas gracias, Sr. Román. Nada más.

Ejercicio 33

1. Hablante castellano

Vosotros presumís mucho, pero la verdad es que la mejor cocina de España es la de mi tierra, os lo digo yo; aunque ya no es lo de antes, cuando nuestras abuelas se encargaban de los pucheros y las cacerolas: esas patatitas, esas verduritas, esos postres... Ahora los muchachos jóvenes creen que se han vuelto muy prácticos por ir a almorzar a esos sitios de comida rápida o tomar cualquier cosa precocinada. ¡Ay, si supieran lo que es comer como Dios manda!

2. Hablante andaluz

Ustedes presumen mucho, pero la verdad es que la mejor cocina de España es la de mi tierra, se lo digo yo; aunque ya no es lo de antes, cuando nuestras abuelas se encargaban de los pucheros y las cacerolas: esas patatitas, esas verduritas, esos postres... Ahora los muchachos jóvenes creen que se han vuelto muy prácticos por ir a almorzar a esos sitios de comida rápida o tomar cualquier cosa precocinada. ¡Ay, si supieran lo que es comer como Dios manda!

3. Hablante canario

Ustedes presumen mucho, pero la verdad es que la mejor cocina de España es la de mi tierra, se lo digo yo; aunque ya no es lo de antes, cuando nuestras abuelas se encargaban de los pucheros y las cacerolas: esas papas guisadas, esas verduritas, esos postres... Ahora la gente, sobre todo los muchachos jóvenes, se cree que se ha vuelto muy práctica por ir a almorzar a esos sitios de comida rápida o tomar cualquier cosa precocinada. ¡Ay, si supieran lo que es comer como Dios manda!

4. Hablante aragonés

Vosotros presumís mucho, pero la verdad es que la mejor cocina de España es la de mi tierra, os lo digo yo; aunque ya no es lo de antes, cuando nuestras abuelas se encargaban de los pucheros y las cacerolas: esas pataticas, esas verduricas, esos postres, pues... Ahora los muchachos jóvenes creen que se han vuelto muy prácticos por ir a almorzar a esos sitios de comida rápida o tomar cualquier cosa precocinada. ¡Ay, si supieran lo que es comer como Dios manda!

5. Hablante asturiano

Vosotros presumís mucho, pero la verdad es que la mejor cocina de España es la de mi tierra, dígooslo yo; aunque ya no es lo de antes, cuando nuestres abueles se encargaben de los pucheros y les caceroles: eses patatines, eses verdurines, esos postres... Ahora los guajes xóvenes creen que volviéronse muy prácticos por ir a almorzar a esos sitios de comida rápida o tomar cualquier cosa precocinada. ¡Ay, si supieran lo que es comer como Dios manda!

6. Hablante catalán

Vosotros presumís mucho, pero la verdat es que la mejor cocina de España es la de mi tierra, os lo digo yo; aunque ya no es la de antes, cuando nuestras abuelas se encargaban de los pucheros y las cacerolas: esas patatitas, esas verduritas, esos postres... Ahora la gente, sobre todo los muchachos jóvenes, se cree que se ha vuelto muy práctica por ir a almorzar a esos sitios de comida rápida o tomar cualquier cosa precocinada. ¡Ay, si supieran lo que es comer como Dios manda!

7. Hablante gallego

Vosotros presumís mucho, pero la verdad es que la mejor cocina de España es la de mi tierra, os lo digo yo; aunque ya no es lo de antes, cuando nuestras abuelas se encargaban de los pucheros y las cacerolas: esas patatitas, esas verduritas, esos postres... Ahora los muchachos jóvenes creen que se volvieron muy práticos por ir a almorzar a esos sitios de comida rápida o tomar cualquier cosa precocinada. ¡Ay, si supieran lo que es comer como Dios manda!

8. Hablante vasco

Vosotros presumís mucho, pues, pero la verdad es que la mejor cocina de España es la de mi tierra, eh, os lo digo yo; aunque ya no es lo de antes, cuando nuestras abuelas se encargaban de los pucheros y las cacerolas: esas patatitas, esas verduritas, esos postres, pues... Ahora la gente, sobre todo los muchachos jóvenes, se cree que se ha vuelto muy práctica por ir a almorzar a esos sitios de comida rápida o tomar cualquier cosa precocinada. ¡Ay, si sabrían lo que es comer como Dios manda!

Ejercicio 33.1

1.

Vosotros presumís mucho, pero la verdad es que la mejor cocina de España es la de mi tierra, os lo digo yo; aunque ya no es lo de antes, cuando nuestras abuelas se encargaban de los pucheros y las cacerolas: esas pataticas, esas verduricas, esos postres, pues... Ahora los muchachos jóvenes creen que se han vuelto muy prácticos por ir a almorzar a esos sitios de comida rápida o tomar cualquier cosa precocinada. ¡Ay, si supieran lo que es comer como Dios manda!

2.

Ustedes presumen mucho, pero la verdad es que la mejor cocina de España es la de mi tierra, se lo digo yo; aunque ya no es lo de antes, cuando nuestras abuelas se encargaban de los pucheros y las cacerolas: esas patatitas, esas verduritas, esos postres... Ahora los muchachos jóvenes creen que se han vuelto muy prácticos por ir a almorzar a esos sitios de comida rápida o tomar cualquier cosa precocinada. ¡Ay, si supieran lo que es comer como Dios manda!

3.

Vosotros presumís mucho, pero la verdad es que la mejor cocina de España es la de mi tierra, os lo digo yo; aunque ya no es lo de antes, cuando nuestras abuelas se encargaban de los pucheros y las cacerolas: esas patatitas, esas verduritas, esos postres... Ahora los muchachos jóvenes creen que se volvieron muy práticos por ir a almorzar a esos sitios de comida rápida o tomar cualquier cosa precocinada. ¡Ay, si supieran lo que es comer como Dios manda!

Ejercicio 34

CARMEN (canaria): Bueno, ya que vamos a pasar quince días juntos, podíamos ir conociéndonos. Mi novio, Manolo, yo me llamo Carmen.

ALBERTO (catalán): Hola, qué tal, yo soy Alberto.

CARLOS (vasco): Hola, yo soy Carlos, y mi mujer, Sara, es aquella que está hablando con la guía.

CARMEN: ¿Habían venido antes a Perú?

ALBERTO: Yo no.

CARLOS: Nosotros estuvimos hace tres años, en nuestra luna de miel, pero solo una semana, así que hemos decidido repetir.

ALBERTO: ¿Y qué es lo mejor? El Machu Picchu, supongo.

CARLOS: Hombre, el Machu Picchu es algo increíble; y no solo la ciudadela, también el paisaje. Desde luego, si te interesa el imperio inca, vas a disfrutar. Tienes Cuzco, que está lleno de templos y fortalezas, y luego Lima, donde están las ruinas de Pachacamac, aparte del Museo del Oro, con 8.000 piezas de plata y oro, y en el que, dicho sea de paso, casi hicimos sonar las alarmas al apoyarnos en una de las vitrinas. Bueno, el caso es que tienes toda la parte arqueológica y además la selva amazónica, el Lago Titicaca, las misteriosas Líneas de Nazca, que nos quedamos sin ver la primera vez...; en fin, un montón de cosas.

MANOLO: Pues ahora que dices lo de la plata. Nosotros estuvimos en México el año pasado, y nos quedamos maravillados. ¿Te acuerdas del pueblito ese de la ladera de la montaña, que tenía cientos de platerías? ¡Y a qué precios! Nos trajimos zarcillos, pulseras y pisacorbatas para todo el mundo. ¿Cómo se llamaba? Puebla, ¿no?

CARMEN: ¡No...! Puebla era la ciudad de estilo colonial, con aquella iglesia tan bonita. Tú dices Taxco. De todas formas, yo me quedo con las ruinas aztecas y demás. A mí me impactaron las pirámides del Sol y la Luna de Teotihuacán. ¡Lástima que solo subiéramos la de la Luna!, pero es que están a 3.000 metros de altitud, bueno, a unos 2.500, ¡y con el calor que hacía! Total, que yo creía que me ahogaba.

ALBERTO: Pues para altitud, la de La Paz. Yo tardé varios días en acostumbrarme. De hecho, la primera semana me la pasé mareado, vomitando..., ¡uf!, así que el trabajo tuvo que esperar. Es que soy ingeniero de una empresa de telecomunicaciones y a veces los equipos fallan, y nos mandan a alguno para arreglarlos. Te llaman y te dicen: "Oye, haz las maletas que sales en el próximo vuelo para tal sitio". Y ¡hala!, al avión. Pues eso, que en La Paz se llevan mal los 3.650 metros de altitud, pero tiene lugares alucinantes, como el valle de la Luna; de verdad que parece un paisaje lunar. Y en contraste, el Lago Titicaca, al que no pude ir y que, por cierto, vamos a visitar dentro de un par de días, ¿no? A mí es que me gusta mucho la naturaleza, tanto los desiertos como las selvas.

MANOLO: ¿Y vienen preparados para la selva? Yo estoy un poco asustado con el paseo por Iquitos, que yo no me llevo bien ni con las pirañas, ni con los caimanes ni con los mosquitos; vamos, que los bichos no son lo mío.

LECCIÓN 5 - Donde fueres haz lo que vieres

Ejercicio 18

Diálogo 1

A: Hola, buenos días. ¿En qué puedo ayudarlo?

B: Buenos días. Pues venía porque he recibido esta carta del ayuntamiento por la que se me insta a pagar en un plazo de quince días, que finaliza pasado mañana, un impuesto por "Gritos, risotadas y palmeteos callejeros". Yo ya les he explicado que estas son costumbres que jamás he tenido, por lo que creo que no debo pagar tal impuesto. Me piden que lo demuestre, y por eso he venido aquí, para que me den un certificado en el que se haga constar que la policía no tiene informes sobre mi persona en los que se refleje que realizo tales prácticas.

A: Bueno, sí. Aquí tiene este impreso de solicitud. Rellénelo y entréguemelo lo antes posible. Veré si se le puede hacer antes de una semana.

B: Muchas gracias. Bueno, y ¿a quién tengo que dirigirlo?

A: Al Director General de la Policía.

Diálogo 2

A: Registro de patentes y marcas, buenos días.

B: Buenos días. Quería saber qué tengo que hacer para comprobar si hay algún objeto o descubrimiento que lleve el mismo nombre que el que yo quiero poner a mi invento.

A: ¿Puede darme más detalles, por favor? No entiendo bien.

B: Sí, claro. Mire, yo he inventado un microchip que contiene toda la información necesaria para hablar español correctamente. La persona que se lo instale, no tendrá necesidad de pasar largas y tediosas horas estudiando el subjuntivo, el léxico, etc., porque todo está ahí. Bueno, lo que yo quiero es saber si han registrado ya algún invento similar y si existe cualquier otro invento que se llame Rapitrón, que es el nombre que le quiero yo poner a mi microchip.

A: Tiene usted que enviar una instancia al director de este organismo explicando las características de su invento y solicitando una certificación negativa del nombre y del producto.

B: ¿Y eso qué es?

A: Pues un certificado que asegura que no existe registrado nada de esas características ni con ese nombre.

B: Ah, muy bien. Muchas gracias.

Diálogo 3

A: Buenos días.

B: Buenos días. Venimos porque hemos leído en la prensa que el Ministerio de Asuntos Sociales está organizando dos caravanas, una de hombres y otra de mujeres, para ir a dos pueblos habitados solo por mujeres y solo por hombres, con la intención de formar parejas y crear hogares.

A: Sí, así es. Se trata de El Pinar de los Muchachos, en el que solo hay hombres, y Labeata, habitado únicamente por mujeres. Las caravanas saldrán dentro de un mes, el próximo 24 de febrero, y se trata de una primera toma de contacto y convivencia de tres días. Cada uno de los integrantes de las caravanas será acogido por una persona. Este primer emparejamiento lo llevará a cabo una empresa de contactos matrimoniales.

C: Ah, muy bien. Nos parece muy interesante y queremos participar.

A: Bueno, pues aquí tienen los documentos que deben rellenar y entregarnos. Señora, el de color amarillo es para usted (es el de la caravana de mujeres), y el azul, para usted, caballero.

B: Ya, pero… creo que usted no está entendiendo bien la situación. Ella quiere participar en la caravana de hombres e ir al pueblo en el que solo hay mujeres, y yo, al contrario: deseo ir al pueblo de los hombres con la caravana de las mujeres.

A: Creo que eso no va a ser posible.

C: No nos pueden denegar esta oportunidad que se les da a todos los demás ciudadanos. Sería un caso flagrante de discriminación; a la prensa le interesaría mucho conocer casos de discriminación que provienen del Ministerio de Asuntos Sociales, el mismo que, se supone, está luchando contra ellos.

A: Bueno, mire, yo soy simplemente una ayudante. Lo único que les puedo decir es que escriban una instancia describiendo la situación y solicitando que se admita su participación en las condiciones que ustedes desean. Yo entregaré la instancia directamente a mi superior y le plantearé el caso. Aguarden nuestra respuesta antes de ponerse en contacto con la prensa.

B: De acuerdo. Mañana mismo traeremos las instancias.

Ejercicio 27

Al menos lo intento.
Tú también.
¿Tú crees?
¡Uy, sí, con lo que he engordado…!
Mi trabajo me cuesta.
Tú siempre tan amable.
Es que tengo una entrevista de trabajo.
Muchas gracias.
No mientas, que se te nota en la cara…
¡No seas tonto!
¡Uy, sí, ya ves tú!
Es que he quedado con alguien muy especial.
¿De verdad?
El maquillaje, que todo lo tapa.
No tanto como tú.
¿Yo? Siempre.
Cada día más guapa.
¡Qué caballero!
Te agradezco el cumplido.
¡Adulador!
¡Qué más quisiera yo!
¡Calla, bobo!

Ejercicio 30

1. No, saldrás esta noche.
2. ¡Has sacado buenas notas!
3. ¿No está enferma?
4. Que compró en el supermercado.
5. ¿Por qué? Tiene prisa.
6. ¿Dónde? ¿Estará Carmen?
7. Si le gusta salir por la noche…
8. Pero Lola, ¿permanecía callada?
9. ¡No! ¡Llegó tarde!
10. ¿Qué escuchas?

Ejercicio 31

Los acusados, que se negaron a declarar, fueron otra vez encarcelados.
Los acusados que se negaron a declarar fueron otra vez encarcelados.

El encargado pregunta: "¿Quién está interesado por el trabajo?".
El encargado pregunta quién está interesado por el trabajo.

¿Va a pagar con tarjeta o en metálico?
¿Va a pagar con tarjeta y en metálico?

Allí había abogados, profesores y médicos.
Allí había abogados, profesores, médicos.

Sindicato, patronal y Gobierno se han reunido para buscar una solución.
Maestros, padres, asociaciones, se han unido para protestar.
Tiraban piedras y después disimulaban.
No quería comer ni hablar con nadie.
Aunque tenía buen carácter, a veces se enfadaba.
Tenía muchos problemas, pero no se los contaba a nadie.

Ejercicio 32

1. ¿Por qué no? Me cuentas solo lo que ha pasado.
2. Las lluvias cayeron intensamente y los locales, que eran viejos, se inundaron.
3. Eva, pregunta dónde vamos a ir.
4. Le gustaba mucho su trabajo en La Salvadora; todas las mañanas se levantaba temprano y con su compañero, Carlos iba a trabajar.
5. Mi jefe, me comenta este amigo, es muy sensato.
6. El suceso fue escalofriante; alzó la cabeza y dijo con voz entrecortada: "Yo no quiero morir joven".
7. Quien quiera que venga a trabajar toda la tarde.

LECCIÓN 6 - Si yo fuera rico

Ejercicio 26

Sr. Jiménez: Pase y siéntese, por favor. Bueno, tengo aquí su currículum y me ha parecido muy interesante. He señalado algunos aspectos que quisiera que me aclarase, si no le importa.

Isidro Segovia: ¡Cómo no!

Sr. J.: Dice usted que es licenciado en Derecho, pero ¿tiene alguna especialización?

I. S.: Sí, bueno, me interesan especialmente el Derecho Laboral y el Fiscal, y es además lo que más conozco y en donde más experiencia tengo.

Sr. J.: Sí, claro. Pues como ya sabe, necesitamos una persona que se encargue de dirigir y coordinar toda el área administrativa, así como de los contratos, las nóminas, etc. Usted contaría con unos ayudantes, de los que sería el responsable.

I. S.: Sí, tengo experiencia en la dirección de equipos, porque en FLYS COMPUTER tenía bajo mi responsabilidad a ocho personas.

Sr. J.: Y en cuanto a su experiencia profesional, ¿qué puestos ha ocupado en las empresas en las que ha trabajado? ¿Cuáles eran sus funciones?

I. S.: Cuando trabajaba en Nuzzi S.A. me ocupaba sólo de la contabilidad; después, en Arte y Decoración llevaba, además, los temas fiscales, y en FLYS COMPUTER era el Jefe de Ventas y me encargaba de la distribución.

Sr. J.: ¿Por qué dejó su trabajo en FLYS COMPUTER? ¿Finalizó su contrato?

I. S.: No, no, es que era un trabajo poco relacionado con mis estudios. Me interesa más un trabajo donde pueda desarrollar mis conocimientos; por esta razón contesté a su anuncio.

Sr. J.: Entonces, ¿está usted ahora desempleado?

I. S.: Sí, llevo en paro dos meses.

Sr. J.: Bueno, supongo que querrá saber horarios, sueldos, etc.

I. S.: Sí, claro.

Sr. J.: La jornada es de 40 horas semanales, de lunes a viernes, y es jornada partida: de 9 a 14 y de 16 a 19. En cuanto al sueldo, sería de 18.000 euros anuales brutos divididos en 12 pagas mensuales más dos extraordinarias. A esta cantidad hay que descontar las retenciones que establece la ley. Bien, si tiene alguna pregunta, algo que no haya quedado claro.

I. S.: ¿Y qué tipo de contrato me harían?

Sr. J.: Un contrato por cuenta ajena, aunque si a usted le interesa trabajar como autónomo y no estar en plantilla, podría estudiarse. En principio, habíamos pensado en un contrato de prueba de 3 meses. Si todo va bien le haríamos otro por un año o tal vez indefinido. En esta empresa nos gusta que nuestros trabajadores se sientan seguros. Por eso, una vez comprobada su valía, los dejamos fijos (puede usted hablar con el comité de empresa: le confirmarán lo que le estoy diciendo). Nosotros a cambio pedimos seriedad, interés y ganas de trabajar.

I. S.: A mí no me falta ninguna de las tres cosas.

Sr. J.: Bueno, pues ya nos pondremos en contacto con usted. Muchas gracias.

I. S.: Gracias a usted por su tiempo.

Ejercicio 34

Entrevista número 1

Entrevistador: Veo por su currículum que es usted licenciado en filosofía.

Candidato: Sí, estudié en la Universidad Complutense. Terminé hace cinco años.

Entrevistador: Una carrera interesante, ¿no?

Candidato: Sí, mucho. Siempre me ha interesado la filosofía: me ayuda a tener una perspectiva más clara de la vida, de la existencia, a entender un poco todo, aunque, en ocasiones, la lectura de ciertos autores y sus obras me crea algo de confusión y desasosiego, y entro en un estado de contradicción que me lleva al abismo, porque, claro, si uno entiende que la existencia forma parte de…

Entrevistador: Sí, claro, es difícil de entender. Bueno, veo también que desde que terminó su carrera ha trabajado en muchos sitios. Es usted muy versátil, ¿no?

Candidato: Sí, no me gusta el inmovilismo. La Tierra se mueve, el Universo se mueve, la quietud va contra la propia naturaleza. Además, soy una persona en constante búsqueda.

Entrevistador: No tiene experiencia en un puesto similar, aunque, por lo que dice, ha realizado algunos cursos de animador sociocultural. ¿Por qué le interesa este trabajo?

Candidato: Creo que me ayudará a tener otra visión de las cosas; me ayudará a conocer facetas del ser humano que hasta ahora desconozco, que me son ajenas… Bueno, y porque me gustan los niños, hacerles reír, contar cosas y hablar; me encanta hablar, de lo que sea. Es una oportunidad para que me escuchen.

Entrevista número 2

Entrevistador: Según nos dice en su carta, procede usted de una familia circense.

Candidato: Sí. Mis padres trabajaron durante mucho tiempo en el Circo Mundial —eran trapecistas—. Yo intervine en algunos números sencillos con ellos, aunque a mí lo que más me gustaba era salir con los saltimbanquis y con los payasos.

Entrevistador: ¿Por qué no siguió usted la trayectoria de sus padres?

Candidato: No… En realidad fueron ellos los que abandonaron el mundo del circo. Cuando nació mi quinto hermano, mis padres pensaron que esa no era la vida adecuada para unos niños; ellos querían que estudiáramos, y en el circo esto no es posible. Además, mi padre sufrió un accidente que lo obligó a retirarse, y hubo de ser sustituido por mi hermano mayor, a pesar de sus deseos.

Entrevistador: No obstante, veo que trabajó durante algunos años en algún espectáculo humorístico.

Candidato: Sí, lo hacía por hobby, por afición, pero lo tuve que dejar cuando empecé en mi último trabajo (a veces, me coincidían los turnos). Además, a mi nuevo jefe no le parecía muy correcto que yo me dedicara a esto otro de contar chistes dada mi ocupación.

Entrevistador: Sí, ya veo. Ha estado usted en este empleo durante quince años. ¿Por qué ha decidido dejarlo ahora?

Candidato: Necesitaba un cambio. Era un buen trabajo, cómodo, bien pagado (los clientes nunca se quejaban), pero me empezó a parecer monótono, usted ya sabe, en las funerarias siempre es lo mismo. Además, necesitaba un cambio radical: empezaba a estar harto de hablar y que nadie me contestara. Claro, los pobres, cómo iban a contestar, si estaban muertos.

Entrevista número 3

Entrevistador: Nos hizo mucha gracia el chiste que nos contó en su carta para despedirse; se lo conté a mis amigos y se partían de risa. ¿Lo ha inventado usted?

Candidato: Sí, señor, todos. Tengo un gran repertorio. En la cárcel uno tiene mucho tiempo libre, y… o dedicas tu tiempo a hacer algo o te vuelves loco. A mí siempre me ha gustado mucho hacer reír a los demás, divertirlos. Durante mis años de prisión, he participado en diferentes espectáculos organizados por algunas asociaciones benéficas, y siempre he tenido mucho éxito. Aquí le traigo informes de los responsables y reseñas periodísticas alabando mi trabajo. Fue precisamente esto lo que me ayudó a rebajar mi condena.

Entrevistador: Sí, sí. Sorprendente, las críticas no pueden ser mejores. Lo felicito. Hum… Bueno, además, según leo, antes de, en fin, el desafortunado incidente, usted ejercía como psiquiatra en una consulta.

Candidato: Sí, ya le digo que me preocupa mucho el bienestar de los demás, su felicidad. Me veo en la necesidad de intentar que sus vidas sean mejores, que haya algo de alegría.

Entrevistador: Y, bueno, ¿puedo saber por qué razón fue usted encarcelado?

Candidato: Por agresión grave. Un tipo se rió de mí, y eso es algo que no tolero, que no soporto, sobre todo si no estoy disfrazado. Me gusta que la gente se ría conmigo, pero no de mí, no se lo permito a nadie, ¿sabe usted? Uno tiene su corazoncito y su dignidad.

Ejercicio 37.1

A: Hola, ¿qué tal?

B: Hola, Ramón, ¿qué tal?

C: Hola, ¡cuánto tiempo! Desde que eres un "hombre de negocios" no se te ve el pelo.

D: Hola, ¿qué hay?

A: Pero si es a ti a quien hay que estar persiguiendo para quedar.

C: Anda, anda, no exageres.

A: Sí, que exagero… ¡Vaya!, parece que hemos sido todos puntuales.

B: Hombre, ya iba siendo hora de ponernos de acuerdo.

C: Sí, ya iba siendo hora.

A: Bueno, pues, vamos a lo nuestro. Os he llamado a todos para ver si podemos preparar algo para la boda de Carlos e Isabel, podría estar bien.

B: ¿Algo?, ¿como qué?

A: No sé, alguna sorpresa, algo. No sé, ¿qué os parece?

D: A mí sí me apetece organizar algo. Podría ser una fiesta, una reunión de amigos…

A: Sí, algo así. A fin de cuentas, una vez que se casen tendremos menos oportunidades de vernos, porque ya se sabe…

B: ¡Qué exagerado! Seguro que todo sigue igual. Tú lo sabrás mejor, ¿no?

C: Hombre, igual no es, pero tampoco tienen por qué cambiar las cosas demasiado, vamos, creo yo. Además…, dependerá de cómo se planteen la vida.

A: Sí, Hum…

D: Claro, todo depende.

C: Ana y yo, por ejemplo, pues siempre hemos intentado seguir manteniendo nuestras amistades, nuestras costumbres, pero no todo el mundo lo intenta. Yo tengo amigos que después de casarse prácticamente han roto con sus amistades, se encierran en casa y… nada, allí metidos siempre, sin hacer nada…

B: Oye, bueno, otra cosa importante, ¿os apetece que les compremos algo en común?

A: Ah, sí, es buena idea.

B: Aunque cada uno les dé su regalo particular, podríamos regalarles algo entre todos.

D: Sí, sí, algo simpático.

B: ¿Se te ocurre algo?

D: Pues, no sé, así de repente…

A: Hay muchas cosas que podrían gustarles, no sé…

C: (carraspeo): Una posibilidad es un fin de semana en algún hotel romántico de algún pueblo de la sierra.

A: ¡Es verdad! Ellos son muy aficionados a lo "rústico". Y a vosotros, ¿qué os parece?

B: Bien, es buena idea.

D: Ya, lo que pasa es que yo creo que sería mejor algo más de broma, y que lo puedan tener siempre, no sé, algo que cada vez que lo vean se acuerden de nosotros, de su boda…

A: Hombre, las fotos de este viajecito pueden ser una buena forma de recordarlo, no sé, no creo que haga falta tenerlo siempre delante.

B: Yo tengo un amigo que tiene una agencia de viajes especializada en viajes rústicos, en casas rurales, rutas por el campo y la sierra…

C: Ah, ¡qué bien!

A: ¡Sí!

B: … Podría preguntarle qué tiene; seguro que nos hacía un buen precio, y, desde luego, nos recomendaba algo bueno.

A: Venga, vale, pues tú te encargas de eso.

C: Sí, asignado.

D: Bueno, y sobre lo de la sorpresa… al final no hemos llegado a nada. A ver: propuestas.

B: No sé.

A: Es verdad, a ver, pensemos algo.

C: A mí sólo se me ocurre alguna broma como pintarle el coche, o llenarle la casa de globos…

D: Sí, hombre, enviar al novio a Santander borracho por la noche, ¿no te parece?

C: Venga, pues di tú algo.

D: Pues yo qué sé, pero… una fiestecilla unos días antes en el bar de Antonio con todos, puede resultar divertido, ¿no?

B: Sí, venga, vamos a organizar una fiesta de despedida de solteros en común y en plan "tranqui".

A: Por mí, de acuerdo.

D: A ver, ¿quién se encarga de…?

A: Oye, yo me tengo que ir; podríamos llamarnos mañana y concretar los detalles por teléfono, ¿no?

C: Vale, yo te llamo a ti y te cuento lo que hemos pensado.

A: Ah, vale, muy bien, y ya acordamos la fecha, la hora, en fin, los detalles.

D: Vale.

A: Bueno, pues os dejo que llego tarde. Mañana hablamos, hasta luego.

B: Venga, nos vemos.

D: Hasta luego.

Ejercicio 38.1

- No saldrás esta noche.
- No, saldrás esta noche.
- ¿No saldrás esta noche?

- ¿Has sacado buenas notas?
- Has sacado buenas notas.
- ¡Has sacado buenas notas!

- No está enferma.
- No, está enferma.
- No, ¿está enferma?
- ¿No está enferma?

- Que compró en el supermercado.
- ¿Qué compró en el supermercado?
- ¿Qué? ¿Compró en el supermercado?

- Porque tiene prisa.
- ¿Por qué? Tiene prisa.
- ¿Por qué tiene prisa?

- ¿Dónde? ¿Estará Carmen?
- ¿Dónde estará Carmen?
- Donde estará Carmen.

- Sí, le gusta salir por la noche.
- Si le gusta salir por la noche…
- ¿Sí le gusta salir por la noche?

- ¡Pero Lola permanecía callada!
- Pero Lola permanecía callada…
- Pero Lola, ¿permanecía callada?
- Pero Lola permanecía callada.

- ¡No! ¡Llegó tarde!
- No llegó tarde.
- No, ¿llegó tarde?

- ¿Qué? ¿Escuchas?
- ¿Qué escuchas?
- ¡Qué escuchas!

Ejercicio 38.2

1.

¡Vamos al teatro esta noche!
Vamos al teatro esta noche.
¿Vamos al teatro esta noche?

2.

¿Me esperáis donde siempre?
¿Dónde me esperáis?

3.

¡No habla inglés!
¡Qué listo que es este niño!
¡Qué sorpresa tan maravillosa!

4.

Trabajaba tanto que acabó poniéndose enfermo.
Fueron todos a la fiesta, hasta Enrique.
Yo sólo pido un día de descanso, uno sólo.

5.

Compró regalos para todos: camisetas, bolígrafos, libros.
Compró regalos para todos: camisetas, bolígrafos y libros.
Camisetas, bolígrafos y libros era lo que regalaba.

6.

Pedro I el Cruel fue rey de Castilla.
Tenía tres hijos. Paco, el mayor, trabajaba en la mina.
Mi vecino, el de la librería, ha comprado una casa nueva.
Los niños, abandonados, fueron llevados a orfanatos.
Las casas afectadas fueron desalojadas rápidamente.
Cinco días después huyeron los generales, que conocían el complot.
Al atardecer llegaron todos los estudiantes que tenían interés en realizar el curso.

7.

Mientras yo preparaba las maletas, ellos se divertían viendo la tele.
Yo preparaba las maletas y, mientras, ellos se divertían.
Se divertían viendo la tele mientras yo preparaba las maletas.

A pesar de que conocía el riesgo se operó.
Se operó a pesar de que conocía el riesgo.

Ya que nadie quería acompañarlo se fue solo.
Se fue solo, ya que nadie quería acompañarlo.

Si tuviera dinero me compraría este coche.
Me compraría este coche si tuviera dinero.

LECCIÓN 7 - Sueña: porque enseñar la lengua no siempre es signo de mala educación

Ejercicio 4

No te lo pregunto porque a mí me interese lo más mínimo, ¡imagínate!, pero la gente empieza a decir que andas un poco distraída últimamente, que él no está aquí precisamente por sus méritos, que es una coincidencia que lleguéis tarde los mismos días…, en fin, ese tipo de cosas. Y como la empresa tiene prohibidas las relaciones entre sus empleados… Tú sabes que la gente no hace las cosas por perjudicar a los demás, vamos, que nadie se lo contaría al jefe por celos o por rabia, pero a veces se comentan las cosas en la cafetería y no te das cuenta de quién está sentado a tu lado.

Ejercicio 28

- ¡Que Paloma vuelve esta tarde! No tengo su trabajo preparado.

- Sí, he aprobado, con un cinco. Bueno, por lo menos, no tengo que repetir el examen.

- Yo he sacado un 9: no me lo puedo creer. Si me salió fatal.

- Me han llamado de la agencia de viajes: me voy el martes al Caribe.

- Han llamado de la comisaría y han dejado un recado en el contestador. Dicen que llamemos urgentemente. Algo ha ocurrido.

- La semana que viene empiezo a trabajar en mi nuevo empleo. Tengo que comprarme una cartera, unos zapatos. ¡Ah!, también tengo que ir a cortarme el pelo.

- Bueno, aquí estoy, intentando no pensar mucho en el tema.

- Mañana se va Jaime de viaje. ¡A saber cuándo vuelve!

- Te traeré el periódico para que compruebes por ti mismo lo que has conseguido con tus comentarios.

- Yo siempre tengo que hacer el trabajo que nadie quiere. Pero pronto acabará esta situación.

- Esta será la última vez que me hieres con tus palabras. A partir de ahora sólo obtendrás de mí indiferencia.

Ejercicio 29

—Son ya las nueve. El tren está a punto de llegar.
—Son ya las nueve. El tren está a punto de llegar.

—No tengo nada que hacer esta tarde.
—No tengo nada que hacer esta tarde.

—Han suspendido la corrida de toros.
—Han suspendido la corrida de toros.

—Enrique está hablando con el jefe. ¿Qué le estará contando?
—Enrique está hablando con el jefe. ¿Qué le estará contando?

—Por mucho que me lo supliques jamás volveré a hablarte.
—Por mucho que me lo supliques jamás volveré a hablarte.

—Faltan solo cinco minutos para que empiece.
—Faltan solo cinco minutos para que empiece.

—Mira cómo tienes la habitación.
—Mira cómo tienes la habitación.

—Seguro que va a suspender el examen.
—Seguro que va a suspender el examen.

—Qué haces tú aquí.
—Qué haces tú aquí.

—No entiendo un comportamiento tan estúpido.
—No entiendo un comportamiento tan estúpido.

Ejercicio 30

1.
—Otra vez habéis llegado tarde. Siempre igual.
—Otra vez habéis llegado tarde. Siempre igual.

2.
—Nos han puesto en la misma clase.
—Nos han puesto en la misma clase.

3.
—¿Dónde estará ahora?; ¿qué estará haciendo?
—¿Dónde estará ahora?; ¿qué estará haciendo?

4.
—Lo va a intentar, aunque sabe que no tiene posibilidades.
—Lo va a intentar, aunque sabe que no tiene posibilidades.

5.
—Por fin tienes lo que te mereces; ya te lo dije en muchas ocasiones.
—Por fin tienes lo que te mereces; ya te lo dije en muchas ocasiones.

Ejercicio 31

EL UJIER. Deténgase usted, caballero.
MAX. No me ponga usted la mano encima.
EL UJIER. Salga usted sin hacer dasacato.
MAX. Anúncieme usted al Ministro.
EL UJIER. No está visible.
MAX. ¡Ah! Es usted un gran lógico. Pero estará audible.
EL UJIER. Retírese, caballero. Estas no son horas de audiencia.
DIEGUITO. Fernández, deje usted a ese caballero que pase.
MAX. ¡Al fin doy con un indígena civilizado!
DIEGUITO. Amigo Mala-Estrella, usted perdonará que solo un momento me ponga a sus órdenes. Me habló por usted la redacción de *El Popular*. Allí le quieren a usted. A usted le quieren y le admiran en todas partes. No me olvide. Tengo la nostalgia del periodismo... Pienso hacer algo... Cuento con usted. Adiós, maestro. ¡Deploro que la ocasión de conocernos haya venido de suceso tan desagradable!
MAX. De eso vengo a protestar. ¡Tienen ustedes una policía reclutada entre la canalla más canalla!
DIEGUITO. De todo hay, maestro.
MAX. No discutamos. Quiero que el Ministro me oiga, y al mismo tiempo, darle las gracias por mi libertad.
DIEGUITO. ¡Imposible!

MAX. ¡Daré un escándalo!
DIEGUITO. ¡Está usted loco!
MAX. Loco de verme desconocido y negado. El Ministro es amigo mío, amigo de los tiempos heroicos. ¡Quiero oírle decir que no me conoce! ¡Paco! ¡Paco!

LECCIÓN 8 - Dimes y diretes

Ejercicio 19

Prueba n.º 1

– Máquina capaz de tratar información automáticamente mediante operaciones matemáticas y lógicas realizadas con mucha rapidez y controladas por programas informáticos.

– Usuario de Internet.

– Instrumento de un ordenador que sirve para introducir órdenes y cuyo movimiento reproduce una flecha en la pantalla.

– Superficie de cristal en la que se forma la imagen en un televisor, un ordenador y otros aparatos electrónicos.

– Conjunto ordenado de teclas.

– Conjunto de datos guardados con el mismo nombre.

– Soporte magnético pequeño que sirve para grabar y leer datos informáticos.

– Guardar los datos.

– Lámina delgada de material semiconductor que se emplea para formar un tipo de circuito integrado.

– Dispositivo capaz de recibir información, tratarla ejecutando unas instrucciones programadas y elaborar resultados.

– Preparar o programar para un formato determinado.

– Aparato que se une a un ordenador y que permite convertir letras, dibujos o fotografías en imágenes o información que se guarda en ese ordenador.

Ejercicio 24

1.
(IRA) —Esta situación es insoportable; no estoy dispuesto a seguir aguantando tus constantes reproches y tus quejas. Estoy más que harto.

2.
(PICARDÍA) —Vaya, vaya, conque trabajando... Sí, sí, ahora se llama trabajar; antes lo llamábamos ligar.

3.
(IRONÍA) —Ah, ¿que se te ha olvidado que habíamos quedado? ¡Qué raro! Si a ti nunca se te olvida nada.

4.
(INDIGNACIÓN) —Jamás entenderé a esta gente: te esfuerzas por darles lo mejor de ti, sacrificas tu tiempo, tu familia, tu vida... y no te lo agradecen. Bueno, es que ni siquiera se dan cuenta de lo que estás haciendo.

5.
(RETINTÍN) —El ordenador sigue estropeado. Ya veo cómo solucionas tú los problemas, ¿verdad?

6.
(AMENAZA) —Más te vale que sea verdad lo que me estás contando, por la cuenta que te trae.

7.
(SARCASMO) —Hay quienes se creen más listos que los demás y ahí mismo radica su ignorancia.

8.
(ENFADO) —Bueno, ya era hora, ¿no? Llevo casi una hora esperando. Siempre haces lo mismo.

Ejercicio 25

1.
(SORPRESA) —¡Fíjate en el perrito!
(IRONÍA) —Fíjate en el perrito.
(ORDEN) —Fíjate en el perrito.

2.
(PREGUNTA RETÓRICA) —¿Ya has visto qué pinta lleva?
(INTERROGACIÓN) —¿Ya has visto qué pinta lleva?
(AMENAZA) —Ya has visto qué pinta lleva.

3.
(RETINTÍN) —¡Qué bien te lo vas a pasar!
(ALEGRÍA) —¡Qué bien te lo vas a pasar!

4.
(SARCASMO) —Tu inteligencia no tiene límites.
(ASEVERACIÓN) —Tu inteligencia no tiene límites.

5.
(ENFADO) —Yo no sé dónde está tu libro.
(ASEVERACIÓN) —Yo no sé dónde está tu libro.
(DESINTERÉS) —Yo no sé dónde está tu libro.

6.
(ORDEN) —Venga, vámonos.
(CONVENCER) —Venga, vámonos.

LECCIÓN 9 - Se vive bien aquí...

Ejercicio 7

NOTICIA 1.ª

Las universidades públicas se han unido en un consorcio para acabar con el tedioso proceso de la búsqueda de libros entre las bibliotecas de sus facultades. El invento resultante de esta alianza es un catálogo electrónico colectivo que permitirá a los universitarios localizar cualquiera de los manuales o revistas científicas sin tener que rastrear, una a una, las bases de datos de todas las bibliotecas. Dicho catálogo estará preparado para su consulta a comienzos del próximo curso académico.

NOTICIA 2.ª
Los dueños de perros peligrosos deberán, "sin excepciones", identificar a sus animales. Esta obligación ha sido recogida en el proyecto del Gobierno que ayer aprobó la Comisión de Agricultura del Congreso de los Diputados con ligeros retoques. No obstante, deberá concretarse más adelante, ya que la ley no incluye la lista de razas peligrosas ni establece la forma de identificar a los animales, si bien establece la sanción por el posible incumplimiento: hasta 2.400 euros.

NOTICIA 3.ª
La compañía Petroverléctricos Unidos, que se creará con los principales productores de petróleo, los ecologistas, las empresas de energía eólica y las eléctricas de choque, trabajarán conjuntamente en la creación de un automóvil no contaminante, denominado *cochevapor*, cuya energía será absolutamente natural. El nuevo vehículo competirá con los viejos coches de gasolina y gasoil durante 6 meses, desde el 1 de enero hasta el 30 de junio del próximo año. Después de este periodo se impondrá por ley el uso exclusivo de este tipo de vehículo para evitar el deterioro del Planeta.

Ejercicio 37.1

1.
La realidad a veces supera a la ficción. Hechos insólitos y sorprendentes suceden a nuestro lado sin que nos percatemos de ellos. Acabamos de conocer la noticia de que el presidente de la Comisión Internacional de Protección al Menor ha sido condenado a dos años de prisión menor por haberle quitado a una niña de seis años sus chucherías. El distinguido caballero, casado y con tres hijos, tenía una pasión secreta: comer golosinas a deshoras. Cuando, por pura casualidad, se le reconoció a la puerta del colegio donde perpetró su hurto, declaró contrito que su vida era demasiado pacífica y anodina, y que necesitaba emociones "fuertes". El presidente de la Comisión Internacional de Protección al Menor era conocido por el desempeño estricto de su trabajo y por no permitir ni la más mínima salida de tono en sus más de 30 años en el cargo.

2.
La joven Teresa Rodríguez García ha sido atacada esta mañana por una bandada de loros que se habían escapado de un zoológico cercano a su casa unas horas antes. En el momento en que se produjo el ataque, la muchacha caminaba tranquilamente por la rambla de su ciudad entre frondosos árboles. Súbitamente, los loros se lanzaron gritando sobre ella, que no podía creer que aquel grupo de loros que venían de manera tan decidida, efectivamente fueran a emprenderla a picotazos con su cabeza. Gracias a la ayuda de algunos transeúntes que paseaban por allí, y que llevaban

paraguas, se pudo evitar una catástrofe; la chica fue liberada y trasladada al hospital. Nadie se explicaba tan furibundo y repentino ataque. Teresa, histérica, no acertaba a contestar las preguntas que le hacían los periodistas, el médico y los biólogos del zoo. Después de pensar un poco, Teresa Rodríguez recordó que el mes pasado había visitado el zoológico con un grupo de amigos, y que todos se habían detenido delante de las jaulas de los loros haciendo chanzas y cuchufletas por su forma de hablar y de comer pipas. Los biólogos desconocían la gran memoria y el sentido del ridículo de estos animales.

3.
Ayer, los transeúntes que paseaban por la calle mayor de Talama quedaron sorprendidos y atónitos ante lo que veían sus ojos. Juan Pérez Cruz, de 59 años de edad, era atropellado brutalmente por un seiscientos. Los hechos sucedieron de la siguiente forma: Juan Pérez esperaba, en el paso de peatones, a que el semáforo se pusiera en verde para cruzar la calle. En ese momento el seiscientos enfiló la calle y, al verlo, aumentó la velocidad y se lanzó sobre él. Juan Pérez dio un salto y esquivó el golpe. Repuesto del susto, cruzó la calle cuando ya el coche se alejaba, pero este dio rápidamente la vuelta y se lanzó sobre él de nuevo. Esta vez Juan Pérez no tuvo tanta fortuna y fue alcanzado de pleno. Saltó por los aires, sus gafas fueron a parar al balcón del primer piso, y la cartera que llevaba con todos sus documentos cayó dentro de una fuente cercana. Juan Pérez quedó en medio de la calle maltrecho y malherido. Entonces el conductor se paró, se bajó del coche y, riéndose, dijo: "¡Juan Pérez, no te preocupes, dentro de 15 días estarás bien!".
La policía ha averiguado que el autor del atropello es Cayetano Silvestre, propietario de una casa que estaba reformando desde hacía un año y medio. Juan Pérez era su contratista. Cada vez que Cayetano preguntaba a los obreros (o a su capataz o contratista) cuándo se acababan las obras en su casa, le contestaban irremediablemente: "Dentro de 15 días".

Ejercicio 37.2

1.
El presidente del Gobierno ha aprobado un decreto ley mediante el cual los billetes de 10 euros valdrán cinco euros de 11 a 2 de la tarde. La propuesta surgió del senador Pepito Pérez, que observó dicha indicación en el billete.

2.
Crisis en el Parlamento Mundial.
Ayer se reunieron con carácter de urgencia todos los líderes del mundo para tomar medidas ante la crítica situación que ha planteado el presidente de Barataria. Este abandonó muy enfadado (porque no se le dejaba lanzar tres bombas atómicas sobre sus enemigos) la sala de reuniones el viernes pasado y dio un portazo al salir. Por el pasillo se le escuchó decir: "Se van a enterar de quién manda aquí. No saben

con quién están hablando". Más tarde se supo que habían desaparecido las barajas con las que jugaban al mus todos los sábados.

3.
La tenista T. S. P., de 25 años de edad, ha sido condenada a 20 años de prisión mayor por asesinar a su representante haciéndole tragar su teléfono móvil. "Me llamaba todos los días y a todas horas" —declaró entre lágrimas la tenista a nuestro redactor—. "No tenía ni un minuto de tranquilidad, porque me había instalado también un teléfono en la ducha."

4.
El presidente de la empresa Millonétiz al Por Mayor, que suministra al Gobierno toda la documentación oficial, ha ordenado descanso laboral de cinco a seis y media de la tarde. Esto implicará que la jornada de trabajo se amplía hasta las diez de la noche. "Así todos podremos merendar a gusto nuestro chocolate con bizcochos sin llamadas telefónicas que interrumpan", ha declarado muy satisfecho ante las caras de asombro de sus empleados.

5.
El famoso escritor Domingo Estévez ha declarado a los medios de comunicación que "en este país ya no se lee", afirmación que ha provocado una verdadera crisis en el sector editorial. Fuentes cercanas al escritor han declarado que por lo bajini había añadido: "No he vendido un ejemplar de mi último libro en seis meses".

6.
El futbolista Casimiro Cascote fue agredido brutalmente por un fan a la salida del estadio después de haber jugado el partido de semifinales. El furioso fan, en medio de un ataque de nervios, explicó que había perdido los estribos cuando Casimiro Cascote falló un penalty en el último minuto que los dejó fuera de la competición: "Había apostado una fuerte suma de dinero con un compañero de trabajo por esta victoria".

7.
Mata a su suegra porque le cambió el canal de televisión.
P. R. T., de 35 años de edad, mató ayer a puñaladas a su suegra de 92 años. Nadie pudo impedir la desgracia. P. R. T. dijo que lo había hecho porque, en el momento de conocer quién era el asesino en el capítulo 1.723 de la conocida serie *Aquí muere hasta el apuntador* o *La diñaron todos*, su suegra había cambiado el canal para ver el programa de la conocida presentadora M.ª Magnolia Flores *Sabor a margaritas*.

8.
El ministro de Agricultura, en su comparecencia ante las cooperativas agrarias, ha insistido en la diversificación de los cultivos. "Hay que seguir la máxima de entre col y col, lechugas" —declaró eufórico—, "porque no hay que tomarse el rábano por las hojas."

9.

El equipo de la selección nacional de baloncesto tendrá que devolver la medalla de oro que obtuvo en las paraolimpiadas del 2000, al haberse demostrado que varios de sus jugadores no tenían minusvalías físicas ni psíquicas que justificaran su inclusión en el equipo. El escándalo ha obligado a dimitir al presidente del comité nacional.

Ejercicio 38

1.

¡Hola!, soy Cecilia. Llamo para decirte que ya tengo preparado todo lo de la caza. Te acompañaré, aunque sabés que estoy en contra de estas prácticas.

2.

Jaime, solo una pregunta: ¿Vos tenés discos de zarzuela? ¿Me prestás alguno?

3.

Jaime, otra pregunta musical: ¿Sabés lo que es la zarzamora (leído "salsa mora")? ¿Es algún tipo de salsa propia de árabes?

4.

Oye, soy tu madre. Antes, cuando te llamé, se me olvidó decirte que cuando preparen los cardos no echen demasiado jugo, si no les quedarán muy ásperos.

5.

¿Qué tal, Jaime? ¿No adivinas quién soy? Exactamente, tu jefe. Te recuerdo que debes mandarme las fotos de las niñas lo antes posible.

6.

Lo siento, soy el pesado de tu primo. Estoy intentando componer algunas letrillas. ¿Qué te parecen estos versos?: *Cuando nos veamos otras veces te pediré que me beses.*

7.

¡Jaimito!, que llego mañana. Espero que hayas hecho la compra. Te recuerdo lo que necesito: ají molido, zarzaparrilla, queso, nata y vino tinto.

Ejercicio 39

Antonia: ¡Ha venido Félix!

Blas: ¿Tú por qué lo sabes? ¿Lo viste entrar?

Antonia: No, olí su colonia.

Blas: Vaya, parece que lo conoces muy bien, no se te escapa detalle.

Carlos: Bueno, entonces podemos quedar esta noche para salir.

Antonia: Sí..., ya sabemos lo que para ti es salir: ir al bar de tu amigo.

Carlos: Seguramente, para variar, tú tendrás un plan más interesante, ¿no?

Recapitulación

Hace muchísimos años había un médico que se hizo famoso por sus conocimientos en medicina natural y por su dedicación al cuidado de los pueblos indios. Se dice que vivía cerca de un volcán en donde cultivaba las hierbas que le permitían curar a los enfermos. Durante mucho tiempo recorrió una y otra vez zonas de la cordillera andina, hasta que un buen día desapareció y estuvo ausente durante bastante tiempo. Se supo que había estado en un lugar secreto del que no podía hablar, pero que había resuelto el problema del envejecimiento.

Su fama traspasó las fronteras y siempre llegaban extranjeros de todo el mundo para que los ayudara a no envejecer. Se iba de viaje con ellos y, al cabo de un tiempo, regresaba sólo para cuidar su casa y sus hierbas. Así pasaron los años y los siglos. Cada vez era más raro verlo aparecer, pero allí donde se le necesitaba de verdad, se decía que se le veía llegar sigilosamente por la noche y dejar una pequeña bolsa de hierbas al lado del enfermo. Al día siguiente se hacía un cocimiento con estas hierbas y el enfermo se curaba milagrosamente. Este médico había descubierto un lugar escondido en la isla de Amantaní donde se vivía eternamente. La única condición era que no se podía salir de él bajo ningún concepto, pues inmediatamente las células envejecían a un ritmo vertiginoso y se moría antes de llegar a la otra orilla del lago Titicaca. Sin embargo, este médico había descubierto una pequeña pócima que ralentizaba el proceso de envejecimiento, pero tenía el defecto de que solo duraba cuatro días. Si no regresaba de inmediato al lugar, moría. En cada una de las salidas que hacía, iba perdiendo años de vida, que no podía recuperar de ninguna forma. Por eso, cada vez se espaciaban más sus escapadas de la isla.

En una de sus salidas habló en sueños, y un indio que estaba a su lado contó este maravilloso secreto. Desde entonces son muchísimas las personas que lo buscan para obtener la "pócima de la eterna juventud". Cuando Totenaca advirtió lo que estaba sucediendo, decidió apartarse definitivamente del mundo y crear pistas falsas para que no destruyeran su paraíso.

Tú, Esteban D'Oneón, has sabido descifrar todos los acertijos que se habían preparado para que solo los que verdaderamente estuvieran capacitados mental y físicamente pudieran llegar a este lugar maravilloso. No te has dejado engañar por ninguno de los trucos dispuestos por Totenaca para desanimar incluso a los tenaces.

Has de saber, Esteban D'Oneón, que yo soy Totenaca, al que tanto has buscado.

LECCIÓN 10 - Hablando se entiende la gente

Ejercicio 15

SR. VILLAVERDE: Enhorabuena, Hilario, por haber sido seleccionado entre tantos candidatos, todos ellos excelentes, hay que decirlo.

HILARIO: Pues sí, la verdad es que estoy muy contento de que les haya gustado mi trabajo y de tener la oportunidad de entrar a formar parte del Circo Risas.

SR. VILLAVERDE: Eso está bien, Hilario, eso está bien. Dese cuenta de que el Circo Risas es uno de los pocos circos estables del país; que llevamos ya ocho años en Villalpardo, un lugar estupendo, por cierto. Yo estoy encantado de vivir aquí. Bueno, pues, si le parece, hablemos de las condiciones de trabajo, a ver si llegamos a un acuerdo y se incorpora usted el mes que viene. Hilario, usted pregunte todo aquello que no le quede claro, ¿de acuerdo?

HILARIO: Sí, Sr. Villaverde.

SR. VILLAVERDE: Le haremos un contrato por un año, con alta en la Seguridad Social, vamos, todo perfectamente legal. Será un contrato de media jornada, lo cual, según me dijo, le venía muy bien, ¿no es así?

HILARIO: Sí, porque de esa manera puedo seguir por la mañana con mi trabajo como vendedor de seguros. Es que queremos casarnos este año, y ya sabe lo que eso supone.

SR. VILLAVERDE: ¡Qué me va a decir, que tengo cinco bocas que alimentar! Bien, pues, como le decía, su jornada será de tres horas diarias, las correspondientes a la función de la tarde, y, sólo de manera excepcional, como puede ser durante algún sábado del verano, hará usted una doble función, por la tarde y por la noche. Ya sabe, en verano la gente se acuesta tarde, los niños no tienen colegio... Bien, como le estaba diciendo, durante la función de la tarde deberá divertir a nuestro público con sus chistes, y eso es algo que ya sabemos que a usted se le da muy bien.

HILARIO: Gracias. Pero, disculpe, ¿tengo que estar contando chistes durante tres horas?

SR. VILLAVERDE: ¡No, hombre, no! De esas tres horas usted sólo actuará una, por lo que el resto del tiempo puede dedicarlo a la invención de los chistes y, en algún caso, a ayudar en las labores administrativas de la empresa, por ejemplo, si alguno de nuestros empleados está de baja.

HILARIO: Pero ¿qué labores tendría que realizar?

SR. VILLAVERDE: Nada especial; ayudar con el atrezzo, dar de comer a las fieras... Porque a usted le gustarán los animales, ¿no, Hilario?

HILARIO: Sí, me... me encantan, sobre todo los leones. Pero mi jornada nunca superará las tres horas diarias, ¿no es así?

SR. VILLAVERDE: Claro que no, Hilario. Quizá algún día le pidamos que eche una manita durante las horas de la función, pero nada más, nada fuera del horario de trabajo. Bueno, ¿le queda todo claro hasta aquí?

HILARIO: Sí, sí, todo claro.

SR. VILLAVERDE: Hay una cosa muy, muy importante. Los chistes han de ser originales, inéditos, porque, si no, nos podemos meter en un buen lío, ya sabe, por lo de los derechos de autor. Esto es fundamental, Hilario: usted es el único responsable de los problemas de autoría que pudieran derivarse de la utilización de un material ya existente.

HILARIO: Pero usted sabe que los chistes pasan de boca en boca y al final no se sabe quién fue el creador. Muchas veces, la diferencia está tan solo en la forma de contarlos.

SR. VILLAVERDE: Pues Circo Risas, amigo Hilario, quiere chistes originales, inventados por usted. No me dirá que no puede escribir unos poquitos chistes al día. Además, piense que en un futuro puede publicar ese material o explotarlo de la manera que considere, pero siempre que haya finalizado el contrato con nosotros, claro está.

HILARIO: Por supuesto; mientras esté con ustedes, les daré la exclusiva y me comprometo a no hacer la misma actuación en otros lugares.

SR.VILLAVERDE: Eso es, Hilario, veo que nos entendemos. Imagínese si resulta que le pagamos para inventar unos chistes que luego va usted contando en otros locales. Por eso habrá de figurar en el contrato una indemnización que debería pagarnos en el caso de incumplir dicha cláusula. Mera formalidad, no se preocupe.

HILARIO: De acuerdo. Lo entiendo perfectamente.

SR. VILLAVERDE: ¡Y a ver qué chistes nos hace! Piense usted que en el público hay niños, así que nada de obscenidades, ¿de acuerdo? Y ojo con todo aquello que pueda herir la susceptibilidad del público.

HILARIO: Ya.

SR. VILLAVERDE: Los primeros días quizá se sienta usted algo inseguro y el público se muestre menos receptivo, pero seguro que superará la prueba con éxito. Todos consiguen superar el miedo escénico en un par de meses, ya verá, no se preocupe. Bien, Hilario, ¿alguna pregunta?

HILARIO: ¿Y en cuanto al sueldo?

SR. VILLAVERDE: ¡Uy, por Dios! ¡Qué cabeza tengo! Percibirá usted una paga mensual de 390,66 euros netos y un total de 14 pagas del sueldo íntegro. ¿Le parece bien? Además de un mes de vacaciones. No me dirá usted que están mal las condiciones...

HILARIO: ¿Y no podríamos llegar a los 510? Considere usted que el inventar diariamente chistes para una hora requiere mucho tiempo, y si voy a tener que atender otras necesidades de la empresa durante las dos horas restantes de mi jornada...

SR.VILLAVERDE: Pero si ya le he dicho que será solo de manera eventual, si nos falla algún trabajador. Además, piense en la oportunidad que supone trabajar para un circo como este. Después le lloverán ofertas de trabajo por todas partes, y ahí quizá sea el momento de replantear las condiciones del contrato.

HILARIO: No sé, Sr.Villaverde. Es que quisiéramos tener familia, y con mi novia en paro...

SR. VILLAVERDE: Vaya, vaya, Hilario, es usted un duro negociador, ¿eh? Bueno, ¿y si lo dejamos en 450 euros?

HILARIO: Muchas gracias, Sr.Villaverde.

SR. VILLAVERDE: Nada, nada hijo, que quien no llora no mama. Entonces, ¿estamos de acuerdo? ¿Puedo preparar el contrato para que lo firme, digamos, la semana que viene?

HILARIO: Sí, sí, en cuanto usted me diga. ¿Y sería para incorporarme...?

SR.VILLAVERDE: El primero de junio.

HILARIO: Muy bien. Estupendo.

SR. VILLAVERDE: Pues nada, Hilario, hasta la semana que viene.

HILARIO: Muchísimas gracias, Sr.Villaverde, no sabe qué ilusión me hace trabajar para Circo Risas.

SR. VILLAVERDE: Son pocos los que lo consiguen, Hilario, así que aproveche esta oportunidad.

HILARIO: Por supuesto, no se arrepentirán de la elección.

SR. VILLAVERDE: Seguro que no, Hilario. ¡Hale!, hasta la semana que viene.

Ejercicio 26

I.
–¿Cómo se dice *aparcar* en árabe?
–Ata la jaca a la estaca.

2.
–¿Cómo se dice *llover* en árabe?
–Nos vamos a mojar.

3.
–¿Y en alemán?
–Gotas caen.

4.
–¿Cómo se dice *metro* en alemán?
–Suban, estrujen, bajen.

5.
–¿Cómo se dice *sudor* en suahili?
–Olor que te tumba.

–¿Y *la abuela murió por una intoxicación?*
–Gamba chunga, yaya tumba.

6.
–¿Cómo se llama el ministro de Hacienda japonés?
–Ni quito ni pongo.

Ejercicio 28.1

I.
A: ¿Estás "ready"? Voy a buscarte.
B: No, "sorry", "wait a minute", estoy terminando de "lonchar".
A: "Okay", no tardes. Te llamo "p'atrás".

2.
A: ¿Cómo se llega a tu casa?
B: Te subes al "free-way", "you know", y "exitas" en la ochenta y siete...

3.
A: "Anyway", hago un "break" y luego te llamo...

B: "Right"! ¿A qué hora es tu "meeting"?
A: A las ocho. Ya voy fuera de "schedule". ¿Me das un "ride" hasta la oficina?

4.
¡Qué frío hace aquí! Yo estoy "freezada".

5.
¿Dónde es que tú dices que tiene el "showroom" tu amigo anticuario?

6.
Me gusta mucho más aquel "conditioner" que este.

7.
Mi "average" es estupendo este trimestre.

8.
Dame un "chance", ¿sí?

9.
Estoy rendida. "So", voy a acostarme ahora mismo.

Ejercicio 29

Locutor I (mexicano)
Yo llevo en España ya diez años. Vine a estudiar; el último año de carrera conocí a M.ª José, nos casamos y desde entonces estoy aquí. Echo mucho de menos mi país, a mi familia, pero me encuentro muy a gusto en España (los españoles son gente agradable y acogedora). Aquí tengo muy buenos amigos, un trabajo que me gusta; además, es un país sorprendente, con buen clima, mucha animación, buena comida. Al principio la pasé un poco mal: me sentía extranjero. Además, tenía la sensación de que no era bien recibido aquí (algunos incidentes con otros hispanoamericanos así me lo hicieron pensar). Ahora ya sé que son solo unos pocos los que muestran una actitud negativa, porque para la mayoría somos pueblos hermanos. ¿Y ustedes? ¿Cuál es la razón que les trajo hasta aquí?

Locutor 2 (argentino)
Yo trabajo en una empresa internacional que se dedica a las herramientas pesadas. Con solo 18 años empecé a trabajar en una de las sucursales que esta empresa tiene en mi país. Con los años me promocioné y me situé como jefe de mi sección. Un buen día me propusieron venir a Madrid a dirigir la nueva sucursal. Lo consulté con mi esposa y fue ella quien me animó y me convenció para que lo aceptara. Ya llevamos aquí cinco años. La verdad es que fue una decisión muy difícil: tenés que dejarlo todo y empezar una vida nueva en un lugar que desconocés. Yo no sabía si los niños se adaptarían a vivir en otro lugar del acostumbrado, lejos de sus abuelos y de sus tíos. Pero hasta ahora, todo ha ido funcionando bien. No sé cuántos años más nos quedaremos; lo que tengo muy claro es que quiero volver a mi país. ¿Y vos, Adolfo, que hacés aquí?

Locutor 3 (peruano)

Pues yo… se puede decir que estoy de vacaciones. Hace unos meses terminé mis estudios de ingeniería en mi país. Me demoré siete años en hacer la carrera porque trabajaba y estudiaba a la vez. Al finalizar, tuve mucha suerte porque me ofrecieron un trabajo estupendo con un gran sueldo. Lo acepté, claro, pero puse una condición: que me esperasen cinco o seis meses. Y les pareció bien. Los años anteriores habían sido durísimos y yo necesitaba descansar. Por otra parte, sabía que mi nuevo trabajo me exigiría todo mi tiempo y mi dedicación, por lo que decidí que, antes de dedicarme plenamente a mi vida profesional, me tomaría unas vacaciones para conocer mundo, viajar… y aquí estoy. Mi hermano vive aquí en España; además, tengo algunos amigos en distintas ciudades europeas, por lo que puedo viajar de un lado a otro sin demasiados gastos en alojamiento y comida. Ya llevo cinco meses; dentro de algunas semanas volveré, y la verdad es que tengo ganas, estoy muy animado. Estas vacaciones fueron estupendas, pero, por ahora, creo que son suficientes. Además, se me acabó la plata.

Ejercicio 30

Laura (española): Marta, Juan, ¿ustedes creen que los deportes generan violencia?

Marta (venezolana): Solo algunos; otros, en cambio, propician la solidaridad y el compañerismo y consiguen que toda la afición se una en un único deseo: la victoria deportiva.

Laura: Marta, dime un ejemplo de estos.

Marta: Pues, por ejemplo, el ciclismo.

Juan (argentino): Yo creo que la mayoría sí desencadena cierta agresividad y violencia entre los seguidores, que durante el tiempo que dura el evento hacen suyos los colores de sus equipos y los convierten en su razón de vida. Se trata, además, de un fenómeno que va en aumento, y en gran parte son responsables de ello los presidentes, directivos y jugadores de los clubes, que los animan e incluso les pagan por ello.

Laura: Sí, claro, imagino que habla del fútbol. ¿Usted no pertenece a ningún equipo?

Juan: No, nunca me ha gustado. Prefiero otros deportes, como el tenis, la natación, el atletismo.

Marta: Yo no estoy de acuerdo con Juan en que haya cada vez más violencia en el fútbol. Creo que los casos que se han dado son hechos aislados, muy lamentables, pero que no pueden servir para descalificar un deporte ni a toda una afición. En estos casos, la ley debería ser más dura, y perseguir y castigar estas acciones de un modo ejemplar para evitar que vuelvan a suceder.

Laura: Muchas gracias por su colaboración. Y ustedes, ¿qué opinan sobre el tema?

Enrique (peruano): Pues yo creo que es exagerado hablar de violencia en el deporte, puesto que los únicos casos se dan en el fútbol. Salvo el fútbol, y solo a veces, el deporte es una actividad que debería promocionarse mucho

más de lo que se hace y contar con más apoyo institucional.

Laura: Entonces, sí estás de acuerdo con que en el fútbol existe violencia, ¿no?

Enrique: Pues… depende de lo que se entienda como violencia.

Laura: Hombre, creo que sabes perfectamente a qué me refiero: palizas, peleas, incluso homicidios.

Enrique: No, en ese sentido tampoco hay violencia en el fútbol. Se dan casos algunos que se han aprovechado para hablar en contra del deporte en general, pero no es lo normal. Hay violencia en tanto que es un deporte duro, agresivo y que levanta grandes pasiones. Los seguidores asisten a los encuentros y defienden con fuerza a sus equipos. Durante noventa minutos el estadio se convierte en un campo de batalla. Los aficionados gritan, insultan, ríen, lloran…; en definitiva, se liberan de la tensión acumulada. En ese sentido, sí hay violencia, y siempre la ha habido.

Pedro (chileno): Creo que está usted totalmente equivocado. Antes el fútbol era un deporte más; ahora es, por encima de todo, un negocio. La violencia forma parte de ese negocio.

Laura: Explíquese, ¿qué quiere decir?

Pedro: Pues simplemente que cuanta más violencia se genera, más aumenta la afición, más atención tiene por parte de los medios de comunicación, más morbo e interés genera, más prensa vende, más audiencia tienen los programas futbolísticos, etcétera, etcétera. Sin duda, la violencia ha aumentado, y son responsables de ello tanto los clubes como el Gobierno, que lo permite.

Pilar (dominicana): Creo que don Pedro exagera. Hay más violencia en el fútbol porque ha aumentado la violencia en la sociedad.

Laura: Entonces, Pilar, ¿no te parece que sea el deporte, y en especial el fútbol, el que desencadena la violencia?

Pilar: En absoluto. Hay violencia como la hay en los conciertos, en las concentraciones, en cualquier evento que convoque a mucha gente. Estoy de acuerdo en que las leyes deberían ser más severas ante casos de violencia extrema, pero en cualquier circunstancia, no solo en el fútbol.

Laura: Bueno, ¿cuál es su opinión al respecto? ¿Les parece que los deportes generan violencia? ¿Pueden darme su punto de vista?

Paco (mexicano): Hay deportes muy violentos que desencadenan también violencia, aunque de otro tipo. Estoy pensando, por ejemplo, en el boxeo. Es realmente incomprensible que se permita la existencia de deportes como este. Por otra parte, creo que solo una clase especial de personas puede ser aficionada a tales actividades: individuos que disfrutan con el sufrimiento ajeno, con la sangre, con la muerte. Creo que los sentimientos y las actitudes que genera el boxeo constituyen un tipo de violencia más atroz que la del fútbol, que es externa y no premeditada.

Laura: Duras palabras. ¿Está de acuerdo con su compañero?

Elena (cubana): En total desacuerdo. No soy aficionada al boxeo, pero tengo muy buenos amigos que sí lo son y les puedo asegurar que son personas excelentes y de buenos sentimientos. En cuanto al fútbol, sí creo que ha aumentado la violencia un poco, si bien en algunos casos se exagera. Si los presidentes de los clubes no mantuvieran estas luchas verbales entre ellos, los aficionados no estarían tan predispuestos al enfrentamiento. Es cierto que los encuentros son una válvula de escape a muchas tensiones; yo no creo que esta forma de liberar algo de nuestra agresividad sea la responsable de los actos violentos. Creo que los más graves, los que acaban con la muerte de personas, tienen su origen en hechos sociales y políticos.

Ejercicio 31

Locutor 1: mujer mexicana

¡Un día horrible! Me levanté muy temprano para preparar el informe, pero el ordenador no funcionaba. Después, de camino al trabajo, el coche se estropeó: ¡no tenía ni idea de qué podía ser! Menos mal que encontré rápidamente un taxi. Fui a visitar a un cliente con el que había quedado el viernes, pero no estaba. ¡Fíjate! Si hablé personalmente con él y me dijo que no me preocupara, que me estaría esperando. En fin, toda la mañana perdida. Eso significa que esta tarde me tendré que quedar a trabajar para terminar lo que no pude hacer por la mañana.

Locutor 2: mujer argentina

Mira, hablé con él y le dije que tenía que cambiar de actitud; le expliqué que así no podía seguir; le aconsejé que se buscara alguna ocupación. Me contestó que lo iba a intentar, y lo intentó: empezó a hacer deporte, se apuntó a un curso de inglés… Pero le duró muy poco el intento: se pasó toda la semana sin hacer nada, frente a la televisión. Esperaré dos días, hasta el sábado, y si sigue igual, volveré a hablar con él.

Locutores 3 y 4: mujer venezolana y hombre peruano

A: Vi a Jaime en la biblioteca; estaba estudiando como un loco porque tenía hoy mismo un examen. Me explicó que no le había dado tiempo a estudiar durante el fin de semana.

B: Sí, claro, estuvo todo el fin de semana de juerga, porque eran las fiestas de su pueblo.

A: De todas formas, es horrible tener un examen un lunes.

Ejercicio 32

Ramón (mexicano): Todo empieza en una clínica, que se llama La Salud. El protagonista, Enrique, está allí porque le van a operar de la vista.

Iván (ecuatoriano): Pero ¿qué dices?, lo de la vista es después; está allí porque ha recibido un disparo. Se debate entre la vida y la muerte. A pesar de ser una persona querida y con muchos amigos, está solo, nadie ha ido a verle.

Ramón: Ahora eres tú el que te estás haciendo un lío. Marta sí ha ido, ¿no te acuerdas? Le dice que se va y que no volverán a verse. Lo que pasa es que él está en coma y no se entera de nada.

Iván: La película tiene varias partes. Después de lo del hospital, volvemos atrás en el tiempo. Marta está de vacaciones con su familia en Londres.

Sara (cubana): Así no es, te estás haciendo un lío. Marta está en Río de Janeiro de vacaciones con sus amigos. Han ido a pasar los Carnavales. Entonces, conoce a Enrique. Los dos están comprando en un bazar que había en un pueblecito. Enrique se enamoró al instante.

Ramón: Que no, hombre, que no. Lo del bazar es después, cuando están en Marruecos. Se conocen en la playa.

Iván: No, se conocen en el hotel Villamar, donde él trabaja como animador turístico. Lo que pasa es que apenas hablan en ese momento. Él le declaró su amor un día que fueron juntos al cine.

Ramón: ¡Vaya lío! Pero si allí no fueron nunca al cine. Acuérdate de que le escribió una carta diciéndole que la amaba.

Iván: No, no. Lo de la carta es en la tercera parte.

Ramón: En la tercera parte le escribe otra carta diferente.

Sara: Es verdad. Le escribe una carta muy cursi y la mete en su bolso.

Iván: Ah, es verdad, durante la despedida, ¿no?, cuando ella se despide de él.

Sara: No te acuerdas de nada. La guardó en su bolso la noche que salieron a cenar, pero ella no se dio cuenta hasta el día en que embarcó, y no tuvo tiempo de leerla. Además, Marta no se despide de él: dice que odia las despedidas.

Ramón: Bueno, y después hay un naufragio y Marta desaparece en el mar. Y empieza la segunda parte. Están en Madrid; han pasado dos años y...

Sara: ¡Qué va! Muchos más. Por lo menos diez. Además no están en Madrid, sino en Sevilla. ¿No te acuerdas que luego tiene lugar el famoso encuentro en la catedral de Sevilla?

Ramón: Marta ya no es aquella jovencita. Además, ahora, como consecuencia del naufragio, está ciega. Ha decidido someterse a una operación de la vista e ingresa en la clínica La Salud para la intervención.

Iván: No es en esa clínica. La Salud está muy vieja y destartalada, y donde va ella es nueva y moderna.

Ramón: Sí es La Salud, lo que pasa es que está recién inaugurada y por eso se ve tan bonita. Enrique se entera de que está allí y va a visitarla.

Sara: Otra vez te has liado. Enrique no sabía nada de ella desde que estuvieron en Río. Lo que pasa es que un día Enrique había ido al cine con su hijo (se ha casado y tiene hijos) y la vio pasar con su padre. La siguió y vio dónde vivía. Investigando, se enteró de lo de su operación y fue a verla.

Ramón: La tercera parte comienza dos años después. Marta, que recuperó la vista, ha vuelto a la universidad.

Iván: ¿Cómo que ha vuelto? Nunca había ido. Ella pensaba empezar su carrera de filología tras el viaje, pero como consecuencia del naufragio, su desaparición, la ceguera, etc., no pudo.

Ramón: Vale, pues empieza a estudiar filología en la Universidad Complutense.

Sara: Pero ¿no hemos quedado en que vivía en Sevilla?

Iván: Sí, pero después se traslada a Madrid. Además, antes de irse a Madrid, pasó una pequeña temporada en Londres. Allí fue donde conoció a Pepe y a Marcos.

Sara: Venga, continúo yo. El destino hizo que durante unas pequeñas vacaciones en Marruecos se encontrara nuevamente con Enrique. Fue en un bazar. Los dos seguían locamente enamorados. No se habían visto desde lo de la operación de la vista.

Iván: No, mujer. Se vieron después, en la catedral de Sevilla, donde él le pidió que fuera su amante y ella lo abofeteó y se negó, aunque aceptó un regalo muy valioso: un collar de esmeraldas.

Sara: Sí, es verdad. Al final ella aceptó, aunque fue solo por ese día. Bueno, continúo en Marruecos. Pasaron las vacaciones juntos (él se trasladó al hotel donde estaba ella, el Villamar).

Ramón: Pero Sara, ¿qué dices? El Villamar era el de Río.

Sara: Bueno, qué más da. El caso es que se va al hotel con ella. Poco antes del regreso Enrique desaparece. Le deja una carta en la que le pide que confíe en él, y la cita para un mes después a las siete de la tarde en París, en un hotel.

Ramón: No dice nada de las siete de la tarde. Dice que es en el Hotel Museum, habitación número siete.

Iván: En la última parte, Enrique vuelve a su casa. Se despide de su trabajo (es maestro en un colegio). Roba el anillo de diamantes de su mujer. Esta, que se había enterado de todo por unos amigos, manipula el coche de Enrique. La noche en que huía de su casa y de su familia, en la Nacional II tuvo un accidente (el coche no frenaba). Cuando estaba tirado en la carretera pasó su mujer y le disparó.

GLOSARIO

Este glosario recoge una selección de los términos aprendidos en cada lección. No pretende ser un diccionario, sino una herramienta de consulta que facilite a los alumnos y al profesor el trabajo en clase. En la traducción a cinco idiomas se ha incluido la variante brasileña entre paréntesis a continuación del portugués. Tanto los términos de la lección 5 (refranes y frases hechas) como los de la lección 9 (tabúes y americanismos) no se han traducido.

ESPAÑOL	INGLÉS	FRANCÉS	ALEMÁN	ITALIANO	PORTUGUÉS (BRASILEÑO)

Lección 1

ESPAÑOL	INGLÉS	FRANCÉS	ALEMÁN	ITALIANO	PORTUGUÉS (BRASILEÑO)
a bombo y platillo	making a fuss	avec tambour et trompette	mit Pauken und Trompeten	con grande risonanza	botar a boca no mundo
a bulto	approximately	au jugé	ungefähr	a occhio e croce	aproximadamente
a capa y espada	cloak and dagger	bec et ongles	mit allen Mitteln	a spada tratta	com unhas e dentes
a cien por hora	at top speed	à toute allure	rasend	a cento all'ora	a cem por hora
a disgusto	reluctantly	à contrecoeur	ungern	di mala voglia	de má vontade
a duras penas	with great difficulty	à grand peine	kaum	a mala pena	a muito custo
a empujones	aggressively	en bousculant	mit Gewalt, schubweise	a spintoni	aos empurrões
a fuego lento	over a low flame	à petit feu	auf kleiner Flamme	a fuoco lento	em lume baixo (em fogo baixo)
a gatas	on all fours	à quatre pattes	auf allen Vieren	a quattro zampe	de gatas (andar de quatro)
a gusto	comfortable	à l'aise	gern	di buona voglia	à vontade
a la bilbaína	Bilbao-style	à la mode de Bilbao	nach einem Rezept aus Bilbao	alla bilbaina	à Bilbaína
a la brasa	braised	à la braise	vom Holzkohlegrill	alla brace	à brasa
a la francesa	French-style	à l'anglaise	auf französische Art	alla francese	à francesa
a la fuerza	by force	de force	gezwungen	per forza	à força
a la gallega	Galicia-style	à la mode de Galice	auf galicische Art	alla galiziana	à galega
a la marinera	sailor fashion, matelote	à la marinière	auf Fischer-Art	alla marinara	à marinheira
a la parrilla	grilled	sur le gril	vom Grill	alla griglia	na grelha (grelhado)
a la plancha	grilled	grillé	in der Pfanne gebraten	ai ferri	na chapa
a oscuras	in the dark	dans l'obscurité	im Dunkeln	al buio	às escuras (no escuro)
a pedir de boca	perfectly	tomber à pic	auf den Punkt genau	a puntino	perfeitamente
a pie	on foot	à pied	zu Fuß	a piedi	a pé
a regañadientes	reluctantly	en rechignant	maulend	malvolentieri	a contragosto (contra a vontade)
a tientas	hesitantly	à tâtons	tastend	a tentoni	às apalpadelas (tanteando)
a tiro hecho	for sure	à coup sûr	zielstrebig	a colpo sicuro	com um propósito bem definido
al baño María	bain-marie	au bain marie	im Wasserbad	a bagno maria	banho-maria
al horno	roasted	au four	im Ofen	al forno	no forno
años antes	years back	des années auparavant	Jahre zuvor	anni prima	anos atràs
boca abajo	face down	à plat ventre	auf dem Bauch	capovolto	de boca para baixo
calle arriba	up the street	en remontant la rue	die Straße weiter oben	in cima alla via	rua acima
carretera adelante	the road ahead	plus loin sur la route	die Straße weiter	strada innanzi	estrada adiante
con el agua al cuello	in a tight spot	avoir de l'eau jusqu'au cou	mit dem Wasser bis zum Hals	con l'acqua al collo	com a corda no pescoço
con pelos y señales	in detail	avec force détails	haargenau	in tutti i particolari	com todas as letras, detalhadamente
dar a conocer	to make known	faire connaître	bekannt geben	far conoscere	dar a conhecer
dar a entender	to give to understand	laisser entendre	zu verstehen geben	far capire	dar a entender
dar a luz	to give birth	accoucher	zur Welt bringen	dare alla luce	dar à luz
dar de sí	to give, to do a long way	durer	ergiebig sein	rendere	ficar largo, ceder (roupa)
dar en el clavo	to hit the nail on the head	tomber juste	auf den Punkt treffen	colpire nel segno	acertar no alvo
dar vueltas a algo	to ponder sth.	réfléchir	sich den Kopf zerbrechen	pensarci su	dar voltas a algo
darle a uno por algo / por hacer algo	to take to sth.	se mettre à / se mettre à faire quelque chose	anfangen zu / einfallen zu	prendere l'abitudine di qualcosa	dar para algo, dar para fazer algo
darse de narices (de bruces)	to come up against sth.	tomber sur	auf die Nase fallen	imbattersi	cair de bruços
de arriba abajo	top to bottom	de haut en bas	von oben bis unten	da sopra a sotto	de cima abaixo
de balde	in vain	gratuitement	umsonst	gratis	de graça
de bote en bote	packed out	gratuitement	voll	pieno zeppo	muito cheio, até à boca
de buen grado	willingly	de bon gré	gern	di buon grado	de boa vontade
de buenas a primeras	all at once	tout à coup	aus heiterem Himmel	d'mprovviso	de repente
de cabo a rabo	top to bottom	de a à z	von vorne bis hinten	da punta a punta	do princípio ao fim
de carrerilla	by heart	par coeur	im Schlaf	di filato	de memória
de golpe	all of a sudden	tout à coup	plötzlich	di colpo	de repente
de gorra	gratis, for free	à l'oeil	auf fremde Kosten	a scrocco	às custas dos outros
de mal grado	unwillingly	de mauvais gré	ungern	di cattivo grado	de mau grado (de má vontade)
de mala gana	reluctantly	de mauvais gré	ungern	controvoglia	de má vontade
de oídas	by hearsay	par ouï-dire	vom Hörensagen	per sentito dire	de ouvido
de pacotilla	shoddy	de pacotille	minderwertig	di paccottiglia	de segunda categoria
de un salto	in one jump	d'un bond	mit einem Sprung	in un salto	da noite para o dia
de un trago	in one gulp	d'un trait	mit einem Schluck	in un sorso	num gole só
en confianza	confidentially	en toute confiance	im Vertrauen	in confidenza	confidencialmente
en cuclillas	squatting	accroupi	in der Hocke	a coccoloni	de cócoras
en fila india	in single file	en file indienne	im Gänsemarsch	in fila indiana	em fila indiana
en menos que canta un gallo	in a trice	en moins de rien	blitzschnell	velocemente	num instante

ESPAÑOL	INGLÉS	FRANCÉS	ALEMÁN	ITALIANO	PORTUGUÉS (BRASILEÑO)
en secreto	in secret	secrètement	im Geheimen	in segreto	em segredo
en serio	seriously	sérieusement	im Ernst	sul serio	a sério (sério)
en un abrir y cerrar de ojos	in a flash	en un clin d'oeil	blitzschnell	in un batter d'occhi	num abrir e fechar de olhos
en voz baja	in a whisper	à voix basse	flüsternd	a bassa voce	em voz baixa
estar a dos velas	to be broke	être sans le sou	arm wie eine Kirchenmaus	essere al verde	estar sem dinheiro (estar duro)
estar a las duras y a las maduras	to take the rough with the smooth	pour le meilleur et pour le pire	in guten und in schlechten Zeiten	per le buone e le cattive	estar para o que der e vier
estar al pie del cañón	to be always on the job	être à pied d'œuvre	an vorderster Front stehen	in prima linea	em constante atenção
estar de mala leche	to be in a bad mood	être de mauvais poil	schlecht gelaunt sein	essere incavolati	estar de mal humor, aborrecido
estar de vuelta	to be way ahead of everything	être blasé	ein alter Hase sein	essere disingannato di	estar desiludido
estar en Babia	to be on cloud nine	être dans les nuages	geistesabwesend sein	essere tra le nuvole	estar no mundo da lua, distraído
estar en paz	to be at peace	être en paix	quitt sein	essere pari	estar em paz
estar en todo	to be on the ball	penser à tout	sehr aufmerksam sein	prendersi tutta la responsabilità	estar em tudo
estar para el arrastre	to be worn out	être épuisé	völlig erledigt sein	sentirsi uno straccio	estar exausto (estar um lixo)
estar por los suelos	to be down	être éreinté	am Boden zerstört sein	essere a terra	estar deprimido, arrasado
kilómetros atrás	kilometres back	quelques kilomètres en arrière	Kilometer weiter hinten	chilometri dietro	quilómetro atrás (quilômetro atrás)
mar adentro	out to sea	au large	auf hoher See	il largo	mar adentro
patas arriba	in a mess	sans dessus dessous	in völliger Unordnung	sottosopra	de pernas para o ar
por si las moscas	just in case	au cas où	für alle Fälle	casomai	por precaução
quedarse con la boca abierta	to be astounded	rester bouche bée	sprachlos sein	rimanere a bocca aperta	ficar de boca aberta
quedarse con tres palmos de narices	to be out of luck	rester le bec dans l'eau	jm. eine lange Nase machen	rimanere con un palmo di naso	ficar apalermado (ficar abobalhado)
quedarse corto	to fall short	calculer trop juste	sich verschätzen	non sbilanciarsi	ser insuficiente
quedarse de piedra	to be dumbstruck	rester de marbre	wie versteinert sein	rimanere di sasso	ficar chocado (ficar paralisado)
quedarse en blanco	to go blank	avoir un trou de mémoire	einen Blackout haben	rimanere in bianco	ficar em branco
quedarse frío	to be taken aback	rester froid	frieren	rimanere di stucco	ficar frio
quedarse helado	to be stunned	être abassourdi	verblüfft sein	rimanere di ghiaccio	ficar gelado
quedarse limpio	to be clean, broke	se retrouver sans un sou	blank sein	rimanere puliti	ficar limpo
quedarse tan ancho	to be satisfied	ne pas être gêné pour autant	es macht ihm nichts aus	fare come se niente fosse	ficar tão satisfeito
quedarse tan fresco	to be cheeky	rester impassible	das lässt mich kalt	rimanere come se nulla fosse	não se perturbar (não se abalar)
semanas atrás	weeks back	il y a quelques semaines	Wochen zuvor	settimane addietro	semanas atrás
siglos después	centuries after	quelques siècles plus tard	Jahrhunderte später	secoli dopo	séculos depois

Lección 2

ESPAÑOL	INGLÉS	FRANCÉS	ALEMÁN	ITALIANO	PORTUGUÉS (BRASILEÑO)
administrar (dentro y fuera de la medicina)	to administer	administrer	verabreichen, verwalten	amministrare	administrar
aerofagia	aerophagia	aérophagie	Aerophagie	aerofagia	aerofagia
agrio	sour	aigre	sauer	agro	azedo, ácido
agudo	sharp	aigu	scharf (sinnig)	acuto	agudo
alergia	allergy	allergie	Allergie	allergia	alergia
alergología	allergology	allergologie	Allergologie	allergologia	alergologia
alergólogo	allergist	allergologiste	Allergologe	allergologo	alergologista
amargo	bitter	amer	bitter	amaro	amargo
ampolla	blister	ampoule	Blase	vescica	ampola
ano	anus	anus	After	ano	ânus
aparato reproductor femenino	female reproductive system	organes reproducteurs féminins	weiblicher Geschlechtsapparat	apparato riproduttore femminile	aparelho reprodutor femenino
aparato urinario	urinary system	appareil urinaire	Harnorgane	apparato urinario	aparelho urinário
aplicar	to apply	appliquer	anwenden	applicare	aplicar
ardor	burning	brûlure	Hitze	ardore	ardência, queimação
aromático	aromatic	aromatique	aromatisch	aromatico	aromático
arteria	artery	artère	Arterie	arteria	artéria
asistir	to help	assister	unterstützen	assistere	assistir
áspero	rough	âpre	rauh	aspro	áspero
bíceps	biceps	biceps	Bizeps	bicipite	bíceps
cápsula	capsule	gélule	Kapsel	capsula	cápsula
cardiología	cardiology	cardiologie	Kardiologie	cardiologia	cardiologia
cardiólogo	cardiologist	cardiologue	Kardiologe	cardiologo	cardiologista
cefalea	migraine	céphalée	heftiger Kopfschmerz	cefalea	cefaleia
celeste	light blue	céleste	himmelblau	celeste	celeste
cerebro	brain	cerveau	Gehirn	cervello	cérebro
chirriante	creaking	grinçant	quietschend	stridente	què chia, range
columna	column	colonne	Säule	colonna	coluna
congestión	congestion	congestion	Blutandrang	congestione	congestão
convulsión	convulsion	convulsion	Schüttelkrampf	convulsione	convulsão
corazón	heart	cœur	Herz	cuore	coração
costilla	rib	côte	Rippe	costola	costela
cráneo	skull	crâne	Schädel	cranio	crânio
debilidad	weakness	faiblesse	Schwäche	debolezza	fraqueza
dentista	dentist	dentiste	Zahnarzt	dentista	dentista

ESPAÑOL	INGLÉS	FRANCÉS	ALEMÁN	ITALIANO	PORTUGUÉS (BRASILEÑO)
dermatología	dermatology	dermatologie	Dermatologie	dermatologia	dermatologia
dermatólogo	dermatologist	dermatologue	Dermatologe	dermatologo	dermatologista
desvaído	faded	pâle	erblasst	sbiadito	pálido
diarrea	diarrhoea	diarrhée	Durchfall	diarrea	diarreia
diente	tooth	dent	Zahn	dente	dente
dolor	pain	douleur	Schmerz	dolore	dor
dolor de espalda	backache	mal de dos	Rückenschmerz	mal di schiena	dor nas costas
dorar la píldora	to gild the pill	dorer la pilule	die bittere Pille versüßen	indorare la pillola	dourar a pílula (puxar o saco)
empalagoso	sickly	mielleux	zu süß	stucchevole	enjoativo
enema	enema	lavement	Klistier	clistere	enema, clister (lavagem intestinal)
estornudo	sneeze	éternuement	Niesen	starnuto	espirro
estreñimiento	constipation	constipation	Verstopfung	stitichezza	obstipação (prisão de ventre)
estridente	strident	strident	schrill	stridente	estridente
examinar (dentro y fuera de la medicina)	to examine	examiner	prüfen	esaminare	examinar
expectoración	expectoration	expectoration	expektoriert	espettorazione	expectoração
explorar (dentro y fuera de la medicina)	to explore	explorer	erforschen	esplorare	explorar
fémur	femur	fémur	Femur	femore	fémur (fêmur)
fétido	foetid	fétide	stinkend	fetido	fedorento
gastroenterólogo	gastroenterologist	gastroentérologue	Gastro-Enterologe	gastroenterologo	gastrenterologista
gemelo	twin	jumeau	Manschette	gemello	gémeo
geriatra	geriatrician	gérontologue	Facharzt der Geriatrie	geriatra	geriatra
geriatría	geriatrics	gériatrie	Geriatrie	geriatria	geriatria
ginecología	gynaecology	gynécologie	Gynäkologie	ginecologia	ginecologia
ginecólogo	gynaecologist	gynécologue	Gynäkologe	ginecologo	ginecologista
golpe	knock	coup	Schlag	colpo	golpe
gragea	sugar-coated pill	dragée	Dragee	confetto	drágea
gusto	taste	goût	Geschmack	gusto	gosto
hacer la vista gorda	to turn a blind eye	fermer les yeux	über etwas hinwegsehen	lasciar passare	fazer vista grossa
hediondo	stinking	puant	übelriechend	fetido	hediondo
hematología	haematology	hématologie	Hämatologie	ematologia	hematologia
hematólogo	haematologist	hématologue	Hämatologe	ematologo	hematologista
herida	wound	blessure	Wunde	ferita	ferida
hígado	liver	foie	Leber	fegato	fígado
hipo	hiccup	hoquet	Schluckauf	singhiozzo	soluço
hormigueo	tingling	fourmillement	Jucken	formicolio	formigamento
infección cutánea	skin disease	infection cutanée	Hautinfektion	infezione cutanea	infecção cutânea
inflamación	inflammation	inflammation	Entzündung	infiammazione	inflamação
inflamación de las articulaciones	swollen joints	inflammation des articulations	Gelenkentzündung	infiammazione articolare	inflamação das articulações
insípido	tasteless	insipide	fade	insipido	insípido
insuficiencia respiratoria	breathing insufficiency	insuffisance respiratoire	Atemschwäche	insufficienza respiratoria	insuficiência respiratória
intervenir (dentro y fuera de la medicina)	to intervene	intervenir	eingreifen	intervenire	intervir
intestino delgado	small intestine	intestin grêle	Dünndarm	intestino tenue	intestino delgado
intestino grueso	large intestine	gros intestin	Dickdarm	intestino crasso	intestino grosso
inyección	injection	injection	Spritze	iniezione	injecção
jarabe	syrup	sirop	Sirup	sciroppo	xarope
laringe	larynx	larynx	Kehlkopf	laringe	laringe
mandar a hacer gárgaras	to send someone packing	envoyer paître	zum Teufel schicken	mandare a quel paese	ignorar alguém
mandíbula	mandible	mâchoire	Kiefer	mandibola	mandíbula
mareo	nausea	mal de mer	Schwindelgefühl	nausea	enjoo
médula espinal	medulla	mœlle épinière	Rückenmark	midollo spinale	medula espinhal
melodioso	melodious	mélodieux	melodiös	melodioso	melodioso
mente	mind	esprit	Geist	mente	mente
mullido	fluffed up	mœlleux	weich	soffice	fofo
nalga	buttock	fesse	Gesäßhälfte	natica	nádega
nariz	nose	nez	Nase	naso	nariz
náusea	nausea	nausée	Übelkeit, Ekel	nausea	náusea
nervio	nerve	nerf	Nerv	nervo	nervo
neumología	pneumology	pneumologie	Lungenheilkunde	pneumologia	pneumología
neumólogo	pneumologist	pneumologue	Lungenarzt	pneumologo	pneumonologista
neurología	neurology	neurologie	Neurologie	neurologia	neurologia
neurólogo	neurologist	neurologue	Neurolog	neurologo	neurologista
neurona	neuron	neurone	Neuron	neurone	neurónio (neurônio)
oculista	oculist	oculiste	Augenarzt	oculista	oftalmologista
odontología	odontology	odontologie	Odontologie	odontologia	odontologia
odontólogo	odontologist	odontologiste	Zahnarzt	odontologo	odontologista
oftalmología	ophthalmology	ophtalmologie	Augenheilkunde	oftalmologia	oftalmologia
oftalmólogo	ophthalmologist	ophtalmologiste	Augenarzt	oftalmologo	oftalmologista
oído	hearing	oreille	Gehör	udito	ouvido
ojo	eye	œil	Auge	occhio	olho
oler a chamusquina	to sense something wrong	sentir le roussi	verbrannt riechen	puzzare di bruciato	cheirar mal
olfato	sense of smell	odorat	Geruchssinn	olfatto	olfacto (olfato)

ESPAÑOL	INGLÉS	FRANCÉS	ALEMÁN	ITALIANO	PORTUGUÉS (BRASILEÑO)
oncología	oncology	oncologie	Onkologie	oncologia	oncologia
oncólogo	oncologist	oncologue	Onkologe	oncologo	oncologista
otalgia	earache	otalgie	Ohrenschmerz	otalgia	dor de ouvido
otitis	otitis	otite	Otitis	otite	otite
otorrea	otorrhea	otorrhée	Ohrenfluss	otorrea	corrimento do ouvido, supuração
otorrinolaringología	otorhinolaryngology	oto-rhino-laryngologie	Hals-Nasen-Ohren-Heilkunde	otorinolaringoiatria	otorrinolaringologia
otorrinolaringólogo	otorhinolaryngologist	oto-rhino-laryngologiste	Hals-Nasen-Ohrenarzt	otorinolaringoiatra	otorrinolaringologista
palpar (dentro y fuera de la medicina)	to feel	palper	betasten	palpare	apalpar
parestesia	paresthesia	paresthésie	Parästhesie	parestesia	parestesia
pectoral	pectoral	pectoral	Brust	pettorale	peitoral
pediatra	paediatrician	pédiatre	Kinderarzt	pediatra	pediatra
pediatría	paediatrics	pédiatrie	Pädiatrie	pediatria	pediatria
picor o prurito	burning sensation	démangeaison	Juckreiz	prurito	coceira
piel	skin	peau	Haut	pelle	pele
píldora	pill	pilule	Tablette	pillola	comprimido
pirosis	pyrosis	pyrosis	Sodbrennen	pirosi	pirose
plomizo	leaden	plombé	bleifarbig	plumbeo	cor de chumbo
pomada	ointment	pommade	Salbe	pomata	pomada
poner los cinco sentidos	to use all five senses	apporter tous ses soins	voll bei der Sache sein	mettercela tutta	prestar toda a atenção
psicología	psychology	psychologie	Psychologie	psicologia	psicologia
psicólogo	psychologist	psychologue	Psycholog	psicologo	psicólogo
psiquiatra	psychiatrist	psychiatre	Psychiater	psichiatra	psiquiatra
psiquiatría	psychiatry	psychiatrie	Psychiatrie	psichiatria	psiquiatria
pulmón	lung	poumon	Lunge	polmone	pulmão
reconocer (dentro y fuera de la medicina)	to examine	examiner, reconnaître	erkennen	riconoscere	reconhecer
recto	rectum	rectum	Mastdarm	retto	recto
restablecerse (dentro y fuera de la medicina)	to recover	se remettre	sich erholen	ristabilirsi	restablecer-se
riñón	kidney	rein	Niere	rene	rim
rugoso	wrinkled	rugueux	runz(e)lig	rugoso	rugoso
sabroso	tasty	savoureux	schmackhaft	saporito	saboroso
saltar a la vista	to be obvious	sauter aux yeux	sofort ins Auge stechen	saltare agli occhi	saltar à vista
sangre	blood	sang	Blut	sangue	sangue
secreción	secretion	sécrétion	Absonderung	secrezione	secreção
síncope	syncope	syncope	Synkope	sincope	síncope
sobre	pack	sachet	Päckchen	bustina	envelope
solución	solution	solution	Lösung	soluzione	solução
somnolencia	somnolence	somnolence	Schläfrigkeit	sonnolenza	sonolência
supositorio	suppository	suppositoire	Zäpfchen	supposta	supositório
tacto	touch	toucher	Takt	tatto	tacto (tato)
taquicardia	tachycardia	tachycardie	Herzjagen	tachicardia	taquicardia
tendón	tendon	tendon	Sehne	tendine	tendão
tener tacto	to have a sense of touch	avoir du tact	Tastgefühl haben	avere tatto	ter tacto
tener vista	to have sight	avoir du flair	Sehvermögen haben	avere occhio	ter vista
tomar el pulso	to take the pulse	tâter le pouls	den Puls messen	sentire il polso	tomar o pulso
torcedura	twist	entorse	Zerrung	torsione	torção
tos	cough	toux	Husten	tosse	tosse
tratar (dentro y fuera de la medicina)	to treat	traiter	behandeln	trattare	tratar
traumatología	orthopaedics	traumatologie	Traumatologie	traumatologia	traumatologia
traumatólogo	orthopaedic surgeon	traumatologue	Traumatologe	traumatologo	traumatologista
tríceps	triceps	triceps	Trizeps	tricipite	tricípite (tríceps)
tumor	tumour	tumeur	Tumor	tumore	tumor
urología	urology	urologie	Urologie	urologia	urologia
urólogo	urologist	urologue	Urologe	urologo	urologista
vaso	glass	vaisseau	Glas	bicchiere	copo
vejiga	bladder	vessie	Blase	vescica	bexiga
vena	vein	veine	Vene	vena	veia
vértebra	vertebra	vertèbre	Wirbel	vertebra	vértebra
vista	sight	vue	Sehvermögen	vista	vista
vómito	vomit	vomissement	(Er)Brechen	vomito	vómito

Lección 3

acomodador	usher	ouvreur, ouvreuse	Platzanweiser	maschera	arrumador (lanterninha)
álbum	album	album	Album	album	álbum
anfiteatro	amphitheatre	amphithéâtre	Amphitheater	anfiteatro	anfiteatro
armónica	harmonica	harmonica	Mundharmonika	armonica	harmónica (harmônica)
arrastre	drag	arrastre	Fortschleppen	trascinamento	arrasto
arreglo	arrangement	arrangement	Regelung	sistemazione	arranjo
bailarín	dancer	danseur	Tänzer	ballerino	bailarino
bajo	low	basse	Bass	basso	baixo
banda (grupo musical)	band	groupe	Band	banda	banda
banda sonora	soundtrack	bande sonore	Soundtrack	colonna sonora	banda sonora (trilha sonora)

ESPAÑOL	INGLÉS	FRANCÉS	ALEMÁN	ITALIANO	PORTUGUÉS (BRASILEÑO)
banderilla	banderilla	banderille	Banderilla	banderilla	bandarilha
barítono	baritone	baryton	Bariton	baritono	barítono
batería	battery	batterie	Batterie	batteria	bateria
bravura	fierceness	bravoure	Wildheit	bravura	bravura
cámara	chamber	chambre	Zimmer	camera	câmara
camerino	dressing room	loge	Künstlergarderobe	camerino	camarim
capote	capeline	cape	Prachtcapa	capote	capote (capa do toureiro)
colección	collection	collection	Sammlung	collezione	colecção (coleção)
comedia	comedy	comédie	Komödie	commedia	comédia
concierto	concert	concert	Konzert	concerto	concerto
coro	choir	chœur	Chor	coro	coro
corrida	bullfighting	course de taureaux	Stierkampf	corrida	corrida
corte	cut	coupure, interruption	Schnitt	taglio	corte
desfile	parade	défilé	Umzug	sfilata	desfile
diestro / torero	bullfighter	torero, matador	Stierkampfer	torero	toureiro
directo	direct	direct	direkt	diritto	directo
disco	disk	disque	Platte	disco	disco
diseñador	designer	dessinateur	Designer	disegnatore	estilista
diseño	design	dessin	Design	disegno	desenho, modelo
documental	documentary	documentaire	Dokumentarfilm	documentario	documentário
encierro	running of bulls	"encierro"	vor den Stieren herlaufen	corsa dei tori	corrida de touros popular pelas ruas
escena	scene	scène	Bühne	scena	cena
escritor	writer	écrivain	Schriftsteller	scrittore	escritor
estoque	rapier	estoc	Stoßdegen	stocco	estoque
estreno	opening night	première (ciné), vernissage	Premiere	prima	estreia (estréia)
faena	task	besogne	Arbeit	faena	lide, toureio
feria	fair	foire	Messe	fiera	feira
filmar	to film	filmer	filmen	filmare	filmar
formación (musical)	group	formation	Formation	formazione	fomação musical
grupo	group	groupe	Gruppe	gruppo	grupo
guión	script	script	Drehbuch	copione	guião (roteiro)
guitarra	guitar	guitare	Gitarre	chitarra	guitarra
hincha	fan	fan	Fan	tifoso	fã, torcedor
libreto	libretto	livret	Libretto	libretto	libreto
lienzo	canvas	toile	Ölgemälde	tela	tela
maqueta	maquette, mock-up	maquette	Layout, Entwurfsmuster	plastico	maquete
modelo	model	modèle	Modell	modello	modelo
modisto	couturier	couturier	Modeschöpfer	sarto	estilista
montaje	assembling	montage	Montage	montaggio	montagem
montera	bullfighter's hat	bonnet	Stierkämpfermütze	copricapo del matador	chapéu de toureiro
muleta	crutch	muleta	Krücke	cappa del matador	muleta
novillo	bullock	taurillon	Jungstier	torello	novilho
ópera	opera	opéra	Oper	opera	ópera
opereta	operetta	opérette	Operette	operetta	opereta
palco	box	loge	Loge	palco	camarote
pantalla	screen	abat-jour	Bildschirm	schermo	ecrã (tela)
partitura	score	partition	Partitur	partitura	partitura
pasarela	catwalk, runway	passerelle	Steg	passarella	passarela
percusión	percussion	percussion	Schlaginstrument, Schlagzeug	percussione	percussão
personaje	character	personnage	Persönlichkeit	personaggio	personagem
plaza de toros	bull-ring	arènes	Stierkampfarena	arena	praça de touros
pop	pop	pop	Pop	pop	pop
pregrabado	play-back	préenregistré	bespielt	play-back	playback
quite	removal of the bull from a bullfighter	action d'esquiver	den Stier vom verletzten Stierkämpfer ablenken	allontanare il toro	quite (toureio)
ritmo	rhythm	rythme	Rhythmus	ritmo	ritmo
rock alternativo	alternative rock	rock alternatif	Alternativ-Rock	rock alternativo	rock alternativo
rodaje	filming, shooting	tournage	Drehen	rodaggio	rodagem
ruedo	bullring	arène	Arena	arena	arena
sala	room, hall	salle	Saal	sala	sala
saxofón	saxophone	saxophone	Saxophon	sassofono	saxofone
soprano	soprano	soprano	Sopran	soprano	soprano
tejido	fabric	tissé	Stoff	tessuto	tecido
telón	curtain	rideau	Vorhang	sipario	pano de fundo, cortina
telonero	first on (artist)	artiste qui passe en lever de rideau	Vorgruppe	spalla	artista ou grupo que abre um show
tenor	tenor	ténor	Tenor	tenore	tenor
tercio	third	troisième	Drittel	terzo	terço
tocar	to touch	toucher	berühren	toccare	tocar
toma	shot	prise	Dosis	presa	tomada
tragedia	tragedy	tragédie	Tragödie	tragedia	tragédia
traje de luces	bullfighter's outfit	habit de lumière	Stierkämpfertracht	costume da torero	traje de toureiro
trompeta	trumpet	trompette	Trompete	tromba	trompeta
variedades	varieties	variétés	Varietäten	rivista	variedades
versión	version	version	Darstellung	versione	versão
vibración	vibration	vibration	Vibration	vibrazione	vibração

ESPAÑOL	INGLÉS	FRANCÉS	ALEMÁN	ITALIANO	PORTUGUÉS (BRASILEÑO)
violonchelo	cello	violoncelle	(Violon)Cello	violoncello	violoncelo
zarzuela	zarzuela	zarzuela, opérette espagnole	spanische Operette	operetta spagnola	zarzuela

Lección 4

ESPAÑOL	INGLÉS	FRANCÉS	ALEMÁN	ITALIANO	PORTUGUÉS (BRASILEÑO)
abertura	opening	ouverture	Öffnung	apertura	abertura
acarrear	to carry	befördern	befördern	trasportare	acarretar
acarrear problemas	to bring problems	créer des problèmes	Probleme mit sich bringen	dare problemi	causar problemas
acepción	meaning	acception	Bedeutung	accezione	acepção
aceptación	acceptance	acceptation	Anerkennung	accettazione	aceitação
adelantamiento	advance	avancement	Fortschritt	sorpasso	ultrapassagem
adelanto	advance	dépassement	Fortschritt	avanzamento	avanço
adoptar	to adopt	adopter	adoptieren	adottare	adoptar / adotar
adoptar una actitud	to adopt an attitude	prendre une attitude	eine Haltung annehmen	adottare un atteggiamento	adoptar / adotar uma atitude
aducir	to allege	alléguer	vorbringen	addurre	alegar
albergar	to accommodate	loger	beherbergen	ospitare	albergar
albergar esperanzas	to cherish hope	nourrir l'espoir de	Hoffnung Haben	nutrire speranze	abrigar esperanças
alimentario	alimentary	alimentaire	Ernährungs-	alimentario	alimentício
alimenticio	nourishing	alimentaire	ernährend	alimentare	alimentício
aludir	to allude	faire allusion	anspielen	alludere	aludir
amasar una fortuna	to build up a fortune	amasser une fortune	ein Vermögen anhäufen	ammucchiare una fortuna	acumular fortuna
apertura	opening	ouverture	Eröffnung	apertura	abertura
aprehensión	apprehension	appréhension	Beschlagung	comprensione	apreensão
aprensión	apprehension	appréhension	Befürchtung	apprensione	apreensão
ascendente	ascending	ascendant	aufsteigend	ascendente	ascendente
ascendiente	ancestor	ascendant	Vorfahre	ascendente	ascendente
asumir	to assume	assumer	übernehmen	assumere	assumir
asumir una responsabilidad	to assume a responsibility	assumer une responsabilité	eine Verantwortung übernehmen	prendersi una responsabilità	assumir uma responsabilidade
aversión	aversion	aversion	Abneigung	avversione	aversão
beneficioso	beneficial	avantageux	vorteilhaft	vantaggioso	vantajoso, lucrativo
benéfico	beneficent	bienfaisant	wohltätig	benefico	benéfico
cadena perpetua	life sentence	prison à vie	lebenslänglich	ergastolo	prisão perpétua
causar estragos	to wreak havoc	faire des ravages	Unheil stiften	provocare uno scatafascio	causar estragos
celebrar una reunión / cumbre	to hold a meeting / summit	organiser une réunion / un sommet	ein Gipfeltreffen abhalten	mantenere un vertice	fazer, realizar uma reunião (de cúpula)
cobrar	to receive payment	percevoir	verdienen	riscuotere	cobrar
cobrar importancia	to become important	prendre de l'importance	wichtig werden	acquistare importanza	adquirir importância
cometer un error	to make a mistake	commettre une erreur	einen Fehler begehen	commettere un errore	cometer um erro
competencia	competence	Wettbewerb	Kompetenz	competenza	concorrência
competer	to concern	incomber	obliegen	competere	incumbir
competición	competition	concurrence	Wettbewerb	concorrenza	competição
competir	to compete	rivaliser	konkurrieren	competere	competir
componer un poema	to write a poem	composer un poème	ein Gedicht schreiben	comporre un poema	compor um poema
conseguir	to achieve, to get	obtenir	erreichen	raggiungere	conseguir
consumición	consumption	consommation	Verzehr	consumazione	consumição
consumo	consumption	consommation	Verbrauch	consumo	consumo
contar con	to rely on	compter sur	zählen auf	contare su	contar com
contar con el apoyo	to rely on the support	s'assurer l'appui de	auf die Unterstützung zählen	godere dell'appoggio	ter o apoio
contener	to contain	contenir	enthalten	contenere	conter
desempeñar	to carry out	exercer	ausführen	svolgere	desempenhar
desempeñar un cargo	to hold a position	remplir des fonctions	ein Amt ausüben	avere un incarico	exercer um cargo
disponer de	to have	disposer de	haben	disporre di	dispor de
disponer de dinero	to have money	avoir de l'argent	Geld haben	disporre di danaro	dispor de dinheiro
edificación	construction	édification	Erbauung	edificazione	edificação
edificio	building	édifice	Gebäude	edificio	edifício
ejercer	to practise	exercer	ausüben	esercitare	exercer
ejercer influencia	to exert influence	influencer	Einfluss ausüben	avere influenza	exercer influência
especia	spice	épice	Gewürz	spezia	especiaria
especie	kind, species	espèce	Art	specie	espécie
espiar	to spy on	épier	spionieren	spiare	espiar
expedir una certificación	to issue a certificate	délivrer un certificat	ein Zeugnis ausstellen	emettere un attestato	expedir uma certidão
expiar	to expiate	expier	sühnen	espiare	expiar
extender un volante	to issue a note	délivrer un volant	einen Überweisungsschein ausstellen	redigere una richiesta	dar uma requisição
formular una pregunta	to ask a question	poser une question	eine Frage stellen	fare una domanda	fazer uma pergunta
fortaleza	strength	force	Stärke	fortezza	fortaleza
fuerza	strength	force	Kraft	forza	força
gozar de	to enjoy	jouir de	genießen	godere di	gozar de
gozar de privilegios	to enjoy privileges	avoir des privilèges	Vorrechte genießen	godere di privilegi	gozar de privilégios
hojear	to leaf through	feuilleter	durchblättern	sfogliare	folhear
imprecar	to imprecate	proférer des imprécations	verfluchen	imprecare	rogar pragas
incomestible	inedible	immangeable	nicht essbar	incommestibile	intragável
incomible	inedible	immangeable	ungenießbar	immangiabile	intragável

ESPAÑOL	INGLÉS	FRANCÉS	ALEMÁN	ITALIANO	PORTUGUÉS (BRASILEÑO)
increpar	to rebuke	blâmer, injurier	zurechtweisen	redarguire	repreender
inerme	unarmed	désarmé	wehrlos	inerme	desarmado
inerte	inert	inerte	leblos	inerte	inerte
infligir	to inflict	infliger	auferlegen	infliggere	infligir
infringir	to infringe	enfreindre	verstoßen gegen	infrangere	infringir
iniciación	initiation	initiation	Einweihung	iniziazione	iniciação
inicio	beginning	début	Beginn	inizio	início
maternal	maternal	maternel	mütterlich	maternale	maternal
materno	maternal	maternel	mütterlicherseits	materno	materno
negación	denial, negation	négation	Verneinung	negazione	negação
negativa	refusal	négation	Absage	diniego	negativa
ojear	to stare at	regarder	betrachten	occhieggiare	olhar
padecer	to suffer	souffrir	erleiden, leiden unter	patire	padecer
padecer una enfermedad	to suffer from an illness	souffrir d'une maladie	leiden an	patire una malattia	padecer uma doença
pedido	order, request	commande	bestellt	ordine	pedido
perjuicio	damage	préjudice	Schaden	pregiudizio	prejuízo
petición	request	pétition	Bitten	petizione	petição
policiaco	police	policier	polizeilich	poliziesco	policial
policial	police	policier	polizeilich	poliziesco	policial
preeminente	preeminent	prééminent	herausragend, vorrangig	preminente	preeminente
prejuicio	prejudice	préjugé	Vorurteil	pregiudizio	preconceito
prominente	prominent	proéminent	vorstehend	prominente	proeminente
rallar	to grate	râper	reiben	grattugiare	ralar
rayar	to scratch	rayer	verkratzen	rigare	riscar
rotura	break	fissure	Bruch	rottura	ruptura, fratura
ruptura	breaking	rupture	Bruch	rottura	rotura
sufrir	to suffer	souffrir	erleiden	soffrire	sofrer
sufrir una decepción	to suffer a disappointment	éprouver une déception	eine Enttäuschung erleben	rimanere delusi	sofrer uma decepção
superar las barreras	to overcome the obstacles	surmonter les obstacles	die Grenzen überwinden	superare le barriere	superar as barreiras
surtir	to supply	fournir	versorgen	fornire	fornecer
surtir efecto	to have effect	faire de l'effet	wirken	avere effetto	surtir efeito
tañer	to play	jouer d'un instrument	läuten	suonare	tanger
teñir	to dye	teindre	fàrben	tingere	tingir
trabar amistad	to become friends	se lier d'amitié avec	Freundschaft schließen	fare amicizia	fazer amizade
trazar una raya / línea	to draw a line	tracer un trait / une ligne	eine Linie ziehen	tracciare una linea	traçar uma raia / linha
vedado	prohibited	défendu	Sperrgebiet, Revier	proibito	vedado
vetado	vetoed	banni	per Veto abgelehnt	vietato	vetado

Lección 5

a caballo regalado no le mires el diente
a cuentas viejas, barajas nuevas
a Dios rogando y con el mazo dando
a falta de pan, buenas son tortas
a la tercera va la vencida
a la vejez viruelas
a perro flaco todo son pulgas
a rey muerto, rey puesto
agua de por san Juan quita vino y no da pan
agua pasada no mueve molino
ahí te quedas, mundo amargo
al mal tiempo buena cara
ande yo caliente, ríase la gente
antes se pilla a un embustero que a un cojo
cada uno en su casa y Dios en la de todos
cruz y raya
de casta le viene al galgo el ser rabilargo
de fuera vendrá quien de casa te echará
de tal palo tal astilla
Dios aprieta, pero no ahoga
Dios los cría y ellos se juntan
donde fueres haz lo que vieres
el hábito no hace al monje
en diciembre, sale el sol con tardura y poco dura
en el reino de los ciegos, el tuerto es el rey
en enero, se hiela el agua en el puchero
en febrero, busca la sombra el perro
en junio, la hoz en el puño
en noviembre, haz la matanza y llena la panza
en octubre, la hoja el campo pudre
esto pasa de castaño oscuro
genio y figura hasta la sepultura
hablando se entiende la gente
julio caliente, quema al más valiente

la ocasión la pintan calva
las cosas claras y el chocolate espeso
lo que cada uno vale a la cara le sale
lo que no mata engorda
lo que uno no piensa al otro se le ocurre
los hombres hablando se entienden (hablando se entiende la gente)
luna de agosto, frío en el rostro
marzo ventoso, abril lluvioso, hacen a mayo florido y hermoso
más ven cuatro ojos que dos
no hay mal que cien años dure
por el humo se sabe dónde está el fuego
por san Andrés el vino nuevo añejo es
por san Blas la cigüeña verás
por san Martino el ajo fino y por san Vicente el ajo fuerte
por san Martino mata tu cochino
por santa Lucía igualan las noches con los días
por Santiago y Santa Ana pintan las uvas y por Nuestra Señora ya están maduras
quien a buen árbol se arrima, buena sombra le cobija
quien a hierro mata, a hierro muere
quien algo quiere algo le cuesta
quien bien te quiere te hará llorar
quien calla otorga
quien mucho abarca poco aprieta
quien no llora no mama
quien parte y reparte se lleva la mejor parte
quien ríe el último, ríe mejor (reirá mejor el que ría el último)
quien tiene boca, se equivoca
septiembre se lleva los puentes o seca las fuentes
ser de los de quítate tú para ponerme yo
tanto va el cántaro a la fuente que al final se rompe
tarde que temprano por san Juan es el verano
ver la paja en el ojo ajeno, y no la viga en el propio
y los malos ratos pasarlos pronto
y si te he visto no me acuerdo

Lección 6

ESPAÑOL	INGLÉS	FRANCÉS	ALEMÁN	ITALIANO	PORTUGUÉS (BRASILEÑO)
acción	action	action	Handlung	azione	acção (ação)
acreedor	deserving	créancier	Gläubiger	creditore	credor
activo	active	actif	aktiv	attivo	activo (ativo)
ahorrar	to save	épargner	sparen	risparmiare	poupar
autónomo	autonomous	autonome	selbständig	autonomo	autónomo
aval	guarantee	aval	Bürgschaft	avallo	aval
balanza de pagos	balance of payments	balance des paiements	Zahlungsbilanz	bilancia di pagamenti	balança de pagamentos
beneficio	benefit	bienfait	Gewinn	beneficio	beneficio
capital	capital	capital	Hauptstadt	capitale	capital
cargo	post	poste	Amt	carica	cargo profissional
cheque de viaje	traveller's cheque	chèque de voyage	Reisescheck	assegno da viaggio	cheque de viagem
comisión	assignment	commission	Provision	commissione	comissão
comité de empresa	works council	comité d'entreprise	Betriebsrat	comitato aziendale	comissão de trabalhadores
compañía	company	compagnie	Gesellschaft	compagnia	companhia
contratar	to hire	embaucher	festsetzen	contrattare	contratar
contrato	contract	contrat	Vertrag	contratto	contrato
contrato por cuenta ajena	labour contract	contrat de travail	externer Vertrag	contratto dipendente	contrato de trabalho
corto / largo plazo	short / long term	à court / long terme	kurz- / langfristig	breve / lungo termine	curto / longo prazo
cotizar	to quote	cotiser	notieren	quotare	aplicar, investir
cuenta corriente	current account	compte courant	Kurrentkonto	conto corrente	conta corrente
desempleo	unemployment	chômage	Arbeitslosigkeit	disoccupazione	desemprego
efecto comercial	commercial document	effet de commerce	Handelswechsel	effetto commerciale	efeito comercial
empleo	employment	emploi	Stelle	impiego	emprego
experiencia laboral	work experience	expérience professionelle	Berufserfahrung	esperienza professionale	experiência profissional
filial	filial	filiale	Zweigstelle	filiale	filial
financiar	to finance	financer	finanzieren	finanziare	financiar
funcionario	functionary	fonctionnaire	Beamte (r), Beamtin	funzionario	funcionário público
gastos notariales	notarial costs	frais de notaire	Notariatskosten	spese notarili	despesas notariais
hipoteca	mortgage	hypothèque	Hypothek	ipoteca	hipoteca
horario laboral	work timetable	horaires de travail	Arbeitszeit	orario lavorativo	horário de trabalho
indemnización	indemnification	indemnisation	Entschädigung	indennizzo	indemnização (indenização)
interés	interest	intérêt	Zins	interesse	juros
jornada	working day	journée	Arbeitstag	giornata	jornada
letra de cambio	bill of exchange	lettre de change	Wechsel	cambiale	letra de câmbio
libreta de ahorro	savings book	livret d'épargne	Sparbuch	libretto di risparmio	caderneta de poupança
mayorista	wholesale	grossiste	Großhändler	grossista	atacadista
mercancía	merchandise	marchandise	Ware	mercanzia	mercadoria
minorista	retail dealer	détaillant	Einzelhändler	dettagliante	varejista
nómina	payroll	feuille de paie	Gehaltsabrechnung	organico	recibo de vencimentos (contra-cheque)
oficio	job	métier	Beruf	mestiere	ofício
orden de pago	order of payment	ordre de paiement	Zahlungsanweisung	ordine di pagamento	ordem de pagamento
paga extraordinaria	extra pay	treizième mois	Sonderzahlungen	tredicesime	pagamento extra
pago al contado	cash payment	payer comptant	Barzahlung	pagamento in contanti	pagamento à vista
pago aplazado	deferred payment	paiement différé	Ratenzahlung	scadenza	pagamento a prazo
paro	unemployment	chômage	Arbeitslosigkeit	disoccupazione	desemprego
pasivo	passive	passif	passiv	passivo	passivo
plantilla	staff	personnel	Belegschaft	organico	quadro de pessoal
plazo fijo	fixed date	échéance fixe	Festzeit	scadenza fissa	prazo fixo
poder adquisitivo	purchasing power	pouvoir d'achat	Kaufkraft	potere d'acquisto	poder aquisitivo
préstamo	loan	emprunt	Darlehen	prestito	empréstimo
promoción	promotion	promotion	Promotion	promozione	promoção
puesto	job, position	poste de travail	Arbeitsplatz	posto	posto
recursos humanos	human resources	ressources humaines	Personalabteilung	risorse umane	recursos humanos
renta fija	fixed income	revenu fixe	festes Einkommen	reddito fisso	renda fixa
rentabilidad	profitability	rentabilité	Rentabilität	redditività	rentabilidade
retenciones	deductions	retenues	Einbehaltungen	trattenute	retenções
retribución	payment	rétribution	Vergütung	retribuzione	retribuição
salario	salary	salaire	Lohn	salario	salário
saldo	settlement	solde	Saldo	saldo	saldo
sucursal	branch office	succursale	Zweigstelle	succursale	sucursal (filial)
sueldo	wage	salaire	Gehalt	stipendio	salário
talón cruzado	crossed cheque	chèque barré	Verrechnungsscheck	assegno sbarrato	cheque cruzado
tarjeta de crédito	credit card	carte de crédit	Kreditkarte	carta di credito	cartão de crédito
tasa de desempleo	unemployment rate	taux de chômage	Arbeitslosenquote	livello di disoccupazione	taxa de desemprego
tasación	valuation	taxation	Schätzung	tassazione	taxação
vencer	to defeat	arriver à échéance	ablaufen	vincere	vencer
vencimiento	expiry	échéance	Fälligkeit	scadenza	vencimento

Lección 7

ESPAÑOL	INGLÉS	FRANCÉS	ALEMÁN	ITALIANO	PORTUGUÉS (BRASILEÑO)
albergue	hostel	auberge	Herberge	ostello	albergue
alojamiento	accommodation	logement	Unterkunft	alloggio	alojamento
áreas protegidas	protected areas	zones protégées	Naturschutzzonen	zone protette	áreas protegidas

ESPAÑOL	INGLÉS	FRANCÉS	ALEMÁN	ITALIANO	PORTUGUÉS (BRASILEÑO)
arte clásico	classical art	art classique	klassische Kunst	arte classica	arte clássica
arte medieval	medieval art	art mediéval	mittelalterliche Kunst	arte medievale	arte medieval
arte moderno	modern art	art moderne	moderne Kunst	arte moderna	arte moderna
aseo	toilet	toilettes	Bad	bagno	casa de banho (banheiro)
autocar	coach	autocar	Reisebus	pullman	autocarro, camioneta (ônibus)
baño completo	full bathroom	salle de bains	komplett ausgestattetes Badezimmer	bagno completo	casa de banho (banheiro)
basura	garbage	ordures	Abfall	immondizia	lixo
bicicleta	bicycle	bicyclette	Fahrrad	bicicletta	bicicleta
billete	ticket	billet	Schein	biglietto	passagem
bonos de hotel	hotel vouchers	bons d'hôtel	Hotelgutscheine	buoni hotel	vouchers de hotel
cama supletoria	supplementary bed	lit supplémentaire	zusätzliches Bett	letto addizionale	cama extra
camarero	waiter	garçon	Kellner	cameriere	camareiro (garçom)
camino	path	chemin	Weg	sentiero	caminho
Camino de Santiago	the way of St. James	Chemin de Saint-Jacques-de-Compostelle	Jakobsweg	Rotta Giacobea	Caminho de Santiago
caña	cane	canne	Stängel	canna	cana
capa de ozono	ozone layer	couche d'ozone	Ozonschicht	fascia d'ozono	camada de ozono (camada de ozônio)
casa particular	private house	maison individuelle	Privathaus	abitazione privata	casa particular
casas rurales	rural houses	gîtes ruraux	Landhäuser	agriturismi	casas rurais
catedral	cathedral	cathédrale	Kathedrale	cattedrale	catedral
caza furtiva	poaching	braconnage	Wilderei	caccia di frodo	caça ilegal
chiringuito	beach bar	buvette	Bude	capanno da spiaggia	bar de praia (quiosque de praia)
ciclo-raíl	cycle-rail	cyclo-rail	Schienenfahrradfahren	ciclo-corsia	ferrovia preparada para andar de bicicleta
cicloturismo	cycling tour	cyclotourisme	Radwandern	cicloturismo	cicloturismo
comarca	district	contrée	Landkreis	regione	comarca
conferencia	conference	conférence	Vortrag	conferenza	conferência
contenedor	container	container	Container	container	contentor (container)
crucero	cruise	croisière	Kreuzfahrtschiff	crociera	cruzeiro
cueva	cave	grotte	Höhle	caverna	cova
deforestación	deforestation	déforestation	Rodung	disboscamento	deflorestação
densidad	density	densité	Dichte	densità	densidade
descenso en los niveles del agua	reduction in water level	diminution du niveau de l'eau	Abnahme der Wasserpegel	calo nei livelli dell'acqua	descida nos níveis de água
desertización	desertification	désertisation	Verwüstung	desertizzazione	desertificação
desfiladero	defile	défilé	Hohlweg	gola	desfiladeiro
deshielo	thaw	dégel	Eisschmelze	disgelo	degelo
difusión de la agricultura	spreading of agriculture	diffusion de l'agriculture	Diffusion der Landwirtschaft	diffusione dell'agricoltura	difusão da agricultura
efecto invernadero	greenhouse effect	effet de serre	Treibhauseffekt	effetto serra	efeito estufa
entrada	entry	entrée	Eingang	entrata	entrada
erosión del suelo	land erosion	érosion du sol	Bodenerosion	erosione del suolo	erosão do solo
escalar	to climb	escalader	ersteigen	scalare	escalar
especies en peligro de extinción	species in danger of extinction	espèces en voie d'extinction	vom Aussterben bedrohte Arten	specie in via di estinzione	espécies em perigo de extinção
excursión	excursion	excursion	Ausflug	escursione	excursão
explotación ganadera	livestock farm	exploitation d'élevage	Viehbetrieb	azienda per l'allevamento	exploração pecuária
exposición	exhibition	exposition	Ausstellung	esposizione	exposição
extracción de aguas	water extraction	extraction de l'eau	Wasserförderung	estrazione dell'acqua	extracção de águas (extração de águas)
fauna y flora	fauna and flora	faune et flore	Fauna und Flora	fauna e flora	fauna e flora
gases contaminantes	polluting gases	gaz contaminants	Abgase	gas inquinanti	gases contaminantes (gases poluentes)
granjas submarinas	fish farms	exploitations sous-marines	Unterwasserhöfe	allevamenti subacquei	piscicultura
habitación doble	double room	chambre double	Doppelzimmer	camera doppia	quarto duplo
habitación simple	single room	chambre individuelle	Einzelzimmer	camera singola	quarto simples
hostal	hostel	hôtel	Herberge	pensione	hospedaria
iglesia	church	église	Kirche	chiesa	igreja
lago	lake	lac	See	lago	lago
laguna	lagoon	lagune	Lagune	laguna	lagoa
materia orgánica	organic matter	matière organique	organischer Stoff	materia organica	matéria orgânica
mesón	inn	auberge	Gaststätte	osteria	restaurante
minitarifa	mini-rate	tarif réduit	Spartarif	minitariffa	mini-tarifa
minitrén	mini-train	minitrain	Minizug	minitreno	mini-comboio (trenzinho)
montaña	mountain	montagne	Berg	montagna	montanha
montañismo	climbing	alpinisme	Bergsteigen	alpinismo	alpinismo
monumento	monument	monument	Denkmal	monumento	monumento
museo	museum	musée	Museum	museo	museu
ocio	leisure	loisir	Freizeit	tempo libero	lazer
paisaje	landscape	paysage	Landschaft	paesaggio	paisagem
paraje	spot	site	Gegend	paraggio	paragem
parque nacional	national park	parc national	Nationalpark	parco nazionale	parque nacional
pesticida	pesticide	pesticide	Pestizid	pesticida	pesticida
pincho	ration	brochette	Häppchen	spiedo	espetinho
precio	price	prix	Preis	prezzo	preço
precipicio	cliff	précipice	Abgrund	precipizio	precipício
puerto deportivo	marina	port de plaisance	Yachthafen	porto da diporto	porto despotivo (porto esportivo)

ESPAÑOL	INGLÉS	FRANCÉS	ALEMÁN	ITALIANO	PORTUGUÉS (BRASILEÑO)
reciclar	to recycle	recycler	wiederverwerten	riciclare	reciclar
recorrido turístico	tourist route	itinéraire touristique	turistische Route	percorso turistico	percurso turístico
repercusión ambiental	environmental impact	répercussion environnementale	Umwelteinfluss	ripercussione ambientale	repercussão ambiental
reserva	reserve	réserve	Reservat	riserva	reserva
residuo	waste	résidu	Abfall	residuo	resíduo
residuos tóxicos	toxic waste	résidus toxiques	Giftrückstände	residui tossici	resíduos tóxicos
restaurante	restaurant	restaurant	Restaurant	ristorante	restaurante
ruta	route	itinéraire	Route	rotta	itinerário
saco de dormir	sleeping bag	sac de couchage	Schlafsack	sacco a pelo	saco cama (saco de dormir)
sala de arte	art gallery	galerie d'art	Kunsthalle	sala d'arte	sala de arte
salinización de los suelos	land salinification	salinisation des sols	Bodenversalzung	salinizzazione dei terreni	salinização dos solos
senderismo	trekking	randonnée	Wandern	sentierismo	caminhada, trekking
sobrepastoreo	over-grazing	excédent de pacage	Überweidung	eccesso di pastorizia	excesso de pastoreio
sobrepesca	over-fishing	excédent de pêche	Überfischung	eccesso di pesca	excesso de pesca
submarinismo	scuba diving	plongée	Unterwassersport	attività subacquea	submarinismo
tándem	tandem	tandem	Tandem	tandem	tandem
tapa	snack	tapa, apéritif	Tapa	coperchio	aperitivo (tira-gosto)
tasca	tavern	bistrot	Kneipe	osteria	tasca (taberna)
teleférico	cable car	téléphérique	Seilbahn	teleferica	teleférico
tenedores y estrellas	forks and stars	fourchettes et étoiles	Gabeln und Sterne	forchette e stelle	categoria de restaurantes e hotéis
terreno volcánico	volcanic terrain	terrain volcanique	Vulkangestein	terreno vulcanico	terreno vulcânico
tienda de campaña	tent	tente	Zelt	tenda da campeggio	tenda de campismo (barraca de camping)
tinto de verano	wine and lemonade	vin avec de la limonade	Rotwein mit Limonade		vinho com gasosa (vinho com soda)
turismo cultural	cultural tourism	tourisme culturel	Kulturreisen	turismo culturale	turismo cultural
turismo rural	rural tourism	tourisme rural	Ferien auf dem Land	agriturismo	turismo rural
vertedero	dump	décharge	Mülldeponie	discarica	depósito de lixo
viaje	journey	voyage	Reise	viaggio	viagem
visita guiada	guided tour	visite guidée	geführter Besuch	visita guidata	visita guiada
vuelo chárter	charter flight	vol charter	Charterflug	volo charter	voo charter (vôo charter)
yate	yacht	yacht	Jacht	yacht	iate
zona restringida	restricted area	zone restreinte	Gebiet mit beschränktem Zugang	zona d'accesso limitato	área restringida
zonas naturales	natural area	zones naturelles	Naturgebiete	zone naturali	áreas naturais

Lección 8

ESPAÑOL	INGLÉS	FRANCÉS	ALEMÁN	ITALIANO	PORTUGUÉS (BRASILEÑO)
aéreo espacial	aero-spatial	aérospatial	Raum-	aerospaziale	aéreo-espacial
antena parabólica	satellite dish	antenne parabolique	Parabolantenne	antenna parabolica	antena parabólica
archivo	file	archives	Archiv	archivio	arquivo
astronómico	astronomic	astronomique	astronomisch	astronomico	astronómico
astrónomo	astronomer	astronome	Astronom	astronomo	astrônomo
bombona de butano	butane gas bottle	bouteille de butane	Butangasflasche	bombola del gas	gás de botija (botijão de gás)
caldera	boiler	chaudière	Boiler	caldaia	caldeira
canal	canal	canal	Kanal	canale	canal
celestial	celestial	céleste	himmlisch	celestiale	celestial
cobertura	covering	couverture	Empfang	copertura	cobertura
constelación	constellation	constellation	Konstellation	costellazione	constelação
correo electrónico	e-mail	courrier électronique	Email	posta elettronica	e-mail
CPU	CPU	CPU, unité centrale de traitement	CPU	CPU	CPU, unidade central de processamento
cuerpos celestes	celestial bodies	corps célestes	Himmelskörper	corpi celesti	corpos celestes
desorbitado	out of orbit	sorti de son orbite	aus der Umlaufbahn abgekommen	esorbitante	fora de órbita
disquete	diskette	disquette	Diskette	diskette	disquete
emisora	radio station	station émettrice	Sender	emittente	emissora
energía eólica	eolic energy	énergie éolienne	Windenergie	energia eolica	energia eólica
energía hidráulica	hidraulic energy	énergie hydraulique	Wasserenergie	energia idraulica	energia hidráulica
escanear	to scan	scanner	scannen	fare uno scanner	escanear
escáner	scanner	scanner	Scanner	scanner	scanner
estrella fugaz	shooting star	étoile filante	Sternschnuppe	stella cadente	estrela cadente
firmamento	firmament	firmament	Himmelsgewölbe	firmamento	firmamento
formatear	to format	formater	formatieren	formattare	formatar
frecuencia modulada	modulated frequency	modulation de fréquence	Modulationsfrequenz	modulazione di frequenza	frequência modulada (freqüência modulada)
grabar	to record	enregistrer	aufnehmen	registrare	gravar
impresora	printer	imprimante	Drucker	stampante	impressora
internauta	internaut	internaute	Internet-Surfer	internauta	internauta
ir de estrella	act like a star	se prendre pour une star	Starallüren haben	atteggiarsi a divo	comportar-se como estrela, como artista
línea RSDI	RSDI line	ligne RSDI	ISDN-Anschluss	linea RSDI	linha RDIS
linterna	lantern	lanterne	Laterne	lanterna	lanterna
lluvia de estrellas	shower of shooting stars	pluie d'étoiles	Sternenregen	pioggia di stelle	chuva de estrelas
lunático	lunatic	lunatique	verrückt	lunatico	lunático
meteorito	meteorite	météorite	Meteorit	meteorite	meteorito
microchip	microchip	micropuce	Mikrochip	microchip	microprocessador
monitor	monitor	moniteur	Monitor	istruttore	monitor
nacer con estrella	to be born lucky	naître sous une bonne étoile	unter einem günstigen Stern geboren werden	nascere sotto una buona stella	nascer com sorte

ESPAÑOL	INGLÉS	FRANCÉS	ALEMÁN	ITALIANO	PORTUGUÉS (BRASILEÑO)
operador de telefonía	telephone operator	opérateur téléphonique	Telefon-Anbieter	centralinista	operador de telefonia
ordenador	computer	ordinateur	Computer	computer	computador
órbita	orbit	orbite	Umlaufbahn	orbita	órbita
ovni	UFO	ovni	UFO	UFO	ovni
pila	battery	pile	Batterie	pila	pilha
placa solar	solar panel	panneau solaire	Solarzelle	placca solare	placa solar
planeta rojo (Marte)	red planet (Mars)	planète rouge (Mars)	roter Planet (Mars)	pianeta rosso (Marte)	planeta vermelho (Marte)
procesador	processor	processeur	Prozessor	processore	processador
programación	programming	programmation	Programmierung	programmazione	programação
radiador	radiator	radiateur	Heizkörper	radiatore	radiador
ratón	mouse	souris	Maus	mouse	rato (mouse)
red de comunicación	communication network	réseau de communication	Kommunikationsnetz	rete di comunicazione	rede de comunicação
retransmisión	broadcasting	retransmission	Übertragung	trasmissione	retransmissão
satélite	satellite	satellite	Satellit	satellite	satélite
ser una estrella	to be a star	être une vedette	unheimlich nett sein	essere una stella	ser uma estrela
ser un sol	to be very kind	être un amour	unheimlich nett sein	essere eccezionali	ser um amor
servidor de internet	internet server	serveur d'internet	Internet-Server	server di internet	provedor de internet
teclado	keyboard	clavier	Tastatur	tastiera	teclado
teléfono inalámbrico	wireless telephone	téléphone sans fil	schnurloses Telefon	telefono senza fili	telefone sem fio
telescopio	telescope	télescope	Teleskop	telescopio	telescópio
televisión digital	digital television	télévision numérique	Digitalfernsehen	televisione digitale	televisão digital
televisión por cable	cable television	télévision par câbles	Kabelfernsehen	televisione via cavo	televisão a cabo
terrícola	earth dweller	terrien	Erdbewohner	terricolo	terrícola
universo	universe	univers	Weltall	universo	universo
virus informático	computer virus	virus informatique	Computer-Virus	virus informatico	vírus informático

Lección 9
Tabúes

achuchar	machete	anteojos	chanco
acometer	mandado	aparador	chele
aficionar	mango	apureña	chicharrón
afilar	mochilas	arrojar	chino
agachar	mono	auto	chistes
alambique	montar	balde	choco
amigarse	pájaro	baño	chomba
amontonarse	paloma	baquiano	chompa
animal	pan	barra	chorreras
apio	pan francés	barrancas	churrusco
apretar	papa	bencina	cintas
bailar	papaya	bermuda	clóset
bicho	pelotas	betunar	clúmer
bisagra	peluda	bidón	cobija
bizcocho	perder aire	bocadillos	coche
bolas	pico	bocaditos	cochino
bollo	pinche	bocas	colectivo
bolsas	pincho	bodega	colocho
cabezón	plátano	bolear	colorines
caja	poner	bóler	cómicos
cajetilla	raja	boleto	comiquitos
cartuchera	rendija	bombacha	con crema
chicha	roscón	bongo	con leche
chocha	sapo	boquitas	corneta
chocho	soplarse	botanas	corpiño
coger	tarro (pegarse tarros)	box	correas
cola (ponerse en cola)	templarse	brassiers	cotorra
compañeros	tener un apaño	brevete	crespo
concha	timbales	bus	crillar
conejo	tirarse	buzo	cuadros
cuca	tórtola	cachetes	cubeta
derramarse	trolas	calefón	damasco
echar un palo	tu madre	calefond	dar grasa
empanada	venirse	califont	deponer
empatarse	zorra	calzones	devolver
encamarse		camión (de pasajeros)	dibujos animados
galleta	**Americanismos**	camioneta	dirección
gallo		canche	durazno
garrote	afro	cano	ejetes
gato	aguaje	cantina	elevador
gemelos	agujetas	carameros	embolar
gusano	ajuar	caricaturas	ensaladas
hacerle agua la canoa	alberca	carro	entremeses
hacerse la chaqueta	alcancía	cascú	escupelo
higo	aliviarse	castigo	espejuelos
huérfanos	alumbrar	catire	estacionar
huevo	amarillo	centro	estampilla
	amoblado	chalazo o charazo	estanque
	anginas	chancho	estrellados

exhibidor · fanales · faroles · focos · frijol verde · fulo · ganglios · gavetes · glándulas · gobernador · grifo · gringo · guagua · güero · guía · guiar · habichuelas · historietas · huella · intendente · jamona · juego de living · juego de sala · juego de salón · jugo · lapicera fuente · lapicero · lentes · libreta · licencia · lustrar · macho · malo · manejar · manivela · manubrio · marrano

marroncito · medias · mejorarse · mesa · metropolitano · micro · monitos · mono · mota · motoso · motudo · muñequitos · murruco · murusho · musuco · nafta · nagua · nevería · ómnibus · palanqueros · paneta · pantaletas · panty · paños · parquear · pasa · pasabocas · pasadores · pasaje · pasapalos · pascón · pase · pastel · pelea · penal · perrilla · picada

picadas · picadera · picadillo · pie [pai] · pileta · pintado · piqueo · pirpelo o pispelo · pista · pito · placard · pluma fuente · pollera · porotos (verdes) · portabustos · prefecto · presidente municipal · pudín · puerco · pugilato · pulir · pulóver · quedada · queque · regadera · registro · retro · retroceso · reversa · riversa · roncha · ropero empotrado · rueda · ruliento · rulos · saladitos · saya

senda · short · síndico · sociedad · sorbetería · sostén · sostenbusto · sostensenos · subte · subterráneo · taberna · tanque (de gasolina) · tanque de agua · terma · termo · termocalefón · termotanque · terno de sala · ticket · timbre · timón · tiras cómicas · tobo · toldilla · torta · torta dulce · trenzas · tungo · vainicas · vereda · vidriera · vitrina · volver (al estómago) · zambo

ESPAÑOL	INGLÉS	FRANCÉS	ALEMÁN	ITALIANO	PORTUGUÉS (BRASILEÑO)

Lección 10

ESPAÑOL	INGLÉS	FRANCÉS	ALEMÁN	ITALIANO	PORTUGUÉS (BRASILEÑO)
abogado defensor	defence lawyer	avocat défenseur	Verteidiger	avvocato difensore	advogado de defesa
acoso	harassment	harcèlement	Belästigung	assillo	assédio
acoso sexual	sexual harassment	harcèlement sexuel	sexuelle Belästigung	molestie sessuali	assédio sexual
acta notarial	notarial deed	acte notarié	notarielle Urkunde	atto notarile	registo notarial (ata notarial)
acusado	accused	accusé	Angeklagter	accusato	acusado
allanamiento	house breaking	violation (de domicile)	Hausfriedensbruch	violazione	invasão de domicílio
amenaza	threat	menace	Drohung	minaccia	ameaça
apelación	appeal	appel	Berufung	appello	apelação
arrendador	lessor	loueur	Vermieter	locatore	arrendatário
arrendamiento	renting	location	Vermietung	affitto	arrendamento
arrendatario	tenant	locataire	Mieter	affittuario	arrendatário
asesinato	murder	assassinat	Mord	assassinio	assassínio
atentado	terrorist attack	atteinte	Anschlag	attentato	atentado
atraco	hold-up	hold-up	Überfall	rapina	assalto
autorización (documento)	authorization	autorisation	Genehmigung	autorizzazione	autorização
bando (documento)	edict	arrêté (avis)	Bekanntmachung	bando	edital
calumnia	calumny	calomnie	Verleumdung	calunnia	calúnia
cédula (documento)	document	cédule	Urkunde	cedola	cédula
certificado	certified	certifié	Einschreiben	certificato	certidão, atestado
chantaje	blackmail	chantage	Erpressung	ricatto	chantagem
circular (documento)	circular	circulaire	Rundschreiben	circolare	circular
citación	citation	citation	Vorladung	citazione	citação
cláusula	clause	clause	Klausel	clausola	cláusula
contrabando	smuggling	contrebande	Schmuggel	contrabbando	contrabando
contrato	written contract	contrat	Vertrag	contratto	contrato
contrato de arrendamiento	lease contract	contrat de bail	Mietvertrag	contratto d'affitto	contrato de arrendamento
contrato laboral	labour contract	contrat de travail	Arbeitsvertrag	contratto di lavoro	contrato de trabalho
contribución (a Hacienda)	tax payment	contribution (paiement des impôts)	Abgabe ans Finanzamt	contributo (al Fisco)	contribuição
currículum	curriculum vitae	curriculum vitae	Lebenslauf	curriculum	currículo

ESPAÑOL	INGLÉS	FRANCÉS	ALEMÁN	ITALIANO	PORTUGUÉS (BRASILEÑO)
declaración (documento)	declaration	déclaration	Erklärung	dichiarazione	declaração
decreto-ley	Decree-Law	décret-loi	Dekret	Decreto-Legge	Decreto-Lei
demanda (documento)	claim	demande	Klage	richiesta	acção judicial (ação judicial)
demandante	plaintiff	demandeur	Kläger	richiedente	requisitante
denuncia	report complaint	dénonciation, plainte	Anzeige	denuncia	denúncia
desahucio	eviction	donner congé à un locataire	Zwangsräumung	sfratto	despejo
edicto	edict	édit	Edikt	editto	édito, decreto
escritura (documento)	deed	acte, écriture	Urkunde	scrittura	escrita
espionaje	spying	espionnage	Spionage	spionaggio	espionagem
estafa	swindle	escroquerie	Betrug	truffa	fraude
fallo (judicial)	sentence	jugement, sentence	Urteil	sentenza	sentença
fianza	deposit	caution	Kaution	deposito	fiança
finiquitar	to close	liquider	begleichen	saldare un conto	liquidar
fiscal	public prosecutor	procureur	Staatsanwalt	pubblico ministero	fiscal
formalizar (un acuerdo)	to formalize	officialiser (un accord)	ausfertigen	formalizzare	formalizar
fraude	fraud	fraude	Betrug	frode	fraude
hurto	petty theft	vol	Diebstahl	furto	furto
incoar	to initiate	intenter (un procès), entreprendre (des poursuites)	einen Prozess eröffnen	incoare	incoar
informe	report	rapport	Bericht	rapporto	relatório
instancia (documento)	request	requête	Gesuch	istanza	instância
inventario	inventory	inventaire	Inventar	inventario	inventário
judicial	judicial	judiciaire	gerichtlich	giudiziario	judicial
juez	judge	juge	Richter	giudice	juiz
juicio	trial	jugement	Prozess	processo	julgamento
Jurado	jury	juré	Geschworenenausschuss	giuria	júri
jurista	jurist	juriste	Jurist	giurista	jurista
justicia	justice	justice	Gerechtigkeit	giustizia	justiça
justo	fair	juste	gerecht	giusto	justo
ley	law	loi	Gesetz	legge	lei
malversación	malversation	malversation	Veruntreuung	malversazione	malversação
memorando	memorandum	mémorandum	Memorandum	memorandum	memorando
minuta	note	note d'honoraires	Honorarrechnung	distinta	minuta
procurador	procurator	procureur	Prokurator	procuratore	procurador
recibo	receipt	reçu	Quittung	ricevuta	recibo
recurso	appeal	appel, recours	Berufung	ricorso	recurso, apelação
rescindir	to cancel	résilier	aufheben	rescindere	rescindir
secuestro	kidnapping	enlèvement	Entführung	sequestro	sequestro (seqüestro)
sentencia (documento)	sentence	sentence	Urteil	sentenza	sentença
soborno	bribery	pot-de-vin	Bestechung	corruzione	suborno
suplicatorio (documento)	supplicatory	commission rogatoire	Rechtshilfeersuchen	rogatoria	precatória
testamento	will	testament	Testament	testamento	testamento
testigo de la acusación	prosecution witness	témoin à charge	Zeuge der Anklage	testimone d'accusa	testemunha da acusação
testigo de la defensa	defence witness	témoin à décharge	Zeuge der Verteidigung	testimone della difesa	testemunha da defesa
violación	rape	viol	Vergewaltigung	violazione	violação